KB010844

터칭
더
보이드

터칭 더 보이드

조 심슨 지음 | 김동수 옮김

TOUCHING THE VOID

일러두기

- 인명, 지명, 등반 용어 등은 국립국어원 외래어표기법을 따르되, 일부는 한국산악계 표기를 따랐습니다.
- 본문에서 괄호 안의 설명은 모두 옮긴이 주입니다.

평생 갚을 수 없는 빚을 진

사이먼 예이츠에게

그리고

산에 가서 끝내 돌아오지 못한

친구들에게

한국의 독자들에게

혹시 원정등반 경험이 없는 분이라도 이 짧은 이야기를 재미있게 읽기 바랍니다. 지금은 농담처럼 이야기할 수 있지만, 38년 전의 그날 이후 내 인생은 좋건 나쁘건 돌이킬 수 없이 바뀌어 버렸습니다.

나는 참을 수 없는 육체적 한계에 도달했고, 끔찍하고 무시무시한 고통을 겪었으며, 거의 죽다 살아났습니다. 더불어 적절한 기술과 결단력 그리고 자신의 임무를 전적으로 믿고 거기에 헌신하는 소규모 팀이라면 가장 대담한 꿈을 넘어 성공할 수 있다는 것도 배웠습니다. 이 교훈을 터득하기는 결코 쉽지 않았습니다.

이 책을 읽으며 여러분도 내가 느꼈던 고통을 한껏 즐기기 바랍니다.

조 심슨

Joe Simpson

차례

추천의 글

지난 겨울 샤모니에서 조 심슨을 처음 만났다. 다른 산악인들처럼 이제부터 스키를 타기로 한 그는 레슨을 받는 대신 혼자서 연습하고 있었다. 그에 대한 이야기는 이미 듣고 읽어서 어느 정도 알고 있었다. 여러 산에서의 아슬아슬한 탈출, 특히 페루에서 있었던 마지막 탈출에 대해. 하지만 그는 그런 고난에 큰 충격을 받지는 않은 것처럼 보였다.

샤모니의 술집에서 함께 어울려보니, 그런 이야기와 명성을 조 심슨이라는 사람과 연결 짓기가 쉽지 않았다. 펑크스타일의 머리를 한 그는 표정이 어두웠고 조금은 까다로워 보였다. 머릿속으로, 그를 셰필드의 거리에서 산으로 옮겨놓기는 결코 쉽지 않았다. 그 후 나는 그에 대해 더 이상 생각하지 않았다. 적어도《터칭 더 보이드》의 원고를 읽기 전까진 말이다. 이 책의 이야기는 그저 놀라운 정도가 아니었다. 정말 대단했다. 지금까지 읽은 믿기 힘든 생존기 중 최고라고 할 수 있을 정도였다. 조의 글은 자신과 파트너 사이먼 예이츠Simon Yates가 겪은 극한의 공포와 고통과 감정을 예민하고 드라마틱하게 잡아내고 있었다. 하산 중 추락하면서 한쪽 다리가 부러진 순간부터 크레바스 속에서 끔찍한 절망을 이겨내고 마침내 베이스캠프로 기어온 순간까지, 나는 원고를 내려놓지 못한 채 꼼짝도 할 수 없었다.

전체적으로 조의 생존 투쟁은 1977년 파키스탄의 오거Ogre에서 겪은 내 경험과 비슷했다. 당시 내 동료였던 더그 스콧은 정상에서 로프를 타고 내려오다 두 다리가 부러졌다. 여기까지의 이야기는 조가 당한 시련의 앞부분과 비슷했다. 대단히 적대적이었던 산의 정상 근처에는 우리 둘밖에 없었다. 그러나 우리에겐 정상 아래쪽 안부鞍部(산의 능선이 말안장 모양으로 움푹 들어간 부분)의 설동에 동료 두 명이 더 있었다. 폭풍설에 갇힌 우리는 내려오는 데만 엿새가 걸렸고, 그중 닷새는 아무것도 먹지 못했다. 게다가 도중에 나까지 늑골이 부러졌다. 이 일은 내가 산에서 겪은 최악의 경험이었지만, 조가 혼자 탈출한 것과 비교하니 아무것도 아닌 것 같았다.

1957년 카라코람에 위치한 해발 7,409미터의 하라모시Haramosh에서도 비슷한 일이 벌어졌다. 옥스퍼드대학 산악회원들은 이 봉우리의 초등에 도전했으나 결국 돌아서기로 결정했는데, 그때 버나드 질럿과 존 에머리가 사진을 찍는다고 능선을 조금 벗어났다가 판상눈사태에 휘말리고 말았다. 두 사람은 추락했지만 살아남았다. 나머지 대원들이 그들을 구하러 내려갔으나 그것은 기나긴 재앙의 서막에 불과했고, 결국 그들 중 살아남은 자는 둘뿐이었다.

그들의 이야기 역시 흥미진진하고 감동적이긴 하지만 전문 작가의 손을 빌린 것이어서 당사자가 직접 쓴 것에 비하면 절박함이나 견고한 구성력이 떨어진다. 이 책의 장점이 바로 이것이다. 조 심슨의 경험담은 내가 이제껏 들어본 가장 놀라운 이야기일 뿐만 아니라, 이 장르의 고전이라 해도 손색이 없을 만큼 훌륭하고 감동적이다.

1988년 2월

크리스 보닝턴

크리스 보닝턴Chris Bonington은 영국 출신의 산악등반가로 1970년 안나푸르나 남벽 원정대장, 1975년 에베레스트 남서벽 원정대장을 맡았다. 2015년 황금피켈상 평생공로상을, 2018년 울산울주세계산악영화제 산악문화상을 수상했다. 그는 이 서문을 쓰고 난 1996년에 기사 작위를 받았다.

사람들은 꿈을 꾼다.

하지만 모두 똑같은 꿈은 아니다.

밤에 마음속 깊숙이 먼지로 뒤덮인 구석에서 꿈을 꾸는 자들은

낮에 깨어나면 그것이 헛된 망상이라는 사실을 깨닫는다.

그러나 낮의 몽상가들은 위험한 사람들이다.

그들은 꿈을 실현하기 위해 두 눈을 부릅뜨고

행동에 들어갈지도 모른다.

T. E. 로런스,《지혜의 일곱 기둥Seven Pillars of Wisdom》

크레바스 밖에서부터 기어 내려온 길

4
3
A
2
하강
×
C
1
호수

1

호수 아래 베이스캠프

침낭에 누워 알록달록한 돔 텐트 천 사이로 스며드는 빛을 바라보고 있었다. 코를 심하게 고는 사이먼은 꿈을 꾸는지 간간이 꿈틀거렸다. 텐트 안이란 참 기묘한 공간이다. 일단 지퍼를 올리면 외부 세계와 단절되면서 위치 감각이 모두 사라진다. 스코틀랜드든, 프랑스 알프스든, 카라코람이든, 어디든 마찬가지다. 바람에 펄럭이거나 빗방울에 바스락거리는 텐트 천 소리, 그라운드시트(습기를 막기 위해 텐트 바닥에 까는 방수포) 밑의 딱딱한 감촉, 양말의 고린내와 땀 냄새. 이런 것들은 어디서든 똑같은데, 다운침낭의 따뜻함만큼이나 위안을 준다.

바깥은 밝아오는 하늘 아래 봉우리들이 태양의 첫 햇살을 받고 있을 것이고, 어쩌면 콘도르가 상승기류를 타고 텐트 위로 날아오르고 있을 터였다. 전날 오후 콘도르가 캠프 위에서 맴도는 모습을 봤기 때문에 지나친 상상은 결코 아니었다. 우리는 페루 안데스의 와이와시 산군Cordillera Huayhuash 한가운데에 있었다. 장관을 이룬 하얀 산들로 둥그렇게 둘러싸인 이곳은 가장 가까운 마을이래야 험한 산길로 45킬로미터나 떨어진 외진 곳으로, 텐트 안에서 이런 점을 느낄 수 있는 유일한 암시는 세로 사라포Cerro Sarapo에서 주기적으로 떨어지는 눈사태의 굉음뿐이었다.

따뜻한 텐트를 벗어나는 것이 못내 아쉬웠으나 스토브를 켜려고 마지못해 침낭에서 기어 나왔다. 밤새 눈이 조금 내린 모양이었다. '취사바위'를 향해 걸어가니 서리가 내려앉은 잔디가 서벅거렸다. 반쯤 무너진 채 허연 서리를 뒤집어쓴 1인용 텐트 옆을 지나는데도 리처드는 동요하는 기색을 전혀 보이지 않았다.

우리의 취사장이 된 길쭉한 바위 아래에 쪼그려 앉은 나는 온전히 혼자가 되는 시간을 즐기면서 석유스토브와 씨름을 벌였다. 영하의 기온과 내가 채워 넣은 지저분한 석유 때문인지 스토브가 완강하게 저항했다. 유인에 실패한 나는 잔인하고 강압적인 방식을 써보기로 했다. 가스스토브를 최대로 틀어 노즐을 가열하자, 마치 지저분한 석유 때문이었다고 항변이라도 하듯 석유스토브는 불꽃을 내뿜으며 요란한 소리를 냈다.

물이 서서히 데워지는 동안 바위가 널린 메마르고 넓은 강바닥을 둘러봤다. 나는 이상한 바위 밑에 쪼그리고 앉았는데, 그 바위는 악천후나 밤이 아니면 멀리서도 눈에 쉽게 띄는 표석(빙하 때문에 생긴 커다란 바위)이었다. 캠프 바로 앞 2킬로미터 정도 거리에는 수직에 가까운 거대한 벽이 눈과 얼음을 뒤집어쓴 채 사라포 정상까지 곧장 치솟아 있었다. 왼쪽으로는 모레인(빙하 하류에 쌓인 암석 부스러기)의 바다에서 솟아오른 두 개의 장엄한 눈의 성, 즉 예루파하Yerupaja와 라삭Rasac이 캠프사이트를 굽어보고 있었다. 해발 6,344미터의 장엄한 시울라 그란데Siula Grande는 사라포 뒤에 있어서 보이지 않았다. 이 산은 1936년 대담한 독일 산악인 둘이 북쪽 능선으로 초등에 성공한 이래 사람의 발길이 거의 닿지 않은 곳이었다. 그리고 진정한 그랑프리라고 할 수 있는 1,400미터의 무시무시한 서벽은 너무나 어려워서 여태껏 모든 도전을 물리치고 있었다.

스토브를 끄고 커다란 머그컵 세 개에 물을 조심스럽게 나눠 따랐다. 햇살이 아직 맞은편 능선에도 닿지 않아 날씨는 여전히 쌀쌀했다.

"차 준비됐어. 아직 살아 있으면 마셔." 나는 텐트에 대고 유쾌하게 소리쳤다.

서리를 떨어뜨릴 요량으로 리처드의 텐트를 발로 차자, 그는 몸을 으스스 떨며 기어 나와 말없이 강바닥을 향해 걸어갔다. 그의 손에는 두루마리 휴지가 들려 있었다.

"아직도 속이 안 좋아?" 그가 돌아왔을 때 내가 물었다.

"글쎄, 완전히 낫진 않았는데 최악의 상태는 지난 것 같아. 간밤엔 얼어 죽는 줄 알았다니까."

그의 설사는 강낭콩 스튜가 아니라 고산병 때문인 것 같았다. 우리 텐트는 해발 4,500미터 높이에 있었고, 그는 산의 '산' 자도 모르는 사람이었다.

사이먼과 내가 리처드를 처음 만났을 때 그는 리마의 싸구려 호텔에 묵고 있었다. 6개월 예정의 남미 여행 중 이제 반 정도 끝냈다는 그는 금속테 안경에 간편하고 실용적인 옷차림을 하고 있었고, 뜨내기 같은 태도 속에 천연덕스러운 유머와 부두에서 건달로 지낸 추억담 같은 엉뚱한 레퍼토리를 숨기고 있었다. 그는 콩고민주공화국의 열대우림을 카누로 여행할 때는 피그미족과 함께 곤충의 유충과 열매만으로 버티기도 했고, 나이로비의 시장에서는 좀도둑이 발길질에 죽는 것을 목격하기도 했다. 그리고 함께 여행하던 동료는 우간다에서 카세트테이프를 교환하다 이를 수상하게 여긴 군인의 총에 맞아 죽었다.

그는 돈을 모으기 위해 한바탕 열심히 일하고 나서 세계를 여행했다. 그리고 낯선 나라에서의 우연한 만남이 어디로 이어질까 기대하며 보통 혼자 다녔다. 그는 우리에게 분명 도움이 되는 존재였다. 사이먼과 내가 등반을 하는 동안 리처드처럼 재미있는 사람이 캠프를 지켜주면 좋지 않을까? 이런 오지에 사는 가난한 산간 농부들을 의심한다는 게 가당치 않은 일이지만, 리마의 뒷골목에서 당한 경험은 이 나라의 모든 이들을 의심하게 만들었다. 아무튼 우리는, 안데스를 가까이서 보고 싶다면 산에 가서 며칠 함께 지내자고 리처드를 유혹했다.

여기까지는 심장이 멎을 정도로 아찔한 계곡을 따라 버스로 130킬로미터나 덜컹거리며 달려오고 나서도 이틀을 더 걸어 올라와야 했다. 22인승의 낡은 버스에 전부 46명이 욱여넣어지다시피 했는데, 사고로 죽은 운전기사들과 승객들의 넋을 기리는 도로 옆 위령탑들을 보자 오싹한 기분이 들었다. 엔진은 나일론 끈으로 묶여 있었고, 바람 빠진 타이어를 바꿔 낄 때는 날카로운 곡괭이가 동원되기도 했다.

둘째 날 저녁 무렵 리처드에게 고소高所의 영향이 나타나기 시작했다. 날이 어두워지기 시작할 무렵 우리는 계곡 입구에 들어섰고, 리처드는 사이먼과 나더러 자기는 천천히 따라갈 테니 당나귀를 끌고 먼저 올라가 텐트를 치라고 재촉했다. 그러면서 이제부터는 쉬운 길만 있으니 아무 문제없을 것이라며 자신감을 보였다.

그는 우리가 텐트를 치고 있으리라 예상한 호숫가를 향해 까다로운 모레인을 간신히 올라왔는데, 그제야 비로소 지도에 호수가 하나 더 있었다는 사실을 기억해냈다. 비가 오고 있어서 점점 추워지기 시작했다. 얇은 셔츠와 가벼운 면바지로는 안데스의 쌀쌀한 밤 날씨를 제대로 막을 수 없었다. 지칠 대로 지친 그는 피난처를 찾아 계곡으로 내려갔다. 올라올 때 돌과 양철로 된 낡은 오두막을 봤는데, 그곳이 비어 있다면 하룻밤을 쉬기엔 안성맞춤이라고 생각한 것이다. 하지만 놀랍게도 그곳은 10대 소녀 두 명과 한 무리의 아이들로 바글거렸다.

오랜 대화 끝에 리처드는 가축우리 옆에 겨우 잠자리를 마련했다. 그들은 그에게 삶은 감자와 치즈, 그리고 덮고 자라며 다 헤진 양가죽 몇 장을 던져줬다. 그에겐 길고 추운 밤이었지만 고지대의 이蝨들은 오랫동안 성찬을 즐겼다.

사이먼이 취사바위로 다가와 생생한 꿈 이야기로 우리를 즐겁게 해줬다. 그는 이상한 환각이 자신이 복용하고 있는 수면제 때문이라고 굳게 믿고 있었다. 그래서 나도 밤에 몇 알을 먹어보기로 했다.

사이먼이 아침식사 준비를 맡아줘서 나는 남은 커피를 마저 마시고 일기를 썼다.

> 1985년 5월 19일. 베이스캠프. 간밤에 서리가 많이 내렸으나 아침은 하늘이 맑다. 나는 이곳에 적응하려고 여전히 노력 중이다. 두려울 정도로 외지지만 동시에 짜릿하기도 하다. 소란을 떠는 산악인 무리도 헬기도 구조도 없는 깊은 산속의 이곳이 알프스보단 훨씬 낫다. … 이곳의 일상은 무척 단조롭고 현실적이다. 여기선 사건과 감정을 되새길 필요 없이 그냥 지나가게 놔두면 된다….

내가 일기에 쓴 이 말을 나 자신이 얼마만큼 믿고 있는지, 그리고 이 말이 우리가 안데스에서 하려는 일과 어떤 연관이 있는지 의심스러웠다. 다음 날 우리는 로사리오 노르테Rosario Norte로 고소적응에 나서기로 했다. 그런 다음 컨디션이 좋으면 열흘 뒤에는 아무도 오르지 못한 서벽에 도전할 셈이었다.

사이먼이 나에게 오트밀죽 한 그릇을 건네주며 커피를 더 따라줬다.

"그럼 내일 갈 거지?"

"그래야지. 가볍게 올라가면 오래 걸리진 않을 거야. 이른 오후에 내려올 수 있을지도 몰라."

"날씨가 걱정이네. 도대체 종잡을 수가 없으니."

우리가 도착한 이래 날씨는 매일 똑같았다. 오전엔 항상 맑게 개지만 한낮이 되면 동쪽에서 구름이 몰려와 비를 뿌렸다. 이런 현상은 더 높은 곳의 사면에 많은 눈을 퍼부었다. 그러면 눈사태나 퇴로 차단이 갑작스러운 현실이 될 수도 있었다. 알프스에서 이런 구름이 몰려들면 후퇴를 거의 즉시 고려해야 하지만 이곳의 날씨 패턴은 사뭇 달랐다.

"내 생각엔 보이는 것만큼 나쁘진 않은 것 같아." 사이먼이 조심스럽게 의견을 제시했다. "어제를 봐봐. 구름이 몰려와 눈이 내렸지만 기온이 크게 떨어지진 않았어. 번개나 천둥도 치지 않았고. 정상 부근엔 바람도 그렇게 심하게 부는 것 같지 않았어. 폭풍설은 아닌 것 같아."

그의 판단이 맞을 수도 있었다. 그러나 나는 왠지 께름칙해 되물었다. "눈이 내리는데도 그냥 올라가잔 말이야? 그럼 난폭

한 폭풍설을 일반적인 패턴으로 오인할 위험이 있잖아?"

"맞아. 그럴 위험성이 있지. 그래서 상황을 예의주시해야 해. 하지만 여기서 죽치고 있으면 아무것도 못 할 거야."

"그렇긴 한데 눈사태는 정말 조심해야 해."

사이먼은 웃었다. "그래, 그럴 만도 하지. 넌 지난번에도 간신히 살아났으니까. 한겨울의 알프스와 비슷하지 않을까. 온통 분설에 그런 종류의 눈사태뿐이어서 아마 습설 때문에 큰 눈사태가 나는 일은 없을 거야. 두고 봐."

상황을 있는 그대로 받아들이는 사이먼의 느긋한 성격이 부러웠다. 자신에게 유리한 쪽으로 일을 끌고 가는 능력이 있는 그는 걱정과 의심 없이 상황을 즐기는 자유로운 영혼의 소유자였다. 그는 미간을 찡그리기보단 웃는 일이 더 많았고, 다른 사람의 불행과 마찬가지로 자신의 불행도 대수롭지 않게 생각했다. 그는 인생의 장점은 거의 다 가진 반면 단점은 별로 없는 편한 친구였다. 진실해서 의지할 수 있었고 인생을 농담처럼 받아들일 자세를 갖춘 사람이었다. 키가 크고 체격이 좋은 그는 숱이 많은 금발머리와 미소가 담긴 푸른 눈에, 소수의 몇 사람만 특별하게 만드는 약간의 광기도 있었다. 그와 단둘이서만 이곳에 오게 되어 기뻤다. 그토록 오래 함께할 수 있는 사람은 거의 없을 것 같았다. 사이먼은 내가 아닌 모든 것, 내가 되고 싶은 모든 것이었다.

"몇 시쯤 돌아올 것 같아?" 다음 날 아침 사이먼과 내가 떠날 준비를 하자, 리처드가 침낭에서 졸린 눈을 비비며 물었다.

"늦어도 3시. 거기서 오래 있진 않을 거야. 물론 날씨가 나빠지면 당연히 그래야겠지만."

"좋아. 행운을 빌게."

이른 아침의 서리가 푸석한 땅을 단단하게 만든 덕분에 예상보다 쉽게 나아갈 수 있었다. 곧 규칙적이고 조용한 리듬에 빠져든 우리는 모레인지대를 계속 지그재그로 올랐다. 뒤를 흘깃 돌아볼 때마다 텐트가 점점 더 작아졌다. 생각보다 컨디션도 좋고 힘도 넘친 나는 즐거운 마음으로 훈련을 받아들였다. 고도가 높았지만 우리는 빠르게 전진했다. 사이먼도 꾸준한 속도를 유지하며 나와 보조를 맞췄다. 그때 엉뚱하게도 우리 둘 사이에 현격한 차이가 있는 것은 아닐까 하는 걱정이 들었다. 어떤 등반가가 동료의 속도에 맞춰 자신도 속도를 늦춰야 한다면, 몸이 따라주지 않는 그 동료는 곧 헐떡거릴 것이 뻔하기 때문이다. 내가 그런 상태라면 좌절과 긴장을 느낄 것 같았다.

"어때?" 잠시 쉬려고 걸음을 멈췄을 때 내가 물었다.

"아주 좋아. 이번 등반에서 담배를 끊길 잘했어."

담배를 베이스캠프로 가져가지 말자는 사이먼의 제안에 나는 처음엔 반대했지만 결국 그의 말에 묵묵히 동의했다. 희박하고 찬 공기에 폐가 헐떡이고 있었다. 우리는 고산병과 폐수종이 얼마나 위험한지 귀에 못이 박히게 들었던 터라, 나는 며칠만이라도 담배를 멀리하기로 했다.

두어 시간 만에 경사진 모레인을 올라섰다. 그리고 부서진 바위지대 위에 있는 안부로 방향을 틀었다. 캠프가 시야에서 사라지자, 곧 우리가 있는 곳에 고요가 엄습했다. 난생처음 사람과 사회로부터 고립되는 것이 어떤 의미인지 깨달았다. 이곳은 놀랍도록 평온하고 고요했다. 나는 완전한 자유의 감정을 느꼈다. 어떤 방식으로든 하고 싶을 때 하고 싶은 일을 하는. 그러자 갑자기 하루의 일상이 온전히 바뀌었다. 무기력 대신 활력이 넘치는 자립심으로. 이제 우리는 어느 누구에게도 책임을 느낄 필요가 없었다. 끼어드는 사람도 구조하러 오는 사람도 없을 테니까.

앞에서 사이먼이 고도를 꾸준히 높여갔다. 비록 일정치 못한 내 속도를 그가 슬쩍 추월하긴 했지만, 이제는 우리가 대등하다고 느꼈기 때문에 나는 속도나 컨디션에 크게 신경 쓰지 않았다. 나는 서두르지 않았다. 그래도 우리 둘은 정상까지 쉽게 올라갈 수 있을 것 같았다. 만약 전망이 좋은 자리라도 나타나면 잠시 쉬면서 주위를 둘러볼 셈이었다.

협곡에 널브러진 바위들은 너무나 푸석해 금방이라도 굴러 떨어질 것 같았다. 누렇게 노출된 바위를 올라가니 사이먼이 100미터쯤 떨어진 안부에 앉아 차를 끓이고 있었다. 그 모습을 보자 기쁜 마음이 들었다.

"푸석 바위들이 생각만큼 나쁘진 않았어." 내가 조금 헐떡이며 말했다. "물론 차 마실 생각으로 버티긴 했지만."

"바로 저기, 사라포 왼편으로 시울라 그란데 보이지?"

"야, 정말 환상적이네." 하지만 바로 눈앞에 펼쳐진 그 광경에 겁이 더럭 났다. "사진보다 훨씬 더 큰데…."

배낭을 깔고 앉아 주위를 둘러보고 있자니 사이먼이 김이 모락모락 나는 머그컵을 건네줬다. 눈이 뒤덮인 깎아지른 라삭 남벽, 그 정상에서 커니스(눈이 지붕의 처마처럼 쌓인 형태)로 연결되는 약간 더 낮은 세리아 노르테Seria Norte 정상, 그곳에서 다시 뒤틀린 능선으로 길게 이어지는 예루파하의 피라미드 같은 정상. 시울라 빙하 위로 높이 치솟아 햇빛에 신설이 반짝이는 예루파하는 단연코 가장 높은 산으로 시야를 압도했다. 시울라 그란데는 그 정상에 버섯 모양의 커다란 눈을 뒤집어쓰고 있었다.

그곳 서벽이 우리의 야망이었다. 처음엔 몹시 혼란스러웠다. 거대한 규모도 규모였지만, 사진과 다른 각도로 보고 있어서인지 제대로 알아볼 수 없었으나, 차츰 어떤 특징들이 눈에 들어왔다. 그때 층적운이 시울라 그란데의 북쪽 능선 위로 내려앉기 시작했다. 대낮의 뜨거운 태양으로 인해 아마존 유역 열대우림의 수분을 잔뜩 머금은 그 구름은 언제나 동쪽에서 밀려들었다.

"사이먼, 날씨는 네 말이 맞는 것 같아. 저건 정글에서 생겨나는 대류현상이지 폭풍설이 전혀 아냐."

"그렇다니까. 그냥 일상적인 오후의 소나기가 올라오는 거라고."

"지금 여기가 몇 미터지?" 내가 물었다.

"해발 5,500미터. 어쩌면 조금 더 높을지도 몰라. 왜?"

"음, 우리 둘에겐 고도기록 경신이네. 전혀 못 알아차렸는데 말이야."

"몽블랑과 거의 같은 높이에서 잤을 땐 대단하게 생각지도 않았잖아?" 사이먼이 장난스럽게 씩 웃으며 말했다.

차를 다 마실 무렵 축축한 눈송이가 날리기 시작했다. 로사리오 노르테 정상 부근은 여전히 개어 있었으나, 그런 상태도 아주 오래가진 않을 것 같았다. 그곳은 우리의 지금 위치보다 고작 100미터 위였다. 그러니까 날씨가 좋다면 1시간 만에 닿을 수 있는 거리였다. 둘 중 누구도 바로 내려가자고 하지는 않았으나, 우리 둘은 암묵적으로 정상까지 올라가진 말자고 동의했다.

사이먼이 배낭을 어깨에 메고 경사진 모레인지대를 향해 내려가기 시작했다. 그는 곧 내달리더니 우리가 힘들게 올라온 협곡을 미끄러지듯 내려갔다. 우리는 500미터 정도의 불안정한 모레인지대를 다리를 붙이고 스키를 타는 자세로 웃고 떠들며 빠르게 내려갔고, 캠프에 도착할 무렵에는 숨을 헉헉거렸다.

저녁을 준비하던 리처드가 모레인지대 꼭대기에 있는 우리를 봤을 때부터 끓이기 시작한 뜨거운 차를 건네줬다. 요란한 소음을 내는 석유스토브 옆에 앉아, 우리는 그날 하루의 경험을 들뜬 마음으로 리처드에게 떠들어댔다. 그때 갑자기 맹렬한 기세로 비가 쏟아져, 우리는 커다란 돔 텐트 안으로 쫓겨 들어갔다.

저녁 6시 반이 되자 어두워지기 시작했다. 누군가 텐트로 다가왔다면, 그는 알록달록한 돔 텐트에서 새어 나오는 따뜻한 촛불 빛을 봤을 것이고, 조용히 웅얼거리는 말소리와 중앙아프리카의 정글에서 길을 잃은 뉴질랜드 럭비선수 여덟 명에 대한 리처드의 웃기는 이야기에 간간이 터져 나오는 웃음소리를 들었을 것이다. 우리는 다음 등반 계획을 세우고 나서 밤늦게까지 카드놀이를 했다.

다음 목표는 미등未登의 세로 얀타우리Cerro Yantauri 남쪽 능선으로, 우리 텐트에서 강바닥을 건너 조금만 가면 나타나기 때문에 사실 정상까지 올라가는 길에 텐트가 훤히 내려다보이는 곳이다. 오른쪽에서 왼쪽으로 형성된 남쪽 능선은 처음의 노출된 바위를 지나면 길고 우아한 커니스 능선이 나오고, 이어서 몹시 불안정한 세락지대(빙탑지대)가 버섯 모양의 정상으로 이어진다. 우리는 올라가거나 내려올 때 능선의 높은 곳에서 비박(텐트 없이 밤을 지새우는 것)을 하면서 우리가 세운 날씨 가설이 맞는지 확인해볼 작정이었다.

다음 날 아침은 화창하고 추웠지만 동쪽 하늘이 평소와 다르게 위협적으로 보여 얀타우리 남쪽 능선 등반을 하루 더 미루기로 했다. 사이먼은 근처의 얼음이 녹은 물웅덩이로 목욕과 면도를 하러 갔고, 나는 리처드와 함께 오두막의 소녀들에게 우유와 치즈를 살 수 있는지 알아보러 내려갔다.

우리를 본 소녀들은 집에서 만든 치즈를 팔 수 있다는 생각에 기뻐하는 것 같았다. 리처드의 서툰 스페인어로, 우리는 그들의 이름이 글로리아와 노르마라는 것과 아버지가 키우는 가축을 끌고 높은 목초지로 올라올 때는 그 오두막에서 잔다는 사실을 알게 되었다. 비록 그들은 아무렇게나 헝클어진 모습이었지만, 자기들끼리도 거뜬히 잘 지낼 수 있을 것 같은 어린 아이들을 세심히 돌보고 있었다. 우리는 햇빛이 드는 곳에 느긋하게 앉아 그들이 일하는 모습을 지켜봤다. 세 살배기 알레시아는 가축우리 입구에서 어미와 송아지가 도망가지 못하도록 지키고 있었고, 그러는 동안 그 아이의 오빠들과 언니들은 젖을 짜거나, 송아지가 젖을 먹지 못하게 떼어놓거나, 아니면 무명천 자루에 유장(엉킨 젖을 거르고 난 액체)을 담고 있었다. 그들은 서두르는 기색도 없이 웃으면서 즐겁게 일했다.

우리는 글로리아의 오빠인 스피노사에게 필요한 물자를 며칠 안에 근처 마을에서 구입해 달라고 부탁했다. 그런 다음 치즈를 야금야금 떼어 먹으며 돌아오는 길에 하늘을 올려다보니, 구름이 평소보다는 조금 일찍 자신의 짐을 쏟아내려 하고 있었다. 2주 동안 파스타와 콩으로 된 단조로운 식단으로만 버티다, 마침내 신선한 채소와 달걀과 빵과 과일로 배를 채울 생각을 하니 발걸음이 절로 가벼워졌다.

다음 날 우리는 얀타우리를 향해 캠프를 일찍 출발했다. 그러나 시작부터 전조가 좋지 않았다. 우리 위쪽의 서벽 높은 곳에 흩어진 돌무더기들이 빠른 속도로 떨어져 모레인지대가 매우 위험하다는 사실이 드러났기 때문이다. 신경이 곤두서고 초초해진 우리는 빨리 움직이려 했으나 무거운 배낭이 방해가 되었다. 아래쪽 모레인지대를 반쯤 올라왔을 때 사이먼은 마지막으로 쉰 곳에 카메라를 두고 왔다는 사실을 깨달았다. 그는 배낭을 내려놓고 아래로 뛰어 내려갔고, 나는 낙석을 피할 수 있는 낮은 바위벽을 향해 오른쪽으로 계속 올라갔다.

그날 저녁 6시 능선의 높은 곳에 자리 잡자, 날씨가 갑자기 나빠지더니 위협적인 먹구름이 우리가 노출돼 있는 지대로 빠르게 몰려들었다. 날이 어두워져 작은 바위벽을 보호막 삼아 비박 텐트를 설치하고, 그 안으로 기어 들어가 걱정스럽게 잠을 청했다. 밤새 눈이 내렸으나 걱정한 폭풍설은 몰아치지 않았다. 우리가 세운 날씨 가설이 맞는 것 같았다.

다음 날 아침 우리는 기대를 잔뜩 품고 눈 덮인 남쪽 능선을 따라 올라갔지만 5,500미터에서 포기하고 말았다. 허리까지 빠지는 분설에서 허우적거리다 보니 지쳐 버렸기 때문이다. 게다가 심하게 커니스가 진 능선도 매우 위험해 보였다. 정상의 세락지대 아래에 이중으로 커니스가 진 곳에서 틈새로 뚝 떨어져 서벽과 훤히 마주하자, 우리는 일단 그만두자는 결정을 내렸다.

지친 우리는 불안정한 돌무더기들이 널린 서벽으로 하강을 시도해 텐트로 돌아왔다. 그러나 적어도 날씨에 대한 귀중한 실마리는 찾을 수 있었다. 의심할 여지없이 심한 폭풍설이 몰아치긴 하지만, 그렇다 해도 구름이 형성되는 첫 번째 징후에서 후퇴할 필요는 없을 것 같았다.

이틀 뒤 우리는 다시 나섰다. 이번엔 세리아 노르테의 남쪽 능선이 목표였다. 베이스캠프에서 보니 장관인 데다 우리가 알기로는 여전히 미등인 곳이었다. 가까이 다가갈수록 그 이유를 알 것 같았다. 영국의 셰필드에서 만난 앨런 라우즈Alan Rouse(1986년 모두 13명이 희생된 K2 대재앙에서 사망)는 세리아 노르테 남쪽 능선을 '약간 어려운 곳'이라고 말한 적이 있었다. 하지만 실제로 마주해 보니 난이도를 과소평가한다는 라우즈의 명성이 전적으로 맞는다는 사실을 깨달았다. 추위에 부들부들 떨며 쪼그려 앉아 비박을 한 우리는 힘을 쏙 빼는 분설을 다시 한번 헤쳐 나가 능선 기슭에 있는 높은 안부에 도달했다. 그곳에서 정상까진 수직에 가까운 일련의 커니스 능선이 600미터나 뻗어 있었다. 만약 커니스 아래쪽을 아이스액스(피켈에서 진화한 본격적인 등반장비)로 찍는다면 불안정한 얼음덩어리 전체가 머리 위로 무너져 내릴 것 같았다. 우리는 헛수고에 씁쓸한 미소를 지었다. 정상 등정에 세 번씩이나 실패한 우리를 리처드는 어떻게 생각할까? 그러나 컨디션도 좋고 고소적응도 끝낸 우리는 이제 최종 목표인 시울라 그란데 서벽으로 향할 각오가 되어 있었다.

이틀 동안 햇볕도 쬐고 배불리 먹으며 서벽으로 떠날 준비를 했다. 날씨가 좋아지면 바로 시울라에 도전한다고 생각하니 두려웠다. 잘못되기라도 하면 어떡하지? 우리 둘 정도는 한 방에 끝장날 것 같았다. 우리가 얼마나 외로운 선택을 했는지 깨닫자 나는 한껏 움츠러들었다. 이런 걱정을 털어놓으니 사이먼은 낄낄 웃었다. 그는 왜 그런지 이유를 알고 있고, 아마도 속으로는 똑같이 긴장하고 있는 것 같았다. 이런 상황에서 약간 두려움을 느끼거나, 그런 두려움에 반응하는 신체를 감지한다는 건 건강하다는 신호가 아닐까? '우린 할 수 있어, 우린 할 수 있어….' 공허한 두려움을 느낄 때마다 나는 이런 만트라를 속으로 반복했다. 허세가 아니었다. 마지막 준비를 하면서 마음을 다잡는 일은 언제나 가장 힘들었다. 자기 합리화. 어떤 사람들은 이렇게도 부르지만, 솔직히 겁에 질렸다는 것을 좋게 표현한 것은 아닐까?

"좋아." 사이먼이 마침내 입을 열었다. "벽 밑에 설동을 파서 자고 난 후에 곧장 치고 올라가자. 올라가는 데 이틀 그리고 내려오는 데 이틀. 어때?"

"날씨만 좋다면야."

아침의 상황은 암울했다. 구름이 봉우리들을 뒤덮어, 어두운 구름 밑으로 측면들만이 모습을 드러내고 있었다. 위협적이고 기묘한 기운이 감돌았다. 날씨가 변하면 다음 날 아침 일찍 출발하려고 준비하고 있었기 때문에 우리 둘 다 그 기운을 눈치챌 수 있었다. 폭풍설이 세력을 잔뜩 키운 걸까, 아니면 보통 아마존에서 날아오는 선물이 조금 일찍 도착한 것뿐일까? 나는 여분으로 가스통 하나를 배낭에 쑤셔 넣었다.

"이번에 성공 못 해도 괜찮아. 지금까지 산과 우리의 전적이 3 대 0이잖아?"

씁쓸해하는 사이먼의 표정에 나는 미소를 지어 보였다.

"시울라에선 다를 거야. 초반이 너무 가파른 데다 온통 분설뿐이야."

"나흘이라고?" 리처드가 불쑥 끼어들었다.

"아니면 닷새. 기껏해야." 사이먼이 나를 흘낏 쳐다보더니 리처드에게 말했다. "만약 일주일이 지났는데도 우리가 돌아오지 않으면 여기 있는 장비는 다 네가 가져."

우리가 웃자 리처드도 따라 웃었다. 비록 저 위에서 무슨 일이 일어날지 알 수는 없었지만, 우리를 기다릴 리처드가 나는 결코 부럽지 않았다. 닷새는 아주 긴 시간이다. 특히 말할 상대도 없이 혼자서는.

"사흘만 지나면 별별 생각이 다 날 거야. 하지만 너무 걱정하지 마. 우린 우리 일을 잘 알고 있고, 무슨 일이 일어나도 네가 도울 수 있는 건 하나도 없으니까."

무게를 줄이려고 별짓을 다했지만 배낭은 점점 더 무거워졌다. 우리는 이전보다 더 많은 장비를 집어넣었다. 비박 텐트는 너무 거추장스러워 두고 가는 대신 설동을 파기로 했다. 텐트를 뺐는데도 스노바(확보용으로 눈에 박는 알루미늄 막대기), 아이스스크루(얼음에 박는 피톤), 크램폰(아이젠의 영어 표현)과 아이스액스, 암벽용 장비, 스토브, 가스, 식량 그리고 침낭까지, 무게가 엄청났다.

다음 날 아침 우리는 리처드와 함께 어느새 뜨거워진 햇살을 받으며 출발했다. 그리고 1시간 후 빙하 입구에 도착해, 모레인과 얼음이 덮인 바위 사이에 나 있는 가파른 협곡을 오르기 시작했다. 거기에는 사람 키의 몇 배나 되는 장애물들이 있어서, 커다란 배낭을 메고 이리 넘고 저리 돌아가자니 자세가 아주 어색했다. 리처드는 2주 동안이나 고소에 있어서 그런지 꽤 잘 따라왔다. 하지만 빽빽한 얼음 기둥과 더러운 흙이 달라붙은 빙하 얼음은 가벼운 운동화를 신은 그에겐 확실히 무리였다. 게다가 본격적인 빙하로 올라서기 위해선 20~30미터의 짧지만 가파른 빙벽도 돌파해야 했다. 그 길목에는 커다란 바위들이 위태롭게 얹혀 있었다.

"그만 가는 게 좋겠어." 사이먼이 말했다. "너를 위로 데려갈 순 있지만 도로 내려줄 순 없거든."

리처드는 더러운 흙과 커다란 바위들로만 이루어진 황량한 풍경을 아쉽다는 듯 둘러봤다. 그는 더 인상적인 풍경을 기대한 모양이었다. 시울라 서벽은 아직 보이지도 않았다.

"올라가기 전에 사진 찍어줄게." 그가 소리쳤다. "혹시 알아,

부고 사진으로 팔면 돈이 될지."

"그래 주면 정말 고맙지. 분명 그럴 거야." 사이먼이 중얼거렸다.

우리는 그를 커다란 바위들 사이에 남겨놓았다. 빙벽의 높은 곳에서 내려다보니 그는 쓸쓸히 버림받은 존재 같았다. 이제부터 외로운 시간을 견뎌야 할 텐데….

"조심해." 리처드가 두 손을 입에 대고 지르는 소리가 울려 퍼졌다.

"걱정 마!" 사이먼이 소리쳤다. "위험을 무릅쓸 생각은 없으니까. 제때 돌아올게. 나중에 봐!"

우리가 첫 번째 크레바스로 올라가 크램폰을 차고 로프를 묶는 동안 리처드의 외로운 모습은 곧 커다란 바위들 사이로 사라졌다. 흰 눈으로 뒤덮인 벽에서 반사되는 햇볕으로 빙하의 열기가 강렬했다. 바람 한 줄기 불지 않았다. 빙하 가장자리는 갈라지고 뒤틀려 있었다. 우리는 뒤를 돌아보며, 하산 도중 길을 잃지 않기 위해 눈에 띄는 지형들을 마음속에 새겼다. 내려올 때쯤엔 우리 발자국이 분명 새로운 눈으로 덮이겠지만, 크레바스를 밑으로 가느냐 위로 가느냐를 정확히 아는 것은 중요한 일이었다.

맑고 추운 밤이 산을 엄습해 왔을 때 우리는 어느덧 벽 밑의 아늑한 설동에 들어앉아 있었다. 다음 날 아침 새벽같이 출발할 시간쯤이면 몹시 추울 것 같았다.

2

유혹하는 운명

추웠다. 안데스산맥의 높은 빙하에서 맞이하는 새벽 5시의 추위. 지퍼와 게이터(부츠 안으로 눈이 들어가지 못하게 발목 주위를 감싸는 장비)를 붙잡고 낑낑거리자 손가락이 곧 말을 듣지 않았다. 나는 가랑이 사이에 손을 집어넣고 마구 비벼댔다. 이렇게 심한 적은 없었는데. 통증으로 손가락이 욱신거릴 때마다 이런 생각이 들었다. 정말 지독했다.

고통스러워하는 나를 보고 사이먼이 싱긋 웃었다. 그래도 일단 손이 따뜻해지면 통증이 사라진다는 것쯤은 알고 있었기에 마음은 놓였다.

“내가 먼저 올라갈까?” 내 상태를 눈치챈 사이먼이 말했다. 내가 괴로워하며 고개를 끄덕이자, 그는 설동 위의 눈사태가 쌓인 곳을 넘어 푸르스름하게 빛나는 이른 아침의 설벽을 향해 출발했다.

맞아, 지금이 제일 좋은 때지. 벽 밑의 작은 크레바스 위에 올라서서 가파른 빙벽에 아이스액스를 휘둘러 단단히 박는 사이먼을 보자, 그런 생각이 들었다. 날씨는 완벽했다. 폭풍설을 예고하는 구름전단은 어디에도 보이지 않았다. 날씨가 이대로만 계속된다면 다음 악천후가 닥치기 전에 정상까지 갔다가 반 정도는 내려올 수 있을 것 같았다.

나는 발을 따뜻하게 하려고 부츠를 쿵쿵 굴렀다. 사이먼이 얼음에 아이스액스를 찍으며 위로 올라갈 때마다 얼음조각들이 어깨 위로 덜그럭거리며 떨어졌다. 나는 차가운 얼음조각을 이리저리 피하며 사라포 정상 위로 점점 밝아오는 남쪽 하늘을 쳐다봤다.

이제 그는 로프 한 동 길이의 끝인 45미터 위에 있었다. 나는 고개를 뒤로 젖히고 그를 쳐다봐야만 했다. 대단한 경사였다.

다 올라갔다는 쾌활한 외침에 아이스액스를 챙겨 들고 크램폰을 점검한 후 벽을 향해 출발했다. 그리고 크레바스에 도착해서야 벽의 경사가 얼마나 심한지 새삼 깨달았다. 몸이 뒤로 젖혀지자 균형이 깨지려 했으나, 크레바스 가장자리 위로 몸을 끌어당겨 재빨리 빙벽에 달라붙었다. 처음엔 경사도 가파르고 익숙하지 않아 쓸데없이 힘을 쓰며 올라갔는데 차츰 리듬을 찾기 시작했다. 그러자 아득히 먼 정상을 향해 올라가고 있다는 엄청난 희열이 느껴졌다.

사이먼은 얼음에 박은 아이스스크루에 아무렇지도 않다는

듯 편안하게 매달려 있었다.

"경사가 꽤 심하지?"

"거의 수직이야. 아래쪽은." 내가 대답했다. "얼음은 좋아. 여기가 레 드루아트Les Droites(몽블랑 산군에 있는 봉우리) 북벽보다 더 가팔라."

사이먼이 남은 스크루를 건네줘서 내가 먼저 위로 올라갔다. 땀이 나자 아침 추위가 사라졌다. 나는 고개를 숙여 발을 보고 아이스액스를 휘두르고, 몸을 끌어올리고 발을 보고 아이스액스를 휘두르며 매끈한 45미터를 올라갔다. 별다른 노력을 들이거나 크게 신경 쓸 필요가 없었다. 세상의 꼭대기에 있는 기분이랄까. 다른 곳에 스크루를 박는다. 튼튼하다. 그곳에 카라비너를 걸고 몸을 뒤로 젖힌다. 편안하다.

동작이 부드러워지자 열기가 오르면서 피가 돌고 힘이 솟았다. 그래 바로 이거야! "이이이야아아아!" 메아리가 빙하를 돌고 돈다. 점점이 이어진 희미한 발자국들과 빙하 위에 드리워진 어두운 그림자의 선들이 어느덧 저 먼 아래쪽에 있었다.

사이먼이 올라왔다. 세게 내려치고 얼음조각들이 밑으로 떨어지고, 다시 세게 내려치고 크램폰의 앞발톱으로 올라서고 아래를 내려다보고, 한 마디 말도 없이 나를 지나 위로 올라서더니 규칙적으로 거친 숨을 내쉬며 그는 점점 작아져 갔다.

더 높이 올라갔다. 300미터… 600미터…. 이 설벽은 대체 언제나 끝나지? 단조로운 동작이 계속되자 리듬이 깨지기 시작했다. 우리는 우리가 선택한 길을 따라가며 줄곧 위쪽과 오른쪽을 쳐다봤다. 하지만 가까이서 보니 예상과는 사뭇 달랐다. 옆에서 위로 곧장 뻗은 바위 버트레스(돌출된 바위지대)가 복잡한 걸리gully(V자형 협곡)로 이어지며 턱이 진 곳마다 눈이 리본처럼 장식되어 있고, 얼음에 물이 흐르고 사방에 고드름이 매달려 있었다. 그런데 우리가 가고자 하는 걸리는 어디에 있지?

어느덧 태양이 중천에 떠올랐다. 나는 재킷을 벗어 배낭에 집어넣고, 열기를 느끼며 사이먼을 천천히 따라갔다. 입안이 말라 목이 탔다. 경사가 조금 완만해졌다. 오른쪽을 보자 사이먼이 커다란 바위에 배낭을 벗어놓고 앉아, 설벽의 꼭대기를 넘어 쉬운 통로를 따라 자기 쪽으로 오는 나를 카메라로 찍고 있어서 나는 싱긋 웃어 보였다.

"점심이야." 그가 초콜릿과 말린 자두 몇 개를 건네줬다. 배낭으로 바람을 막은 가스스토브가 부지런히 쉬익 소리를 내고 있었다. "차도 거의 다 됐어."

햇볕을 받으며 편하게 기대어 앉아 주위를 둘러봤다. 정오가 지나서인지 따뜻했다. 600미터쯤 위에 있는 벽에서 얼음조각들이 덜그럭거리며 떨어졌다. 우리는 약간 튀어나온 바위에 올라앉아 점심을 먹고 있었는데, 덕분에 얼음조각들이 양쪽으로 떨어져 어느 정도 안전했다. 아래를 보니 설벽이 수직에 가까웠다. 아찔한 현기증이 느껴져 나는 몸을 뒤로 더 붙였다.

위험에 대한 날카로운 반응으로 속이 울렁거렸으나 오히려 그런 느낌을 즐겼다.

우리가 남긴 발자국들과 설동은 하얀 설벽이 눈부셔 더 이상 보이지 않았다. 오늘 밤 바람이 불면 모든 흔적이 사라지고 말겠지?

서벽을 가르는 누런 바위 버트레스에 가려져 우리가 가야 할 위쪽이 보이지 않았다. 버트레스를 따라 올라가다 보니 이곳이 얼마나 거대한지 새삼 실감했다. 돌로미테(환상적인 바위 봉우리들이 있는 이탈리아의 산군)에서라면 이 자체만으로도 하나의 봉우리가 될 만한 300미터의 멋진 벽이었다. 하루 종일 돌멩이들이 빙글빙글 돌며 떨어져 오른쪽을 강타한 다음 튀어 올라 설벽으로 굴러떨어졌다. 그쪽에서 가까운 버트레스를 오르고 있지 않은 것이 천만다행이었다. 멀리서 보면 작아서 위험하지 않을 것 같지만, 아무리 작은 돌멩이라도 100미터 위에서 자유낙하 하면 그 위력은 총알만큼이나 치명적이다.

우리는 버트레스 옆에 있는 급경사의 얼음 쿨르와르 couloir(커다란 U자형 협곡)를 찾아야 했다. 그래야 세리아 노르테에서 관찰한 상부 걸리에 이를 수 있을 것 같았다. 이것이 이번 등반의 열쇠였다. 그곳까지 찾아 올라가 편안한 설동을 파는 데는 6시간이 채 걸리지 않았다. 상부 걸리의 가장자리에서부터 형성된 60미터 높이의 빙벽에는 기다란 고드름들이 주렁주렁 매달려 있었다. 고드름을 통해 곧장 올라가는 것은 불가능해 보였다.

"쿨르와르가 얼마나 길게 이어질 것 같아?" 바위지대를 주의 깊게 살피는 사이먼을 보고 내가 물었다.

"더 높이 가야 해. 그리고 저건 아냐." 빙벽 바로 왼쪽에 있는 대단히 가파른 고드름지대를 가리키며 그가 말했다.

"그럴지도 모르지만 우리가 봤던 건 아냐. 아, 맞아. 저기 바위와 얼음이 있는 곳 위야."

낭비할 시간이 없었다. 나는 스토브를 끄고 스크루와 아이스액스를 챙긴 다음, 움푹 파인 곳을 건너 가파른 빙벽을 크램폰의 앞발톱으로 오르기 시작했다. 얼음은 단단해서 쉽게 깨졌다. 내 아이스액스가 깨뜨리는 얼음덩어리들을 사이먼이 이리저리 피하는 모습이 가랑이 사이로 보였다. 커다란 덩어리 몇 개에 정통으로 얻어맞은 그가 욕설을 퍼붓는 소리가 들려왔다.

사이먼은 확보지점까지 올라왔고, 내 얼음 폭격이 어땠는지 말해줬다.

"자, 이젠 내 차례야."

그는 오른쪽의 둥글게 튀어나온 부분과 곳곳에 얇은 얼음이 덮인 지대를 비스듬히 올라갔다. 얼음덩어리 몇 개를 피하고 있을 때 이상하다는 생각이 들었다. 사이먼이 오른쪽으로 벗어나고 있었다! 얼음덩어리가 어디서 떨어지는지 보려고 고개를 드니 저 위에서 눈이 처마처럼 달라붙은 정상 능선이 시야에 들어왔다. 오버행(90도 이상으로 기울어진 바위)을 이룬 어떤 바위들은 10미터도 넘게 튀어나와 있었는데, 우리가 바로 그 아래쪽 선상에 있었다. 여유를 부릴 때가 아니었다. 사이먼의 속도가 이제는 괴로울 정도로 느리게 느껴졌다. 커니스가 언제 무너질지 모른다고 생각하자 머리카락이 곤두섰다. 나는 최대한 빨리 그를 따라갔다. 사이먼도 위험을 느끼고 있었다.

"젠장, 여길 빨리 빠져나가자." 스크루를 건네주며 그가 말했다.

나는 서둘러 출발했다. 밑에 바위가 있는 20미터의 경사진 구간 위로 얼음덩어리가 우수수 떨어졌다. 80도쯤 되어 보이는 그 밑에 도착해 스크루를 하나 박았다. 나는 그곳을 단번에 올라 오른쪽으로 이동할 셈이었다.

얼음 아래에 물이 흐르고 있었다. 아이스액스가 바위에 부딪힐 때마다 불꽃이 튀었다. 나는 속도를 늦추고 실수하지 않도록 주의를 기울이며 조심스럽게 올라갔다. 고드름지대 꼭대기에 이르러 왼쪽 아이스액스에 의지한 채 크램폰의 앞발톱으로 일어서서 오른쪽 아이스액스를 찍는 순간, 검은 물체 하나가 느닷없이 나를 향해 돌진했다.

"낙석!" 나는 소리를 지르며 살짝 비킨 다음 몸을 숙였다. 하지만 크고 둔탁한 충격이 어깨를 때렸다. 내 비명을 들은 사이먼이 위를 올려다봤다. 지름이 1미터가 넘는 커다란 바위덩어리가 그를 향해 똑바로 떨어지고 있었다. 사이먼이 낙석에 반응하기까지는 한참 걸린 것 같았고, 실제 반응했을 때는 마치 슬로모션처럼 믿을 수 없을 만큼 느렸다. 그 커다란 바위덩어리가 그를 거의 덮치려는 순간 그는 왼쪽으로 몸을 구부리고 고개를 숙였다. 나는 눈을 질끈 감았다. 그때 작은 돌멩이가 몇 개 더 떨어졌다. 내가 눈을 다시 떴을 때 사이먼은 배낭으로 머리를 가리고 있었다.

"괜찮아?"

"그래!" 그가 배낭 밑에서 소리쳤다.

"맞은 줄 알았어."

"작은 거 몇 개. 올라가자. 여긴 진짜 안 되겠다."

나는 고드름지대의 마지막 몇 미터를 올라가, 오른쪽 바위 밑으로 재빨리 피했다. 사이먼이 내가 있는 곳까지 올라와서 씩 웃으며 물었다.

"도대체 그 큰 바위덩어리가 어디서 떨어진 거야?"

"나도 몰라. 거의 마지막에, 머리에 맞기 직전에야 봤으니까!"

"계속 올라가자. 여기선 걸리가 보이네."

그는 아드레날린이 솟구쳤는지 버트레스 옆에 있는 가파른 쿨르와르를 향해 재빨리 올라갔다. 오후 4시 30분. 해가 지기까진 이제 1시간 반이 남아 있었다.

내가 사이먼이 서 있는 곳을 지나 다시 45미터 정도를 올라갔지만 쿨르와르는 가까워질 기미가 안 보였다. 반질반질한 얼음에서 반사되는 하얀 빛 때문에 거리를 가늠하기가 어려웠다. 사이먼이 마지막의 짧은 피치(등반을 한 번 끊는 거리)를 올라 쿨르와르 아래에 도착했다.

"여기서 비박해야 해." 내가 말했다. "곧 어두워질 거야."

"그래, 하지만 설동을 팔 만한 데나 평편한 곳이 없잖아."

사이먼의 말이 맞았다. 여기서 밤을 보내면 몹시 불편할 것이다. 그런데 벌써 어두워지고 있었다.

"더 어둡기 전에 내가 해볼게."

"너무 늦었어…. **이미 어두워졌잖아.**"

"로프 길이만큼만 더 가면 될 것 같은데." 내가 말했다. 어둠 속에서 경사진 얼음에 매달려 잠자리를 마련하려고 허둥대야 하는 상황이 마음에 들지 않았다.

나는 쿨르와르를 향해 왼쪽으로 짧게 이동했다. "이런, 젠장! 오버행이잖아. 얼음 상태도 끔찍하고."

사이먼은 아무 말이 없었다.

내 앞엔 벌집 모양의 썩은 얼음이 6미터 높이로 버티고 있었다. 하지만 이곳만 지나면 경사가 적당해질 것 같았다. 나는 시작 부분의 단단한 얼음에 스크루를 하나 박고, 그곳에 로프를 통과시킨 다음, 헤드램프를 켜고 심호흡을 한 번 크게 한 후 오르기 시작했다.

처음엔 경사가 심해 몸이 뒤로 젖혀지고 푸석한 얼음에 크램폰을 대자 바삭 소리를 내며 부서져 신경이 쓰였다. 그러나 아이스액스가 안쪽의 단단한 얼음에 굳게 박히자 곧 올라가는 데만 집중할 수 있었다. 잠시 숨을 헐떡거리며 기를 쓰자 마침내 발밑으로 빙벽이 나타났다. 이제 사이먼은 더 이상 보이지 않았다. 헤드램프 불빛에 푸르스름하게 어둠 속으로 휘어져 올라가는 유리같이 단단한 얼음 위에 발끝으로 섰다. 아이스액스가 얼음에 박히는 소리와 이리저리 춤추는 헤드램프의 불빛만이 어두운 밤의 정적을 깨뜨렸다. 나는 올라가는 데 너무 집중한 나머지 사이먼이 아래에 있다는 것조차 잊고 있었다.

아이스액스를 세게 내려치고 또 내려친다. 됐어. 이제는 아이스해머. 발을 내려다본다. 하지만 보이지 않는다. 크램폰을 세게 차고 또 찬다. 계속 위로. 올라갈 길을 확인하기 위해 어둠 속에서 살펴본다. 유리 같은 얼음이 왼쪽으로 휘어져 있다. 마치 봅슬레이의 트랙처럼. 오른쪽의 거대한 고드름지대 밑은 경사가 더 심하다. 다른 길이 있을까? 그 고드름지대 가장자리 아래에서 위로 올라간다. 그때 고드름 몇 개가 깨지더니 어둠 속에서 탱탱 소리를 내며 떨어져 내린다. 아래쪽에서 고함이 메아리쳐 올라온다. 하지만 대답할 여유가 없다. 길을 잘못 들었잖아. 이런, 제기랄! 도로 내려간다. 안 돼! 스크루를 하나 박아.

안전벨트를 더듬어 스크루를 찾아보지만 없다. 포기해. 그냥 고드름지대 밑으로 내려가.

쿨르와르로 다시 내려와 사이먼에게 소리쳤으나 대답이 들리지 않았다. 그때 갑자기 위에서 눈보라가 쏟아져 내렸다. 미처 예상치 못한 일이라 심장이 쿵쾅거렸다.

나에겐 스크루가 하나도 없었다. 아래에서 사이먼에게 받아 온다는 것을 깜빡한 데다, 그나마 하나 있던 것도 저 밑의 시작 부분에서 이미 사용한 것이다. 경사가 심한 빙벽의 40미터 위에서 나는 어찌할 바를 몰랐다. 더 밑으로 내려가? 확보도 없이 떨어지면? 바위를 찾지 못하면 스크루라도 하나 박아야 할 텐데…. 머리카락이 쭈뼛 섰다. 다시 소리쳤으나 대답은 들려오지 않았다. 나는 심호흡을 몇 번 했다. 좋아, 그냥 가지 뭐!

5미터 위에 쿨르와르 꼭대기가 보였다. 마지막 3미터는 경사가 심한 데다 튜브 모양이었다. 상태가 좋은 얼음은 푸석한 눈으로 바뀌어 있었다. 나는 그 튜브 양쪽의 눈에 다리를 벌리고 일어섰다. 만약 추락하면 적어도 올라온 길이의 두 배인 80미터를 나가떨어질 텐데, 그 모든 충격이 저 아래에 있는 단 두 개의 스크루로 집중될 생각을 하니 겁이 더럭 났다. 나는 재빨리 호흡을 가다듬고 쿨르와르 위의 완만한 사면으로 몸을 끌어올린 다음 겁에 질려 소리쳤다.

나는 호흡을 되찾고 나서 바위벽으로 올라가 단단하지 않은 크랙과 바위덩어리에 확보했다.

사이먼이 가쁜 숨을 몰아쉬며 내 쪽으로 합류해서 퉁퉁거렸다.

"왜 그렇게 시간을 오래 잡아먹었어?"

나는 발끈했다. "너무 어려웠어. 혼자 등반하는 거나 마찬가지였다니까. 스크루도 없었고."

"그만둬. 비박 자리나 찾아보자."

어느덧 밤 10시였다. 바람이 세차게 불어 기온이 영하 15도는 되는 것 같았다. 몹시 추웠다. 15시간이나 힘든 등반을 한 탓에 몹시 지치고 짜증이 난 우리는 설동을 팔 엄두가 나지 않았고, 판다 해도 시간이 많이 걸릴 것 같았다.

"여긴 아무것도 안 되겠어." 사면을 노려보며 내가 말했다. "설동을 파기엔 눈이 너무 없어."

"내가 저 위로 가볼게."

사이먼이 15미터쯤 떨어진 커다란 눈덩어리를 가리켰다. 그것은 우리로부터 10미터 위에 있는 바위에 위협적으로 달라붙어 있었다. 그는 그쪽으로 가서 아이스액스로 그곳을 조심스럽게 찍기 시작했다. 불안정한 자리에 있던 나는 그의 조심스러운 동작이 고마웠다. 만약 그 눈덩어리가 벽에서 갑자기 분리되면 거기에 휩쓸릴 것이 뻔했기 때문이다.

"조!" 사이먼이 소리쳤다. "와, 넌 이거 못 믿을 거야."

그가 바위에 피톤을 박는 소리, 기쁨에 겨워 내지르는 소리, 그리고 올라오라고 외치는 소리가 들렸다.

어안이 벙벙해진 나는 그가 만든 작은 구멍으로 머리를 조심스럽게 집어넣었다.

"아이고, 하느님 감사합니다!"

"못 믿을 거라고 했지?" 사이먼이 배낭에 편히 기대앉아 튼튼하게 박은 피톤에 확보를 보면서 자신이 발견해낸 영토에서 의기양양하게 손을 흔들었다. "화장실도 있어." 그가 기쁨에 겨워 말했다. 그에게서 피곤한 기색과 불쾌한 유머는 모두 사라지고 없었다.

그 속은 텅 비어 있었다. 안에는 일어서도 될 만큼 커다란 공간이 하나 있었고, 그 옆에는 작은 동굴이 하나 더 있었다. 그곳은 우리를 위해 만들어진 궁전이었다.

하지만 자리를 정리하고 침낭 속으로 들어가자 정말 안전한지 따지려 드는 내 비박 혐오증이 발동했다. 나에겐 이런 위험한 상태에 대해 경각심을 가질 만한 충분한 이유가 있었다. 물론 사이먼도 이유는 알고 있었지만 잔소리해 봐야 의미가 없었다. 대안이 없었으니까.

그때도 선택의 여지가 없었다. 2년 전 프티 드류Petit Dru 남서벽의 보나티 필라Bonatti Pillar를 등반하고 있었을 때의 일이 너무도 생생하게 떠올랐다. 샤모니 계곡을 당당하게 굽어보며 황금색으로 빛나는 600미터의 그 화강암 침봉에서 나는 이안 휘태커Ian Whittaker와 함께 아주 빠른 속도로 신나게 올라가고 있었다. 프랑스 알프스의 부드러운 산군을 배경으로 태양의 그림자가 분명하게 드리우는 그곳은 장엄한 구조 때문에 알프스에서 가장 아름다운 루트 중 하나로 꼽히는 곳이었다.

여전히 매우 가파르고 어려운 구간을 벗어나진 못했으나 어둡기 전에 정상 근처까지 갈 생각으로 우리는 열심히 올라갔다. 그날 밤 내로 정상에 도착할 가능성은 없었지만, 날씨가 좋아지고 있어서 밤을 보낼 테라스를 서둘러 찾을 필요도 없었다. 다음 날이면 분명히 정상에 올라설 수 있을 테니까. 우리는 별들이 찬란하게 빛날 3,600미터에서 또 한 번의 따뜻한 밤을 보낼 기대에 부풀어 있었다.

휘태커는 깎아지른 벽이 아찔하게 내려다보이는 작은 스탠스를 지나 위로 올라갔다. 그가 따라가는 모서리는 경사가 너무 심한 데다 어둡기까지 해서 참기 힘들 정도로 속도가 느렸다. 나는 웅크린 자세로 차가운 밤공기에 떨면서도 발을 이리저리 굴러 혈액순환을 시키며 기다렸다. 무척 긴 하루를 보낸 터라 피곤해서 편안하게 누워 쉬고 싶은 생각이 굴뚝같았다.

마침내 무언가를 찾았다는 휘태커의 외침이 희미하게 들려왔다. 나는 곧바로 그가 올라간 모서리를, 점점 더 깊어가는 어둠 속에서 저주를 퍼부으며 기를 쓰고 올라갔다. 하지만 완전히 깜깜해지기 전에 우리가 루트를 약간 벗어났다는 사실을 깨달았다. 오른쪽으로 가로지르지 않고 수직의 벽에 나 있는 크랙을 곧장 오르고 있었기 때문에 거대한 오버행 아래 50미터 지점에 이르고 만 것이다. 그 오버행을 돌파하기 위해선 다음 날 아침 까다로운 대각선 방향 로프 하강으로 돌아가는 수밖에 없었지만, 그래도 좋은 점은 있었다. 그곳이 적어도 낙석은 막아줄 테니까.

휘태커는, 폭이 좁긴 하지만 길어서 우리 둘이 다리를 뻗고 누울 수 있는 테라스에 앉아 있었다. 하룻밤을 지내기엔 충분한 곳이었다. 사실 나는 올라오면서 그 테라스가 우리가 올라온 루트 위 수직 벽에 붙은 큰 받침대 꼭대기라는 것을 헤드램프 불빛으로 알게 되었다. 하지만 그 테라스가 견고해 보여서 안전하지 않을지도 모른다는 생각은 꿈에도 못 했다.

1시간 후 우리는 낡은 링 피톤과 뾰족한 바위에 로프로 확보를 해놓고 침낭 속으로 들어갈 준비를 했다.

그다음 몇 초는 정말 죽어도 잊지 못할 것이다.

나는 방수가 되는 비박 침낭 안에서 반쯤 잠들어 있었고, 휘태커는 자신과 연결된 확보줄의 길이를 마지막으로 조절하고 있었다. 그런데 갑자기 내 몸이 떨어지는 것이 느껴졌다. 동시에 귀를 찢을 듯한 굉음이 들렸다. 머리는 침낭 속에 있고 두 팔만 밖으로 허우적거리며, 이제 600미터 아래 심연으로 떨어지고 있구나 하는 무서운 공포 외엔 아무 생각도 나지 않았다. 그때 육중한 소리 가운데 두려움에 질린 비명소리가 들려왔다. 이어 내 몸이 확 잡아채지더니 위로 반동했다. 확보용으로 설치한 로프가 버텨준 것이다. 추락하면서 반사적으로 로프를 잡았기 때문에 체중이 모두 겨드랑이에 걸렸다. 로프에 제대로 걸었는지 기억해 내려고 애쓰며 만일의 사태에 대비해 두 팔을 꽉 움켜잡자 로프에 매달린 내 몸이 부드럽게 흔들렸다.

엄청난 화강암 덩어리가 아래로 떨어져 내리며 우레 같은 소리가 울려 퍼지더니 곧 사방이 정적에 빠졌다.

나는 너무 혼란스러웠고 정적은 무섭도록 불길했다. 휘태커는 어디에 있지? 조금 전에 들려온 비명소리를 기억해낸 나는 그가 로프에 묶여 있지 않았을지도 모른다는 생각에 소름이 돋았다.

"빌어먹을!" 바로 옆에서 거친 랭커셔 사투리가 들려왔다.

나는 꽉 조여진 침낭에서 버둥거려 머리를 간신히 밖으로 빼냈다. 휘태커는 내 옆에서 V자 모양의 로프에 매달려 있었다. 머리가 가슴까지 푹 꺾여 있었고, 헤드램프의 노란 불빛이 이리저리 흔들리고 있었다. 목에서 피가 나는 것이 보였다.

나는 침낭 안을 뒤적여 헤드램프를 켜고 피가 엉겨 붙은 그의 머리카락에서 헤드램프 밴드를 조심스럽게 들어 올린 다음 상처를 살펴봤다. 떨어질 때 세게 부딪혔는지 그는 처음에 말을 잘 하지 못했다. 다행히 상처는 깊지 않았다. 어둠 속에서 반쯤 잠이 들었을 때 갑자기 충격을 당한 탓에 우리는 넋이 완전히 나간 상태였다. 우리가 누워 있던 그 큰 받침대 바위가 벽에서 통째로 분리되어 곧장 떨어졌다는 사실은 한참이 지나서야 깨달았다. 차츰 상황의 심각성을 인지한 우리는 신경질을 부리며 욕을 하고 발작하듯 소리를 질렀다.

마침내 우리는 조용해졌다. 무서운 공포와 불안이 엄습해

왔다. 헤드램프 불빛에 아래로 늘어진 로프 두 동의 잔해가 보였다. 로프들은 낙석에 심하게 훼손되어 있었다.

고개를 들어 확보줄을 살펴본 우리는 기겁했다. 낡은 링 피톤이 흔들리면서 빠지기 일보직전이었고, 뾰족한 바위는 심하게 깨져 있었다. 어느 것 하나라도 견디지 못하면 우리 둘은 허공으로 떨어질 판이었다. 우리는 확보를 보강하려고 장비를 서둘러 찾았으나 모든 것이, 심지어 등산화까지 바위덩어리와 함께 날아간 것을 알게 되었다.

받침대 바위의 안전을 지나치게 확신한 나머지 장비를 로프에 매달아놓을 생각을 하지 않은 게 화근이었다. 이제 우리는 아무것도 할 수 없었다.

올라가거나 내려가려고 시도하는 것은 자살행위나 다름없었다. 머리 위로는 거대한 오버행이 버티고 있었고, 발밑에는 수직 벽이 어둠 속에 숨어 있었다. 게다가 가장 가까운 테라스도 60미터 아래에 있었다. 거기까지라도 로프 없이 내려가려 했다간 근처에 닿기도 전에 떨어져 죽고 말 터였다.

우리는 곧 끊어질 것 같은 로프에 12시간이나 매달려 있었다. 마침내 누군가 우리의 고함을 들었는지 구조 헬기가 날아와 우리를 벽에서 내려줬다. 당장이라도 떨어질 것 같은 그 긴긴 밤의 경험, 발작적으로 웃다가 조용해지길 반복한 순간, 결코 생각하고 싶지 않은 것을 기다리며 겁에 질려 속이 울렁거린 그때를 우리는 두 번 다시 떠올리고 싶지 않았다.

휘태커는 다음해 여름 알프스를 다시 찾았으나 등반 생각이 싹 사라졌다며 집으로 돌아갔고, 앞으로 알프스에는 두 번 다시 가지 않겠다고 맹세했다. 나는 운이 좋거나 멍청한 편이었다. 결국 공포를 이겨냈으니까. 단 비박할 때만 제외하곤.

"그럼 어떤 걸로 할래?" 사이먼이 비상식량 두 봉지를 들어 올리며 물었다. "무사카(그리스식 국수), 아니면 터키 슈프림?"

"난 상관없어. 둘 다 질렸어."

"탁월한 선택이군요. 그럼 터키 슈프림으로 하겠습니다."

우리는 후식으로 백향과 차 두 잔과 말린 자두 몇 개를 먹고 나서 달콤한 꿈속으로 빠져들었다.

3

정상의 폭풍설

그곳에선 떠날 준비를 하기가 훨씬 수월했다. 아침에 일어나 매트리스를 둘둘 말고 침낭을 집어넣고, 전날 밤 도착해서 아무렇게나 던져놓아 엉망진창인 등반장비를 챙기는 데는 일어설 수 있는 공간이 큰 도움이 되었다.

내가 먼저 오를 차례였다. 사이먼이 설동 안에 남아 바위에 박은 피톤으로 확보를 보는 동안, 나는 조그만 구멍을 빠져나와 전날 어둠 속에서 올라온 얼음의 걸리 위에 섰다. 지형이 낯설게 느껴졌다. 내가 서 있는 곳은 얼음 상태가 좋았는데, 그 얼음은 아래로 내려갈수록 좁아지는 깔때기 모양으로 휘어져 전날 밤 어렵게 올라온 얼음 튜브의 꼭대기에 닿아 있었다. 우리가 올라온 거대한 설벽은 이제 보이지 않았다. 시선을 오른쪽으로 돌렸다. 내 위로 가까운 거리에 걸리 꼭대기가 수직의 얼음폭포를 이루며 솟아 있었다. 그래도 경사가 완만해 올라갈 만했는데, 그 길은 또 다른 걸리로 연결되어 있었다.

나는 발끝으로 이동해 그 얼음폭포의 측면을 오르기 전에 아이스스크루를 하나 박았다. 워밍업을 하기엔 얼음이 아주 좋았다. 뒤를 돌아 설동의 입구를 보니 사이먼이 밖을 쳐다보며 내가 오르는 만큼씩 로프를 풀어 주고 있었다. 그 천연동굴의 구조는 어젯밤보다 훨씬 더 인상적이었다. 우리가 걸리 꼭대기의 노출된 곳에서 하룻밤을 보냈다면 아무리 좋게 말해도 불편했을 터라, 운 좋게도 그런 곳을 발견했다는 것이 너무도 신기했다.

얼음폭포 위에서 나는 눈 덮인 걸리를 따라 로프의 남은 길이만큼 전진했다. 이어 사이먼도 내 쪽으로 재빨리 합류했다.

"생각한 대로야." 내가 말했다. "다음 피치에서 수직 통로까지 가야 해."

그는 오른쪽으로 출발하더니 내가 서 있는 작은 걸리에서 사라져 이 등반의 열쇠가 되는 통로 속으로 들어갔다. 그곳은 세리아 노르테에서 이미 봐둔 곳이었다. 이제 큰 어려움이 다 끝나 통로를 빠르게 오른 다음 정상 설원을 올라가기만 하면 될 것 같았다.

그러나 통로에 있는 사이먼에게 합류했을 때 어려운 곳이 아직 남아 있다는 사실을 깨달았다. 통로 꼭대기엔 이빨 모양의 세락이 만만찮은 모습으로 가로막고 있어서 돌파구가 보이지 않았다. 그 옆의 수직 벽은 도저히 올라갈 수 없었고, 세락들은 조그만 틈새도 없이 통로를 꽉 막고 있었다.

"젠장!"

"그래, 징조가 좋지 않아. 이런 건 전혀 예상 못 했는데."

"빠져나갈 길이 있을 거야." 내가 말했다. "안 그럼, 발목 잡힌 거지 뭐."

"제발 아니어야 할 텐데. 다시 내려가기엔 너무 멀어."

우리가 있는 곳의 높이를 가늠해보려고 주위의 봉우리들을 둘러봤다.

"어젯밤에 5,800미터에서 비박했어. 그럼 어떻게 되는 거지? 500미터는 더 올라가야 한다는 말이네." 내가 말했다.

"600미터쯤이야."

"600미터? 좋아. 어제 어려운 곳을 800미터나 올랐으니 오늘은 정상까지 갈 수 있을 거야."

"정말 그럴 수 있을까? 세락이 얼마나 어려운지에 달려 있겠지. 그리고 마지막이 온통 눈으로 된 오목한 홈통fluting이라는 사실을 잊어선 안 돼."

나는 55도 경사의 통로를 빠른 속도로 올라갔다. 사이먼과 나는 교대로 앞장섰는데 말도 거의 하지 않고 등반에만 집중했다. 어제는 로프가 끝날 때마다 스크루를 박았고 얼음이 가팔라 속도가 느렸다. 하지만 오늘은 공기가 확실히 희박한데도 지형이 까다롭지 않아 두 피치를 한 번에 오를 수 있었다.

단단한 얼음을 찾으려고 부드러운 눈을 헤치면서도 가쁜 숨을 내쉬어야 했다. 나는 아이스액스와 스크루 두 개를 박고 서로를 연결한 다음 사이먼에게 올라오라고 소리쳤다. 우리는 통로를 300미터쯤 올라 세락 장애물 가까이로 접근했다. 오후 4시였다. 늦게 출발하긴 했지만 4시간 반 만에 열 피치를 올라 충분히 만회한 셈이었다. 자신감이 생긴 나는 안도했다. 이 루트가 우리와 잘 맞아떨어져 무난히 끝낼 수 있을 것 같았다. 어려운 루트로 마침내 초등을 해내기 직전이라는 생각이 들자 전율이 느껴졌다.

사이먼이 헐떡거리며 올라오는 동안 태양이 홈통 꼭대기의 세락을 슬그머니 넘어와 우리 아래의 가파른 눈에 밝은 흰빛을 쏟아냈다. 사이먼은 활짝 웃었다. 기분이 좋은 것은 당연했다. 모든 것이 잘 맞아떨어져서 바동거릴 필요도 없었고 의심할 이유도 없었다. 감각을 즐기는 것 외에는 달리 할 일도 없는 순간이었다.

"세락을 지나 쉬는 게 좋겠어."

"좋아." 사이먼이 위를 살펴보며 찬성했다. "저 고드름들 보여? 저곳이 바로 빠져나갈 길이야."

나는 얼음폭포를 쳐다봤다. 처음에 너무 어렵다고 생각한 곳이었다. 아래쪽이 오버행이었다. 단단한 얼음이 거대한 고드름을 주렁주렁 매달고 온통 푸석한 세락을 가로지르고 있었다. 그럼에도 그 얼음폭포가 장애물을 넘어갈 수 있는 유일한 곳이었다. 그곳을 공략하려면 우리는 8미터의 얼음을 올라 고드름지대를 지난 다음, 그 위의 경사가 다소 완만한 곳으로 올라서야 할 것 같았다.

"어려워 보이는데."

"그래. 저 바위에 먼저 붙어 보고 싶어."

"엄청 푸석할 것 같아."

"알아. 하지만 가능할지도 몰라. 어쨌든 내가 한번 해볼게."

그는 피톤 몇 개와 와이어 너트 몇 개 그리고 '프렌드friend' 두 개를 안전벨트 앞쪽으로 옮기더니 바위를 향해 조금씩 올라갔다. 나는 얼음폭포 바로 왼쪽 아래에 로프로 내 몸을 단단히 확보했다. 그 누런 바위는 얼음폭포와 홈통의 측면 바위 사이에 수직으로 쌓여 있는 분설과 경계선을 이루고 있었다.

나는 사이먼을 주의 깊게 지켜봤다. 만약 그가 추락한다면, 힘이 달려서라기보다는 홀드나 스탠스가 갑자기 부서진 탓일 것이다. 그는 되도록 높은 곳의 크랙에 프렌드를 설치했다. 프렌드는 네 개의 캠이 크랙 안에서 균등하게 벌어져 단단히 고정되는 장비다. 만약 사이먼이 추락한다면 프렌드가 아니라 바위가 부서질지도 모를 일이었다.

그는 조심스럽게 발을 올린 다음 가볍게 차서 스탠스를 확인하고 머리 위의 홀드를 두드려 단단한지 어떤지 시험했다. 그리고 잠시 망설이는 것 같더니 벽 위로 손을 쭉 뻗어 몸을 서서히 끌어올리기 시작했다. 나는 침을 한 번 꿀꺽 삼키고 긴장하면서 그가 추락하면 즉시 낚아챌 수 있도록 확보기구에 끼워 넣은 로프를 꽉 붙잡았다.

그때 갑자기 홀드가 벽에서 벌어졌다. 사이먼은 가까스로 균형을 유지하며 팔을 뻗은 채 그 홀드를 잡고 있었지만 곧 아래로 추락했다. 나는 프렌드가 크랙에서 빠질까 봐 바싹 긴장했으나 다행히 그것이 버텨주는 바람에 추락하는 사이먼을 쉽게 잡아챌 수 있었다.

"잘했어!" 놀란 표정의 그의 얼굴을 보고 내가 말했다.

"젠장! …단단한 줄 알았는데."

그는 내가 있는 곳으로 돌아와 얼음폭포를 다시 쳐다봤다.

"똑바로 올라갈 순 없지만 그 오른쪽이라면 할 수 있을 것 같아."

"그 얼음도 약해 보이는데."

"두고 보지, 뭐."

사이먼은 가파른 벽을 피해 오른쪽으로 비스듬히 이동한 후 다시 왼쪽의 고드름 위로 올라섰다. 불행히도 그곳의 얼음은 벌집 모양의 눈과 설탕 같은 결정체로 이어져 있었다. 그는 고드름 꼭대기와 비슷한 높이까지 간신히 올라갔으나 얼음 상태가 나빠 더 이상 전진하지 못했다. 사이먼은 6미터 정도 위에 있었다. 잠시 그는 오도 가도 못했다. 방금 전에 올라간 곳을 다시 내려오다간 추락할 것이 뻔했다. 그러나 그는 얼음폭포에 연결된 굵은 고드름에 슬링(확보용으로 쓰는 나일론 끈)을 걸고 마침내 내가 있는 곳으로 내려오는 데 성공했다.

"힘들어 죽겠어. 네가 한번 해봐."

"좋아. 나라면 더 옆으로 갔을 텐데. 고드름을 많이 깨뜨려야 할 거야."

사람 팔뚝만 한 굵기도 여러 개 있었고 1.5미터 가까이 되는 것도 있었다. 심지어 어떤 것은 그것보다 더 컸다. 나는 얼음을 오르기 시작했다. 경사가 심해 몸이 뒤로 젖혀지며 균형이 자꾸 깨지려 했다. 너무나 힘이 들어 팔 근육이 금방 딴딴해졌다. 등에 멘 배낭이 얼음에서 나를 밑으로 잡아당겼다. 나는 크램폰에 의지해 올라선 다음 아이스액스를 부스러지기 쉬운 위쪽 얼음에 힘껏 박았다. 그리고 몸을 일으켜 그 동작을 반복했다. 나는 속도를 높여 힘을 아끼려고 노력했다. 하지만 고드름지대에 가까워지자 더 이상 버틸 수 없다는 것을 깨달았다. 한 손으로 매달려 다른 손으로 고드름을 깨뜨리기엔 너무 지친 상태였다. 나는 아이스액스를 힘껏 휘둘러 내 체중을 견딜 만큼 깊이 박고 그 손목걸이에 확보줄을 간신히 연결한 다음 기진맥진한 채 매달렸다. 그런 다음 얼음 속에 박힌 아이스액스의 피크를 조심스럽게 살펴보고, 그것이 내 체중을 확실하게 버텨줄 것이라는 확신이 선 다음에야 다른 손의 아이스해머를 얼음에서 빼내 더 위쪽에 스크루를 박았다.

로프를 스크루에 통과시키고 나서야 안도의 한숨을 내쉬었다. 이제는 적어도 2미터 이상 나가떨어질 위험은 없어진 셈이었다. 고드름은 쉽게 닿을 수 있는 거리에 있었다. 나는 별 생각 없이 고드름 밑으로 해머를 휘둘렀고, 멍청하게도 내가 무슨 짓을 하고 있는지 보려고 고개를 쳐들었다. 그러자 육중한 고드름들이 머리와 어깨에 부딪히더니 사이먼 쪽으로 우수수 떨어져 내렸다. 우리 둘은 욕을 하기 시작했다. 나는 나 자신과 찢어진 입술과 깨진 이빨에 저주를 했고, 사이먼은 나에게 욕을 퍼부었다.

"미안. 생각이 짧았어."

"그럴 줄 알았어."

아이스해머가 고약한 심술을 부리긴 했지만, 다시 올려다보니 이제는 완만한 얼음 위로 올라갈 수 있는 길이 뚜렷이 나 있었다. 나는 오래지 않아 그 꼭대기로 올라선 다음 로프 길이만큼 전진해 넓고 얕은 걸리에 확보했다.

사이먼은 얼음폭포 밑에서 흘러내린 얼음조각과 하얀 분설을 잔뜩 뒤집어쓴 채 올라왔다. 그리고 나를 지나, 통로가 끝나면서 정상 설원이 시작되는 능선까지 계속 올라갔다. 내가 사이먼이 있는 곳으로 올라가자, 그는 편안하게 앉을 자리를 만든 다음 가스스토브에 불을 붙여놓고 있었다.

"입에서 피가 나네." 대수롭지 않다는 듯 그가 말했다.

"별 거 아냐. 어쨌든 내 잘못이니까."

얼음 걸리를 벗어나 바람에 노출되니 갑자기 추워졌다. 우리는 처음으로 정상을 바라볼 수 있었다. 250미터 떨어진 그곳은 눈 덮인 사면에서 튀어나온 거대한 커니스였다. 왼쪽으로 뻗어 내려간 능선이 우리가 하산할 곳이었으나, 동쪽에서 계속 밀려와 소용돌이치는 구름 때문에 그곳이 잘 보이진 않았다. 폭풍설이 휘몰아칠 것 같았다.

사이먼은 나에게 뜨거운 차를 건네준 다음 매서운 바람을 등지고 재킷 속으로 한껏 몸을 움츠렸다. 그는 정상 설원을 바라보며 가장 이상적인 길을 찾고 있었다. 사실 이 루트에서 경사도나 기술적인 어려움보다 더 우려했던 것은 마지막 부분의 눈 상태였다. 거의 모든 사면은 새로 내린 눈이 흘러내리며 단계적으로 생긴 홈통으로 주름이 잔뜩 잡혀 있었다. 우리는 페루 안데스의 악명 높은 홈통에 대해서는 전부터 질리도록 들었다. "살고 싶으면 올라가지 마." 유럽의 날씨 패턴으론 이런 공포가 생기려야 생길 수도 없지만, 이곳에선 분설이 중력을 가볍게 무시한 채 70도, 심지어는 80도의 경사면에도 붙어 있고, 거대한 커니스가 뒤틀린 채 불안정하게 발달되거나 때로는 커니스 위에 또 다른 커니스가 형성되기도 한다. 멋진 모습을 연출하는 이런 눈과 얼음의 창조물은 남미 안데스의 산들을 악명 높게 만들었다. 다른 곳이라면 분설이 아래로 쓸려 내려가 훨씬 더 경사가 완만한 사면을 만들었을 것이다.

우리 위로 바위지대가 중간에서 사면을 가로지르고 있었다. 그곳은 가파르진 않았으나 분설이 위험하게 덮여 있었다. 30미터를 올라가니 사면에서 튀어나온 그곳은 사면으로 다시 연결되면서 경사가 더욱 심해졌다. 그리고 홈통이 바로 그 위에서 시작되어 정상까지 계속 이어져 있었다. 일단 홈통으로 들어가면 정상까지 그대로 따라가야 할 것 같았다. 막판에는 서로 한군데로 모여 막혀버리기 때문에 올바른 홈통을 선택하는 것이 무엇보다 중요했다. 가까워지지 않는 홈통도 몇 개 보였지만, 전체적으로 보면 아래로 뻗은 홈통의 미로 속에서 길을 잃기 십상이었다.

"젠장, 절망적이네." 사이먼이 말했다. "하나를 골라낼 수가 없잖아."

"오늘 정상까지 가긴 틀린 것 같은데."

"저 구름이 속에 든 걸 쏟아붓지 않는다 해도 그건 확실해. 지금 몇 시야?"

"오후 4시. 2시간 남았어. 차라리 움직이자."

나는 바위지대를 건너려다 귀중한 시간을 허비하고 말았다. 그것은 가파른 지붕처럼 기울어져 있었지만 홈통에 있는 바위와 달리 검고 단단한 데다 작은 바위들만 눈 속에 숨어 있었다. 크게 어렵진 않았지만 거의 1,200미터 높이의 허공에 노출되어 있어 아주 불안했다. 게다가 우리가 쉰 장소에서 내 추락에 대비하고 있는 사이먼과 나 사이에 연결된 로프의 중간 어느 곳에도 확보물이 설치되어 있지 않았다. 사이먼의 유일한 확보물은 눈 속에 묻힌 아이스액스였다. 만약 내가 실수라도 한다면 이 모든 것들이 무용지물이 될 터였다.

왼발이 미끄러지며 크램폰의 발톱이 바위를 날카롭게 긁었다. 절묘한 균형을 요구하는 이런 종류의 등반이 싫었지만 이미 시작했으니 어쩔 도리가 없었다. 도로 내려갈 수는 없는 노릇이니까. 두 개의 작은 바위 턱에서 균형을 잡고 있을 때 앞발톱이 미끄러지려 하자 다리가 덜덜 떨리기 시작했다. 나는 사이먼에게 소리쳤다. 내 목소리엔 두려움이 배어 있었다. 사이먼이 그것을 들키다니 나 자신이 저주스러웠다. 다시 위로 올라가려 했지만 선뜻 용기가 나지 않았다. 쉬운 곳에 도달하려면 몇 번의 동작이 더 필요했다. 이토록 아찔한 곳이 아니라면 주머니에 손을 넣은 채 걸어갈 수도 있는 곳이라고 자기최면을 걸어봐도 두려움은 좀체 떨쳐버릴 수 없었다. 나는 꼼짝도 하지 못했다.

마음을 가라앉히고 내가 해야 할 몇 가지 동작을 조심스럽게 생각한 다음 떨어져도 할 수 없다는 각오를 다졌다. 그리고 다시 시도하자 생각보다 수월해서 놀랐다. 나는 어느덧 어려운 부분을 지나 쉬운 지형을 빠르게 올라가고 있었다. 내가 설치한 앵커는 이전에 사이먼이 설치한 것보다 별로 나을 것도 없었다. 그에게 조심히 올라오라고 소리쳤다. 나는 갑자기 두려움이 몰려온 탓에 여전히 가쁜 숨을 몰아쉬고 있었는데, 사이먼이 그곳을 아무렇지도 않게 올라오는 걸 보고 화가 났다. 결국 내가 침착하지 못한 데다 두려움을 이겨내지 못한 탓이었다.

“이런, 난 거기서 바보같이 꼼짝도 못 했는데.” 내가 말했다.

"그런 것 같았어."

"어느 홈통으로 들어가지?" 나는 그럴듯하다고 생각되는 홈통 하나를 찾으려 했지만 가까이에선 끝이 막혔는지 안 막혔는지 알 수가 없었다.

"잘 모르겠는데. 가장 넓은 저거 어때? 내가 가서 볼게."

사이먼이 그 홈통으로 들어가더니 곧 깊은 분설에 빠져 허우적거리기 시작했다. 그 홈통의 옆은 5미터 높이로 튀어나와 있었다. 길을 바꾸기는 불가능했다. 분설눈사태가 쏟아져 내려 고군분투하는 그의 모습이 때때로 시야에서 사라졌다. 날이 빠른 속도로 어두워지고 있었고, 눈이 내리기 시작해 분설눈사태도 점점 거세졌다. 나는 2시간 동안이나 옴짝달싹하지 못한 채 사이먼 바로 아래에 앉아 있었다. 추위가 뼛속까지 파고들었다. 사이먼이 허우적거리며 엄청난 양의 눈을 쏟아 내렸지만 피할 도리가 없었다.

헤드램프를 켜고 시계를 보자 어느덧 저녁 8시여서 깜짝 놀랐다. 90미터를 오르는 데 4시간이나 걸리다니! 홈통을 끝낼 수는 있을까? 마침내 눈발이 뒤섞인 구름을 뚫고 어렴풋한 외침이 들려왔다. 폴라재킷과 윈드재킷을 입었는데도 죽도록 추웠다. 그렇게 오랜 시간 확보를 보면서 움직이지 못하는 것은 저체온증을 자초하는 일이므로, 우리는 무시무시한 사면의 어디에서라도 비박에 들어가야 했다. 사이먼이 45미터를 올라가며 남긴 흔적을 보니 믿을 수가 없었다. 그가 허우적거린 곳에는 어김없이 1미터 깊이의 참호가 파여 있었다. 체중을 겨우 지탱해줄 얇은 얼음이나 단단한 눈의 층을 찾으려고 체력을 바닥내면서까지 몸부림친 흔적이었다. 그나마 대부분은 사이먼이 올라가면서 무너져 내렸기 때문에 나 역시 올라가는 데 무척 애를 먹었다. 그는 올라가 데만 3시간이 걸렸다. 사이먼이 있는 곳에 도달하니 그는 완전히 녹초가 되어 있었다. 나 또한 엄청 피곤했고 추웠다. 어떻게든 빨리 비박을 해야 했다.

"어마어마한 눈이야!"

"끔찍해. 계속 떨어지는 줄 알았어."

"빨리 비박 준비를 하자. 저 밑에서 얼어 죽을 뻔했어."

"그래. 하지만 여기선 안 돼. 홈통이 너무 작아."

"좋아. 그럼 네가 다시 올라가."

올라가기도 쉬운 데다 로프가 끌리지도 않을 것 같았다. 하지만 계속 움직일 수 없는 것이 못내 아쉬웠다. 몸은 얼어붙고 시간은 멈춘 듯했다. 그렇게 2시간을 올라간 뒤 나는 30미터 위에 있는 사이먼과 합류했다. 그는 홈통 안으로 깊게 판 커다란 구덩이 안에서 나를 확보하고 있었다.

"밑에 얼음이 좀 있어."

"스크루 박을 만해?"

"그래도 없는 것보단 낫지. 너도 이리로 들어와서 구덩이를 더 넓혀봐."

사이먼이 앉아 있는 바닥이 당장이라도 꺼져 내릴 것 같았지만 그의 옆으로 비집고 들어갔다. 우리는 측면을 파들어 갔다. 그렇게 눈으로 앞쪽을 막아가며 직사각형의 눈구덩이를 만들었다. 우리는 밤 11시가 넘어서야 마지막으로 남은 냉동건조 식품을 먹고, 침낭에 앉아 자기 전에 뜨거운 차를 마실 수 있었다.

"이제 100미터만 올라가면 돼. 올라온 곳보다 더 나쁘진 않겠지."

"폭풍설은 멈췄잖아. 그나저나 더럽게 춥네. 아무래도 새끼 손가락이 심상치 않아. 손까지 하야니."

걸리에서 분설눈사태에 노출되었을 때 영하 20도는 되는 것 같았다. 그러나 바람 때문에 체감온도는 영하 40도에 가까웠다. 눈구덩이라도 팔 수 있는 곳을 찾았으니 그나마 다행이었다. 내일은 햇빛이 쨍쨍 나면 좋겠는데….

가스통 바닥에 얼음이 두껍게 달라붙어 있었다. 나는 헬멧에 대고 두드려 얼음 대부분을 간신히 제거한 다음 침낭 안으로 집어넣었다. 그러자 허벅지에 얼음같이 차가운 금속이 닿았다. 잠시 후 나는 침낭에서 코만 빼낸 채 졸린 눈을 비비며 한쪽 눈으로 스토브를 바라봤다. 스토브는 침낭과 위험할 정도로 가까운 곳에서 맹렬한 소리를 내며 가동되고 있었다. 벽이 파란빛으로 빛났다. 6,000미터, 아니 6,100미터 가까운 곳에서 보낸 길고도 몹시 추운 밤이었다. 물이 끓자 나는 일어

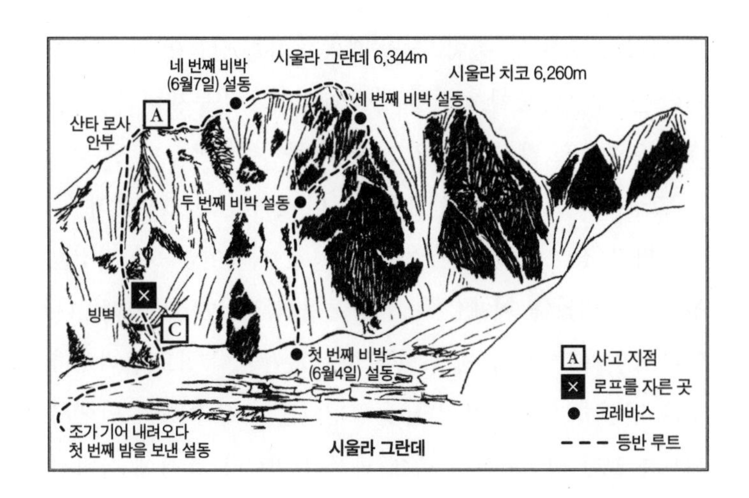

나 앉은 채 서둘러 폴라재킷과 윈드재킷을 입고 장갑을 꼈다. 그리고 눈구덩이 안을 더듬거려 과일주스 봉지와 초콜릿을 집었다.

"차 준비됐어."

"젠장! 얼어 죽겠네."

사이먼은 배 속의 태아처럼 웅크리고 있던 자세를 펴고 김이 나는 머그컵을 잡더니 다시 침낭 속으로 사라졌다. 나는 뜨거운 컵을 가슴에 품고 두 번째 차를 만들 눈이 코펠 안에서 녹아 무너지는 모습을 보며 천천히 차를 마셨다. 스토브의 불꽃은 별로 세지 않았다.

"가스가 얼마나 남았지?" 내가 물었다.

"한 개. 그거 다 썼어?"

"아니, 아직은. 이 통이 다 될 때까지 차를 만들어 마시고 마지막 한 개는 나중에 하산할 때를 대비해 남겨두자."

"과일주스도 많이 남진 않았어. 한 봉지뿐이야."

"그렇다면 잘 판단해야 해. 한 번 더 쓸 만큼만 있으면 돼."

올라갈 장비를 챙기는 일은 춥고 긴 작업이었으나 걱정할 정도는 아니었다. 이제는 내가 홈통을 앞장서야 할 차례였다. 일이 꼬이려고 그랬는지 어쨌든 나는 눈구덩이 위로 올라서야 했다. 간신히 오르긴 했지만, 눈구덩이를 다 부순 탓에 안에서 확보를 보던 사이먼이 눈속에 파묻혀 버렸다. 홈통에 올라서서 우리가 전날 올라온 곳을 되돌아봤다. 사이먼이 파놓은 참호는 흔적도 없이 사라지고 없었다. 어제 쏟아진 눈보라가 끊임없이 흘러내려 깨끗하게 다시 채워진 것이다. 나는 홈통이 30미터 위에서 막힌 것을 보고 실망했다. 그곳은 양쪽 측면이 합쳐져 매우 날카로운 창끝 모양을 하고 있었다. 한쪽 측면을 넘어 다른 홈통으로 들어가야 할 판이었다.

하늘은 맑고 바람 한 줄기 불지 않았다. 이제는 사이먼이 내가 떨어뜨리는 눈 더미를 고스란히 맞을 차례였다. 그러나 대낮이 좋은 것만도 아니었다. 밝아서 등반은 다소 쉬웠으나 내가 미끄러지는 것도 금방 보였고, 가랑이 사이로 보이는 1,400미터의 허공도 심리적으로 불안하게 만들었다. 우리의 앵커가 전혀 안전하지 않아서 나는 정신을 집중해야 했다. 걸리 끝부분에 가까워지자 경사가 점점 심해져서 할 수 없이 옆

홈통으로 넘어가야만 했다. 그런데 어느 쪽으로 가지?

그 너머를 볼 수가 없어 어느 쪽으로 가야 할지 감을 전혀 잡을 수 없었다. 아래를 보니 사이먼이 나를 유심히 쳐다보고 있었다. 무너진 눈구덩이 위로 나온 그의 머리와 가슴 뒤로 까마득한 허공이 펼쳐져 있었기 때문에 우리가 있는 곳이 얼마나 위험한지 더 강하게 와닿았다. 사이먼의 위치에서는 위쪽이 나보다 더 잘 보일 것 같았다.

"어느 쪽으로 가야 해? 뭐가 좀 보여?"

"왼쪽으론 가지 마."

"왜?"

"아래가 급경사라 엄청 위험해 보여."

"그럼 오른쪽은?"

"잘 안 보여. 하지만 아주 가파르진 않아. 아무튼 왼쪽보단 나을 것 같은데."

나는 망설였다. 일단 홈통으로 들어가 허우적거리기 시작하면 도로 내려오기는 불가능할 것 같았기 때문이다. 더 나쁜 곳에 있고 싶지는 않았다. 하지만 몸을 쭉 폈는데도 오른쪽의 걸리 안을 볼 수 없었다. 그쪽에 걸리가 있는지조차 자신하지 못했다. 내 위쪽의 눈으로는 어떤 상황이 펼쳐질지 전혀 짐작할 수 없었다.

"좋아. 확보 잘 봐." 나는 걸리의 오른쪽을 파들어 가기 시작하면서 소리쳤다. 생각해보니 웃기는 말이었다. 사이먼의 앵커가 빠져버리면 확보를 잘 봐야 무슨 소용이 있지?

놀랍게도, 양손의 아이스액스로 홈통의 측면을 파들어 가는 것은 그곳을 오르기보다 더 어렵지 않았다. 숨을 헐떡이며 그쪽으로 넘어가자 경사가 비슷한 걸리가 로프 한 동 길이 위에 있는 정상의 거대한 커니스로 이어진 모습이 보였다. 사이먼이 허우적거리며 내가 있는 곳까지 쫓아와서 정상을 올려다보더니 "와!" 하고 소리쳤다.

"이젠 됐어."

"그랬으면 좋겠는데, 마지막 부분이 엄청 가파른 것 같아."

"갈 수 있을 거야." 사이먼은 내가 확보를 보고 있는 눈구덩이로 차가운 눈을 엄청 쏟아 내리며 사면을 올라갔다. 나는 헬멧 위로 재킷의 후드를 덮어쓰고 등을 돌려 발아래 펼쳐진 빙하를 내려다봤다. 우리가 있는 곳이 너무나 아찔해 갑자기 공포가 밀려왔다. 푸석한 눈이 심하게 경사진 데다 앵커 상태가 몹시 위태로워서 우리가 하고 있는 짓이 넌더리가 날 정도로 불안했다. 그때 흥분에 젖어 외치는 소리가 들려왔다. 몸을 돌리니 로프가 걸리 꼭대기 너머로 사리지고 있었다.

"끝냈어. 홈통은 이제 더 이상 없어. 올라와."

한참 후에 내가 지친 몸을 이끌고 홈통 위로 올라서자 사이먼은 그 위에 걸터앉아 활짝 웃고 있었다. 그의 뒤로 15미터도 안 되는 거리에 정상 커니스가 무시무시한 모습으로 튀어나온 채 솟아 있었다. 나는 사이먼을 재빨리 지나쳐 정상 커니스가 제일 작아 보이는 왼쪽을 향해 단단한 눈에 크램폰을 디디며 위로 올라갔다. 그로부터 10분 뒤 나는 동벽과 서벽을 가르는 능선 밑에 섰다.

“사진 찍어.”

나는 사이먼이 카메라를 준비할 때까지 기다렸다. 능선의 동쪽 면에 아이스액스를 꽂고 정상 아래의 넓은 안부로 몸을 끌어올렸다. 나흘 만에 새로운 풍경이 눈에 들어오자 기분이 날아갈 것 같았다. 태양은 동쪽 빙하로 뻗어 내린 사면을 따뜻하게 비추고 있었다. 그늘진 서벽에서 길고 추운 며칠을 보낸 터라 태양 아래 따뜻하게 앉아 있는 것이 사치스럽게 느껴졌다. 나는 우리가 남반구에 있다는 사실을 까맣게 잊고 있었다. 이곳은 우리와 모두 반대였다. 그러니까 남벽은 알프스의 추운 북벽이었고, 동벽은 서벽이었다. 아침이 너무 춥고 그림자가 져서 몇 시간 동안 햇빛을 받으려면 늦게까지 기다려야 했던 것도 놀랄 일은 아니었다.

사이먼이 곧 올라와서 우리는 행복하게 웃으며 배낭을 벗어 놓고 그 위에 걸터앉아, 아이스액스와 장갑을 아무렇게나 던져 놓고 잠시 고요를 즐기며 주위를 둘러봤다.

“배낭을 여기에 두고 정상에 갔다 오자.” 사이먼이 자아도취에 빠진 나의 환상 속으로 끼어들며 말했다. 정상! 나는 우리가 단지 능선에 도착했을 뿐이라는 사실을 깜빡 잊고 있었다. 서벽을 벗어난 것만으로도 등반이 끝난 것 같은 느낌이 들었기 때문이다. 사이먼 뒤로 솟아 있는 아이스크림콘같이 생긴 정상을 올려다봤다. 그곳은 30미터 정도 떨어져 있었다.

"먼저 올라가. 정상 사진 몇 장 찍어줄게."

그는 일어서기 전에 초콜릿과 사탕 몇 개를 집어 들더니 깊은 눈 위를 터벅터벅 걸어갔다. 고소의 영향이 나타나고 있었다. 환상적인 정상 커니스 꼭대기에서 아이스액스에 몸을 구부린 채 하늘을 배경으로 윤곽이 뚜렷이 나타난 그의 모습을 찍었다. 그런 다음 나도 배낭을 두고 가쁜 숨을 내쉬며 피곤한 다리를 이끌고 그의 뒤를 따라갔다.

정상에서 우리는 의례적인 사진을 몇 장 찍고 초콜릿을 먹었다. 희열 같은 것도 별로 느껴지지 않았다. 이제 무엇을 해야 하지? 악순환이었다. 하나의 꿈을 이루면 잠시 조용히 지내다 얼마 안 있어 또 다른 꿈을 갈구하게 된다. 약간 더 어렵고 더 야심적인, 그러니까 더 위험한 목표를. 그런 꿈이 나를 어디로 이끌지는 생각하고 싶지 않았다. 마치 이상한 방식으로 게임의 본성이 나를 조종하는 것처럼, 논리에 이끌리면서도 결국은 무서운 결론을 내리게 된다. 정상에 오른 이 순간, 폭풍설 뒤의 갑작스러운 이 고요는 늘 불안하다. 내가 도대체 무슨 짓을 하고 있는 걸까? 이러다간 자제력을 잃어 걷잡을 수 없게 되지는 않을까? 정말 순수한 기쁨을 위해 산을 오르는 걸까, 아니면 이기주의 때문일까? 정말 더 많은 것을 얻기 위해 산으로 돌아오고 싶어 한 걸까? 그러나 이런 순간만큼은 좋았다.

감정은 지나가 버리는 것이니까. 그럼 다음에는, 건전한 상식이 아니라 병적일 정도로 비관적인 두려움 때문이었다고 변명을 늘어놓을 수 있을 것 같았다.

"폭풍설이 휘몰아칠 것 같아." 사이먼이 말했다.

그는 우리의 하강 루트가 될 북쪽 능선을 조용히 살펴보고 있었는데, 그곳은 동벽에서 몰려들어 서쪽으로 휘감아 넘어가는 구름 덩어리들로 인해 빠르게 흐릿해지고 있었다. 내 눈에는 벌써부터 능선이 잘 보이지 않아, 우리가 지나온 저 밑의 빙하도 1시간이면 완전히 덮이고 말 것 같았다. 북쪽 능선은 우리가 배낭을 내려놓은 지점에서 시작되어 작은 봉우리 하나를 거친 다음 이리저리 뒤틀리며 구름 속으로 모습을 감추고 있었다. 무서울 정도로 경사가 급한 데다 칼날같이 날카로운 능선마루와 위험스럽게 형성된 커니스가 구름 사이로 언뜻 보였다. 그리고 동벽은 홈통으로 수없이 주름 잡혀 뚝 떨어지고 있었다. 커니스 능선 밑을 안전하게 통과하는 것은 불가능할 것 같았다. 그 홈통들은 옆에서는 도저히 지나갈 수 없을 것처럼 보였다.

"젠장! 위험해 보이네."

"그래. 서두르는 게 좋겠어. 빨리 이동하면 저 봉우리 밑을 지나 그 훨씬 아래에서 능선으로 다시 올라설 수 있을 거야. 사실 1시간도 안 남았어."

사이먼이 손을 내밀자 첫 번째 눈송이가 그의 장갑 위로 하늘하늘 떨어졌다.

배낭을 내려놓은 곳으로 가서 그 작은 봉우리를 돌아가기 위해 출발했다. 사이먼이 앞장섰다. 우리는 서로 로프를 묶은 다음 추락에 대비해 나머지를 둥글게 사려 한 손으로 잡아들었다. 깊은 분설이 우리의 전진을 방해했으나 그것이 가장 빠른 방법이었고, 앞의 작은 봉우리가 보일 동안이 그래도 그곳을 지나갈 수 있는 유일한 기회였다. 사이먼이 추락하면 아이스액스를 눈에 재빨리 꽂을 수 있는 시간적 여유가 있기만 바랐다. 눈이 푹신해서 버티지도 못하겠지만….

30분 만에 구름이 우리를 감쌌다. 그때 우리는 그 작은 봉우리의 동쪽 측면에 있었다. 그리고 10분 후에 주위가 온통 하얗게 변하면서 우리는 길을 잃고 말았다. 바람도 불지 않는 가운데 커다란 눈송이가 소리 없이 떨어져 내렸다. 오후 2시 30분. 눈은 저녁 늦게까지 내릴 것 같았다. 우리는 잠자코 서서 주위를 뚫어지게 보며 우리가 어디에 있는지 가늠해 보려고 애썼다.

"아래로 내려가야 할 것 같아."

"잘 모르겠어…. 아냐, 아래는. 능선에 붙어 가야 해. 이쪽 사면의 홈통들 못 봤어? 그리로 들어가면 다시는 올라오지 못해."

"작은 봉우리를 지났나?"

"그런 것 같은데. 그래!"

"저 위쪽은 아무것도 안 보여."

눈과 구름으로 온통 하얀색 천지였다. 2미터 앞도 하늘인지 눈인지 분간할 수가 없었다.

"나침반이라도 있었으면 좋았을 텐데."

내가 그 말을 하는 순간 구름 위 하늘에서 번개가 번쩍였다. 그런 가운데 연약하게 빛나는 태양이 우리 위쪽 30미터 능선에 아주 희미한 그림자를 드리웠다. 하지만 내가 그 말을 하려 하자 어느새 사라졌다.

"방금 능선을 봤어."

"어디야?"

"바로 우리 위. 지금은 안 보여. 하지만 분명히 봤어."

"좋아, 내가 올라가서 찾아볼게. 넌 여기 있어. 내가 능선마루를 제대로 못 보고 그 너머로 떨어지면 날 잡아 줄 수 있을 거야."

사이먼은 올라갔다. 잠시 후 시야에서 사라져 내 손에서 빠져나가는 로프만이 그가 저 위에서 움직이고 있다는 것을 말해주고 있었다. 눈이 점점 더 많이 내리기 시작했다. 나는 처음으로 불안감을 느꼈다. 우리는 서벽을 오르는 데만 집중했는데, 내려가야 하는 이 능선은 예상보다 훨씬 더 어려웠다.

사이먼을 불러 무엇이 보이냐고 물어보려는 순간 로프가 장갑을 낀 손 사이로 휙 채여 나갔고, 동시에 육중한 파열음이 구름 사이로 울려 퍼졌다. 로프는 젖은 장갑 사이로 1미터 정도 더 미끄러져 나가더니 안전벨트의 확보기구에 턱 하고 걸렸다. 그 충격으로 가슴이 앞으로 딸려가 나는 사면에 처박혔다. 이어 우르릉거리는 소리가 점점 더 멀어졌다.

나는 상황을 즉시 알아차렸다. 사이먼이 커니스 능선에서 떨어진 것이 분명했다. 육중한 울림은 세락이 무너져 사태를 일으킨 소리였다. 나는 잠시 기다렸다. 로프가 그의 체중으로 팽팽했다.

"사이먼!" 내가 소리쳤다. "괜찮아?"

아무런 대답이 없었다. 나는 조금 더 기다렸다 능선 쪽으로 올라가 보기로 했다. 만약 사이먼이 서쪽으로 떨어져 매달려 있다면 정신을 차리고 능선으로 다시 올라서기까진 시간이 좀 걸리겠지? 얼마 후 그가 뭐라고 소리를 쳤지만 잘 알아들을 수가 없었다. 이어 로프가 느슨해졌다. 나는 사이먼이 있는 쪽으로 올라가고 나서야 그가 뭐라고 했는지 알 수 있었다.

"능선을 찾았어!"

그제야 나는 초조하게 웃었다. 그는 실제로 자신이 예상한 것보다 더 큰 능선을 찾아낸 것이었다. 나는 그에게 다가갔을 때 웃음을 멈추었다. 사이먼은 능선마루 바로 밑에서 부들부들 떨며 서 있었다.

"저긴 줄 알았다니까." 갑자기 다리에서 힘이 쑥 빠져버린 듯 그는 눈 위에 털썩 주저앉았다. "빌어먹을… 죽는 줄 알았어. 전체가 다 무너졌으니까."

그는 방금 전의 일을 잊으려는 듯 머리를 가로저었다. 이어

공포가 가라앉고 아드레날린의 분출이 멈추자 그는 능선의 끝부분을 돌아보더니 방금 무슨 일이 있었던 건지 조용히 설명하기 시작했다.

"능선은 보지도 못했어. 왼쪽 멀리서 능선의 끝부분을 언뜻 봤을 뿐이야. 무슨 예고 같은 것도 없었어. 균열도 없었고. 올라오자마자 그냥 뚝 떨어졌어. 가장자리에서 10미터는 무너진 것 같아. 내 뒤에서 말이야. 아니면 발밑일지도 몰라. 어쨌든 함께 떨어졌어. 너무나 **갑작스럽게!** 생각할 시간조차 없었으니까. 내가 떨어지고 있다는 것 외에는 도대체 무슨 일이 일어나고 있는지 알 수 없었어."

"그랬을 거야!" 사이먼이 머리를 숙이고 떨리는 다리를 진정시키려 한 손을 허벅지에 대고 숨을 가쁘게 몰아쉬는 동안, 나는 그의 뒤로 무너져 내린 벽을 쳐다봤다.

"사정없이 굴러떨어졌고 모든 게 슬로모션으로 보였어. 로프에 묶여 있다는 것도 깜빡했지. 굉음과 추락. 그것 때문에 아무것도 이해하지 못했어. 거대한 눈덩어리가 나와 함께 떨어지고 있다는 것만 생각나. 처음엔 같은 속도로 떨어졌지. '끝났구나'라는 생각이 들었어. 거대했거든. 3미터… 아니 6미터의 사각덩어리."

그는 이제 조금 진정되었다. 그러나 내가 그와 함께 올라왔더라면 어찌되었을까 하고 생각하니 몸서리가 쳐졌다. 우리 둘 다 저 아래로 사라졌겠지?

"그때 안전벨트에 묶인 로프가 느껴졌어. 하지만 그것도 나와 함께 떨어지고 있다고 생각했지. 로프에 걸리지 않았으니까. 눈덩어리에 맞아 내 몸이 뒤집혔어."

그는 잠시 멈추고 나서 계속했다. "아래쪽이 훨씬 더 가볍게 느껴졌어. 눈덩어리들이 굴러떨어지더니 부서지면서 까마득한 허공으로 날아갔지. 몸이 빙글빙글 돌면서 그런 장면이 계속해서 언뜻언뜻 보였어…. 아마도 그때쯤 추락이 멈춘 것 같아. 하지만 쿵 하고 떨어진 데다 몸이 빙글빙글 돌아 그렇게 느꼈는지도 몰라. 계속 그렇게 되는 것 같았어… 그때쯤 공포가 사라졌지만 너무나 혼란스러웠고 무감각했어. 마치 시간이 정지되어 놀랄 시간이 더 이상 존재하지 않는 것처럼 말이야."

마침내 추락이 멈췄을 때 그는 허공에 매달려 있었다. 그리고 왼쪽 너머로 여전히 무너져 내리는 능선이 보였다. 동쪽에서 밀려드는 구름이 시야를 조금 방해했지만 커다란 눈덩어리들이 구름 위에서 굴러떨어져 벽 아래로 부서지며 사라졌다. 마치 능선 전체가 떨어져 나가는 것처럼.

"처음엔 너무나 혼란스러워서 내가 안전한지 어떤지 확실히 판단할 수도 없었어. 생각을 한참 더듬고 나서야 네가 날 잡아챘다는 사실을 깨달았지. 발밑의 허공은 소름이 끼칠 정도였어. 1,400미터의 서벽이 빙하까지 훤히 보였으니까. 잠시 패닉에 빠졌지. 발밑은 까마득한 허공인 데다 능선 10미터 아래에 대롱대롱 매달려 있었으니. 서벽의 상단부가 바로 밑에 있었고, 우리가 올라온 설벽도 보였단 말이야!"

"커니스가 다 무너졌으면 우린 흔적도 없이 사라졌을 거야." 내가 조심스럽게 말했다. "어떻게 다시 올라온 거야?"

"능선으로 다시 돌아가려고 했는데 엄청 힘들었어. 커니스가 무너진 곳은 수직인 데다 높이가 10미터나 됐으니까. 무너진 나머지 부분이 안전한지 어떤지 알지도 못했고. 마침내 여기까지 올라왔을 때 동벽 아래에서 네가 소리치는 걸 들었어. 난 대답도 못 할 정도로 힘이 다 빠졌지. 능선에서 무너져 내린 선의 끝이 보이지도 않았어. 60미터는 되는 것 같은데. 빌어먹을, 내가 떨어지니까 날이 개는 건 뭐지. 5분만 일찍 갰더라도 위험하다는 걸 알아차렸을 텐데 말이야."

아주 위험한 능선이 우리 앞에 있었다. 비록 무너져 내리긴 했지만, 그 능선은 결과적으로 더 안전하지도 않았다. 가장자리 바로 안쪽에는 2차적인 균열선들이 있었고, 그중 하나는 1미터 정도 떨어진 곳에서 능선마루와 나란히 뻗어 있었다.

4

위기

동벽으로 조금 내려간 다음 능선을 따라간다는 것은 생각할 수도 없는 일이었다. 그곳에는 수백 미터 아래 허공을 뒤덮은 구름 속으로 모습을 감춘 홈통들이 연속으로 이어져 있었기 때문이다. 눈은 더 이상 내리지 않았다. 홈통을 가로지르는 것은 너무나 느리고 위험할 수 있었다. 그리고 아래쪽으로 내려가면 구름 밑에서 화이트아웃 상태로 길을 잃을 가능성이 농후했다. 선택의 여지가 별로 없었다. 사이먼이 일어서서 능선 마루 2미터 정도 안쪽을 따라 조심조심 내려갔다. 커니스의 균열선도 계속 이어졌다. 나는 동벽 아래로 조금 내려가 사이먼이 끌고 가는 로프가 팽팽해질 때까지 기다렸다. 이제는 능선이 무너져도 그를 잡아챌 수 있을 테고, 결국 내가 사이먼 쪽으로 합류해 능선을 따라 함께 내려가면 될 터였다.

사이먼의 발자국을 따라 올라가면서 그가 추락하기 불과

몇 분 전, 문득 내가 불안을 느꼈다는 생각이 떠올랐다. 전에도 그런 느낌이 있었는데, 왜 그런 생각이 드는지 늘 의아했다. 그렇게 갑자기 걱정이 밀려올 이유가 전혀 없는데…. 우린 그 산에 50시간도 넘게 있었고 닥쳐올 위험에 대해서는 충분히 익숙해져 있어서, 무슨 일인지 알지도 못한 채 어떤 일이 벌어질 수 있겠다는 감이 왔다. 나는 이런 비합리적인 가설을 좋아하지 않는다. 불안은 모질게 되돌아오는 법이니까. 사이먼도 긴장한 모습이 역력했다. 하산은 우리가 생각했던 것보다 훨씬 더 어려웠다.

조심스럽게 움직였다. 균열선에 유의하면서, 동시에 등을 보이며 내려가는 사이먼으로부터 40미터 정도의 간격을 유지하려고 신경 쓰며 그의 발자국을 정확히 디뎠다. 그가 추락하는 순간을 제때 보기만 한다면 살아날 확률은 충분했다. 반대쪽으로 몸을 던져 로프가 능선에 걸리면 서로의 추락이 멈출 테니까. 그러나 만약 뒤따라가는 내가 추락한다면 사이먼에게 경고 따위는 없을 터였다. 물론 그가 내 비명이나 능선이 무너지는 소리를 들을 수 있을지도 모른다. 그러면 그는 뒤를 돌아보고 나와 반대방향으로 뛰어내려야 한다. 가장 치명적인 사고는 능선 전체가 무너져 우리 둘 다 한꺼번에 휩쓸려 떨어지는 것이다.

균열선이 가까워지자 그곳을 재빨리 지나고 나서 안도의 한숨을 내쉬었다. 마침내 능선이 조금 안전해졌다. 하지만 불행히도 이제부턴 가파르게 떨어지기 시작했고, 방향이 바뀔 때마다 심하게 뒤틀려 있었다. 그리고 거대한 커니스가 서벽 위로 돌출되어 있었다. 이런 어려움도 저 앞쪽에선 점차 쉬워지고 있어서 사이먼이 동벽으로 내려서는 것을 보고도 별로 놀라지 않았다. 그는 좀 더 쉬운 구간으로 바로 질러갈 수 있을 만큼 내려가서 심하게 뒤틀린 능선을 피하려고 했다. 나는 사이먼을 따라가기 전에 얼마를 내려가야 할지 가늠해봤다.

우리가 내려왔을 때는 빛이 상당히 약해져 있었다. 시계를 보고 깜짝 놀랐다. 벌써 오후 5시였다. 3시간 반 전에 정상에서 출발했는데 고작 여기까지라니! 1시간만 있으면 어두워질 텐데, 설상가상으로 폭풍 구름이 머리 위에서 춤을 추고 동쪽에서부터 눈송이가 날리기 시작했다. 기온은 급격히 떨어졌고 바람도 거세어져 잠시라도 멈추면 꽁꽁 얼어붙었다.

사이먼이 두 홈통 사이에 있는 걸리로 내려갔다. 나는 로프가 풀릴 때만 같이 움직여 둘 사이에 일정한 간격을 유지하며 천천히 따라갔다. 우리는 구름과 눈이 한데 엉켜 온통 하얗게 변한 세상 속으로 들어갔다. 잠시 후 이제 쉬운 구간으로 넘어갈 수 있는 지점에 이르렀다고 생각했으나, 사이먼은 계속 내려갔다. 나는 멈추라고 소리쳤다. 그러나 알아들을 수 없는 대답이 돌아왔다. 내가 크게 소리치자 로프가 더 이상 빠져나가지 않았다. 우리 둘 다 서로 무슨 말을 하는지 알아들을 수 없는 거리에 있어서 내가 조금 더 내려갔다. 걸리가 점점 더 가팔라지면서 계속 미끄러져 놀랐다. 몸을 돌려 벽을 보고 내려갔으나 균형을 잡기가 여전히 어려웠다.

이윽고 사이먼과 가까워졌다. "왜 멈추라고 한 거야?" 그가 소리쳐 물었다. 그 순간 발밑의 눈이 푹 꺼지면서 내 몸이 빠르게 떨어졌다. 나는 양손에 든 아이스액스와 해머를 눈 속에 깊이 박으며 제동하려고 했으나 멈춰지지가 않았다. 나는 비명을 지르며 사이먼에게 쿵 하고 부딪친 다음에 겨우 멈출 수 있었다.

"이런!… 난… 아, 제기랄! 끝장난 줄 알았어…. 이렇게 멍청할 수가!"

사이먼은 아무 말도 하지 않았다. 나는 얼굴을 눈에 처박고 놀란 가슴을 진정시켰다. 심장이 터질 것 같았다. 다리가 무기력하게 후들거렸다. 내가 떨어지기 시작한 곳이 그나마 사이먼과 아주 가까워서 천만다행이었다. 그렇지 않았다면 추락의 가속도로 사이먼까지 밀고 내려갔을 테니까.

"괜찮아?" 사이먼이 물었다.

"응, 무서웠어. … 그뿐이야."

"그래."

"너무 많이 내려왔어."

"아! 난 혹시 우리가 저 아래 동쪽 빙하까지 곧장 내려갈 수 있을 거라고 생각했지."

"지금 장난해? 빌어먹을! 지금 바로 여기서 나 때문에 둘 다 죽을 뻔했잖아. 그리고 저 밑에 뭐가 있는지 어떻게 알아."

"하지만 능선을 따라가는 건 미친 짓이야. 그리로 가면 오늘 밤엔 절대 못 내려가."

"어쨌든 오늘 밤엔 안 돼. 이젠 거의 어두워졌어. 저길 서둘러 내려가다간 이 뭣 같은 걸리를 벗어나기도 전에 죽고 말 거야."

"좋아… 좋아. 진정해. 그냥 생각해본 거야."

"미안해. 나도 놀라서 그랬어. 여기서 옆으로 갈 순 없을까? 그럼 능선이 뚝 떨어지는 곳에서 다시 올라설 수 있을지도 모르잖아."

"좋아, 네가 먼저 가."

나는 엉켜 버린 로프를 풀고 나서 홈통의 오른쪽을 파들어가기 시작했다. 1시간 30분 후 나는 셀 수 없이 많은 홈통을 그럭저럭 건넜고, 사이먼은 로프 길이만큼 뒤에서 따라왔다. 하지만 우리의 전진은 고작 60미터에 불과했다. 그때쯤 눈이 심하게 내리며 바람이 불어 지독하게 추웠다. 게다가 몹시 어두워져서 헤드램프를 켜야 했다.

설탕 같은 눈의 벽을 헤치며 다른 걸리로 들어가는 순간 바위가 발에 채였다.

"사이먼!" 내가 소리쳤다. "잠깐 기다려. 여기 조그만 바위벽이 하나 있어. 돌아가기가 조금 까다로워."

나는 그 바위에 피톤을 하나 박고 순간적으로 균형을 유지하며 넘어갈 셈이었다. 피톤을 박는 데는 성공했지만, 바위벽을 간신히 돌아 넘어갔다. 사이먼도 중력과 체중을 이용하는 기본적인 등반기술을 구사해 자신이 어디로 떨어질지도 모르는 곳을 향해 뛰어내렸고, 예상대로 분설에 푹신하게 파묻혔다. 하지만 그의 추측에서 결정적으로 빠진 한 가지는 그곳이 눈이냐 바위냐 하는 것이었으나, 그런 것을 따지기엔 우리 둘 다 너무 춥고 지쳐 있었다.

그곳을 넘어서자 분설이 쌓인 넓은 사면이 나왔다. 자비롭게도 그곳에는 홈통이 없었다. 우리는 능선이 있으리라 짐작되는 곳을 향해 올라갔다. 로프 길이의 두세 배만큼 가니 바위벽 밑에 아이스크림콘처럼 생긴 커다란 눈 더미가 있었다. 우리는 그곳에 설동을 파기로 했다.

사이먼의 헤드램프가 접촉 불량인지 계속 깜빡거렸다. 내가 눈을 파들어 가자 곧 바위가 나왔다. 그래서 옆으로 길게 만들려고 바위와 나란히 눈을 팠다. 하지만 30분 만에 포기하고 말았다. 설동에 구멍이 너무 많이 뚫려 있어서 바람을 막아줄 수 없을 것 같았기 때문이다. 살을 에는 듯 추운데도 사이먼은 어둠 속에서 맨손으로 헤드램프를 고치려고 안간힘을 썼다. 설동을 열심히 파는 바람에 나는 체온이 올라갔지만, 기온이 영하 20도쯤 떨어져 사이먼의 손가락 두 개가 동상에 걸린 것 같았다. 내가 또 다른 설동을 파기 시작하자 사이먼이 버럭 화를 냈다. 어이가 없었지만 나는 사이먼이 괜히 심술을 부리는 거라 생각하고 그냥 무시했다. 두 번째 설동은 조금 더 나았다. 바위가 또 나왔지만 둘이 들어갈 만한 크기의 설동을 그럭저럭 만들 수 있었다. 마침 사이먼이 헤드램프를 다 고쳤는데, 그의 손가락은 온기를 되찾지 못했다. 그는 내가 도와주지 않았다고 단단히 화가 나 있었다.

먹을 것을 준비했다. 그래 봐야 남은 것도 별로 없었다. 우리는 초콜릿과 말린 과일을 먹고 과일 주스를 많이 마셨다. 그제야 우리는 지친 탓에 냈던 화를 풀고 우리가 처한 상황을 곱씹어 봤다. 나도 사이먼만큼 춥고 피곤해서 설동을 조금이라도 빨리 파고 침낭 속으로 들어가 뜨거운 차를 마시고 싶었다. 그날도 아주 긴 하루였다. 출발은 산뜻했고 서벽을 벗어난 것만으로도 기뻤으나 하산이 점점 더 어려워지는 것 같아 신경이 곤두섰다. 커니스에서 추락한 일로 우린 충격을 받았고, 그 뒤부터 계속 긴장해서 무척 피곤했다. 오늘 하루 화는 서로 낼 만큼 내서 더 내 봐야 이로울 게 없었다.

사이먼이 손가락을 보여줬다. 서서히 살아나고 있긴 했지만 양손 다 검지는 여전히 하얗고 딱딱했다. 결국 동상에 걸린 것이다. 더 이상 악화되지 않길 바랄 뿐 별 도리가 없었다. 어쨌든 어려운 능선은 거의 다 지나와서 다음 날 오후면 베이스캠프에 도착할 수 있을 것 같았다. 가스는 아침에 차 두 잔을 만들 만큼만 남아 있었지만 그것만으로도 충분해 보였다. 침낭에 들어가 누웠는데도 우리가 능선에서 겪은 공포를 쉽게 떨쳐버릴 수 없었다. 로프에 연결된 채 무기력하게 동벽으로 떨어지는 이미지가 너무도 생생했다. 그것은 하마터면 현실이 될 뻔한 이미지였다. 그런 결말을 생각하니 몸서리가 났다. 사이먼도 분명 같은 감정이었을 것이다. 그 전해에 사이먼은 프랑스 알프스의 몽블랑 산군에 있는 크로 스퍼Croz Spur(스퍼: 바위가 기둥처럼 된 지형) 높은 곳에서 우리가 겪은 것과 비슷한 끔찍한 사고를 목격한 적이 있었다. 일본인 등반가 두 명이 그가 서 있던 부근에서 추락 사망한 것이다. 루트가 거의 다 끝나가는 지점이었다.

사흘 동안 폭풍설이 몰아치는 끔찍한 조건이었다. 바위는 살얼음으로 뒤덮였고, 홀드와 크랙은 파란빛이 도는 단단한 얼음으로 채워져 있었다. 확보물을 촘촘히 설치하느라 속도가 너무 느려서 한 발짝 내딛기도 고통스울 정도였다. 사실 그곳은 아주 쉬운 구간이었다. 사이먼과 그의 파트너 존 실베스터는 벽에서 두 번 비박을 한 다음 사흘째를 맞이한 참이었다. 그날 오후 늦게 폭풍설이 몰아쳤다. 첫 번째 분설눈사태가 일어났다.

일본인 등반가 둘이 그들을 바짝 뒤쫓아 오고 있었다. 두 팀은 각자 비박을 했고, 서로 의사소통도 거의 없었으며, 경쟁의 분위기 내지 서로 힘을 합치자는 제안 같은 것도 없었다. 두 팀은 어려운 상황에 잘 대처했다. 그들은 추락하기 일쑤였고,

종종 같은 지점에서 추락하기도 했다. 그들은 벽을 올라가며 상대의 추락과 고군분투를 지켜봤다.

그들이 상단부에 도착했을 때 사이먼은 일본인 선등자가 팔을 휘저으며 거꾸로 추락하는 모습을 보고 충격을 받았다. 구름 사이로 750미터의 아찔한 허공이 액자 속 그림처럼 그의 뒤로 펼쳐졌다. 끔찍하게도, 추락하는 선등자는 비명 한마디 못 지르고 몸이 홱 비틀리며 자신의 파트너를 낚아챘다. 피톤이 빠진 것이다. 로프로 연결된 그 둘은 아무 저항도 못 하고 그대로 추락했다.

사이먼은 실베스터가 있는 곳으로 정신없이 올라갔다. 그곳에선 아래가 보이지 않았다. 그리고 그에게 방금 전에 일어난 일을 이야기했다. 그들이 조그만 바위 턱에 멍하니 서 있자니, 구름이 가까이에서 일어난 일을 감추기라도 하려는 듯 점점 몰려들었다. 그 높이에서는 추락해서 살아날 가망이 전혀 없었기에, 두 사람을 위해 그들이 할 수 있는 일은 아무것도 없었다. 가장 빠른 방법은 정상을 넘어 이탈리아 쪽으로 황급히 내려가 구조대에 연락하는 것이었다.

다시 올라가기 시작했을 때 그들은 저 아래에서 들려오는 소름 끼치는 비명에 혼비백산했다. 누군가가 절망과 공포와 고통 속에서 내지르는 오싹한 소리였다. 아래를 내려다보자 200미터 밑의 설벽에서 등반가 두 명이 가속도가 붙은 채 미끄러지고 있었다. 그들은 여전히 로프로 연결되어 있었는데,

장비가 여기저기 흩어지고 배낭도 함께 굴러떨어졌다. 사이먼이 할 수 있는 일이라곤 그저 두 개의 작은 물체가 앞다투며 미끄러져 내려가는 모습을 망연히 바라보는 것뿐이었다. 곧이어 그들은 사라졌다. 설벽의 끝자락을 지나 빙하로 무시무시하게 추락해 시야에서 지워진 것이다.

필사적으로 몸부림쳤는지, 설벽으로 첫 번째 추락할 때 둘 중 하나는 살아 있었다. 아무튼 추락은 멈춘 상태였다. 아마 튀어나온 바위 따위에 로프가 걸린 모양이었다. 그러나 그들은 목숨을 건진 게 아니었다. 그것은 추락한 당사자들이나 공포에 질려 위에서 바라보던 목격자 모두에게 잔인한 반전이었다. 둘 중 하나에게 안전한 확보지점을 찾을 수 있는 5분 정도의 짧은 유예가 허락되었다. 하지만 그는 너무 심하게 다쳐서 그럴 힘이 없었다. 어쩌면 다시 미끄러졌거나, 아니면 어딘가에 걸렸던 로프가 다시 벗겨진지도 모른다. 무슨 일이 벌어졌건 결과는 잔인한 최후였다.

이제 어느 것도 믿을 수 없게 된 사이먼과 실베스터는 정상을 향해 정신없이 올라갔다. 너무나 갑작스러운 사고였다. 두 일본인과 이야기를 나눈 적은 없지만 서로 간에 이해와 존중이 있었다. 모두가 안전하게 하산했다면 계곡을 함께 내려가면서 이야기를 나누고 음식을 나눠 먹었을 것이며, 샤모니의 술집에서 만나 친구가 되었을지도 모를 일이었다.

사이먼이 샤모니 외곽에 있는 캠프사이트로 돌아왔을 때

천천히 걸어 들어오던 모습이 여전히 눈에 선하다. 얼굴을 찡그린 채 풀이 죽어 있었고 무척 피곤해 보였다. 그는 멍하니 앉아 왜 자신이 떨어졌을 때는 튼튼하던 바로 그 피톤이 일본인이 떨어지자 그대로 빠져 버렸는지 자꾸만 되물었다. 그는 하루가 지나서야 정신을 되찾았다. 결국 그 경험은 그에게 흡수되어 저장되고 이해되고 받아들여진 다음에 그대로 각인되었다.

그 두 일본인이 겪은 처참한 최후에 우리가 얼마나 가까이 다가갔을까. 나는 잠 속으로 스르르 빠져들면서 비로소 그 생각을 떨쳐버릴 수 있었다. 우리에겐 목격자도 없었을 텐데. 그렇다 해도 달라질 건 없겠지만….

나는 스토브에 불을 붙여 옆으로 밀어놓고 설동의 구멍을 통해 바깥을 내다봤다. 실수로 낸 동그란 구멍으로 예루파하의 동벽이 완벽하게 보였다. 이른 아침의 태양이 그림자를 만들며 능선을 뚜렷이 드러내면서 동벽의 홈통 끝 아래로 푸른 그늘이 한들한들 춤추고 있었다. 나흘 만에 처음으로, 나를 사로잡은 긴장이 풀리는 것 같았다. 전날 밤의 불안했던 투쟁은 잊어버렸고, 우리가 죽음에 얼마나 가까이 다가갔는지 실감했던 기억도 희미해졌다. 나는 지금의 이곳을 즐거운 마음으로 받아들이면서 나 자신을 축하했다. 담배 생각이 간절했다.

설동 안은 비좁아 갑갑했으나 전날 밤보다는 훨씬 따뜻했다. 사이먼은 몸을 내 쪽으로 붙인 채 고개를 돌리고 여전히 잠들어 있었다. 그의 엉덩이와 어깨가 내 몸 한쪽을 누르고 있어서 침낭 속으로 그의 체온이 고스란히 전해졌다. 산을 그토록 오래 함께 다녔어도 이제야 갑자기 친밀한 느낌이 드는 것이 오히려 이상하다는 생각이 들었다. 그를 깨우지 않으려고 조심스레 움직였다. 나는 동그란 구멍으로 동벽을 보면서 혼자 웃었다. 오늘은 좋은 하루가 될 것 같은 예감이 들었다.

아침식사를 만드느라 가스가 다 떨어져 산 아래 호수까지 가는 동안 물은 먹을 수 없게 되었다. 나는 옷을 입고 장비를 챙겼다. 그리고 밖으로 나가 전날 만든 첫 번째 설동 너머로 올라갔다. 사이먼은 천천히 준비하고 있었는데, 그가 설동이 무너진 넓은 자리에 섰을 때에야 동상에 걸렸다는 사실이 기억났다. 사이먼의 손가락을 보자 상쾌한 기분이 걱정으로 바뀌었다. 손가락 하나는 끝이 까맣게 변했고, 다른 셋도 하얗게 변해 나무토막처럼 보였다. 이 와중에 그의 부상을 걱정하기보다 그가 다시 등반을 못 하게 되는 건 아닌지 더 궁금했다니… 솔직히 웃기는 일이었다.

로프 길이 반 정도 위에서 햇빛에 환히 빛나는 능선마루를 향해 출발했다. 사이먼이 아래에서 로프를 풀어줬다. 우리 둘 다 커니스가 또 무너지지는 않을까 신경이 곤두섰다. 위에 도착한 뒤, 길게 뒤틀린 커니스와 분설에 덮인 칼날 같은 능선마루가 앞을 가로막고 있는 광경을 보자 경악했다. 그곳을 우회

할 수 있을지 모른다는 전날의 기대는 헛된 것이었다. 나는 아래에 있는 사이먼에게 소리쳐 이 사실을 알렸다. 그는 로프가 끝나면 바로 올라와 함께 움직이기로 했다.

극도로 조심했는데도, 거의 통제가 안 되는 상황에서 더 나쁜 곳으로 미끄러지고 넘어지는 것은 피할 수 없었다. 나는 능선마루를 따라 움직였는데, 그곳은 다시 휘어져 들어와 짧지만 가파른 낭떠러지로 이어져 있었다. 움직이면 움직일수록 커니스가 붕괴할지 모른다는 걱정도 점점 사라졌고, 우리가 처한 난감한 상황에 대해서도 체념하게 되었다. 동벽의 홈통을 따라 내려가는 것은 분명 더 나쁜 선택이었을 것이다. 커니스 붕괴만큼 추락의 위험이 컸기 때문이다. 추락했을 때 로프가 필요한 어떤 경우라도 치명적이어서 우리 둘 다 살아날 가망은 거의 없었다. 매번 가파른 구간에 도달했는데 그때마다 몸을 돌려 벽을 바라보고 내려가야 했다. 반은 미끄러지고 반은 기어 내려가는 식이었다. 분설이 단단하지 않아 발을 아무리 깊이 박아도 벽에서 손을 떼자마자 몇 미터씩 떨어졌지만, 간 떨어질 만큼 갑작스러운 이런 추락도 어떤 식으로든 저절로 멈추곤 했다. 그렇다고 내려간 곳이 이전보다 더 단단하지도 않았다. 신경이 바싹 곤두섰다.

나는 또 미끄러졌다. 이번엔 겁에 질려 비명을 질렀다. 내가 미끄러진 짧고 가파른 사면은 둥글게 휘어진 능선의 가장자리에 곧바로 닿아 있었다. 사면 쪽으로 얼굴을 돌리자 능선 아래로 거대한 분설 커니스가 튀어나와 있었고, 그 아래로는 서벽이 1,000미터 아래에 있는 빙하로 뚝 떨어져 있었다. 로프 길이만큼 뒤에서 따라오는 사이먼은 보이지도 않았다. 그는 내가 미끄러지는 것도 전혀 모르는지 어떤 경고의 외침도 없었다. 내가 분설을 날리며 너무 빨리 미끄러진 탓에 내 비명은 경고라기보다는 차라리 신경질적으로 내지르는 소리에 가까웠다.

그러다 갑자기 온몸이 눈에 파묻혀 멈췄다. 머리는 처박히고, 팔과 다리는 쫙 벌어져 마치 개가 필사적으로 허우적거리는 모양새였다. 감히 움직일 생각조차 못 했다. 행운이 나를 사면에서 붙잡아준 것 같았다. 눈이 배와 다리를 지나 계속 흘러내리는 것 같아서 몸이 더 움츠러들었다.

고개를 들어 오른쪽 어깨 너머로 옆을 쳐다봤다. 나는 정확히 능선의 가장자리, 둥글게 휘어진 그 곡선 끝에 있었다. 몸이 오른쪽으로 기울어져 1,000미터의 서벽 위에 걸쳐진 느낌이 들었다. 움직이지 않으려고 온 신경을 집중했다. 심하게 헐떡거렸고, 두려움에 떨며 공기를 빨아들였으나 몸은 움직이지 않았다. 주위를 다시 둘러보니 실제로 내가 균형을 잃은 상태는 아니었다. 마치 착시현상에 가려져 있던 속임수를 발견해낸 것처럼, 사물이 갑자기 항상 보던 대로 보였다. 내 왼쪽에서 훨씬 뒤에 있는 능선의 곡면과 그것이 그리는 아치 아래로 튀어나온 커니스를 얼핏 본 것이 혼동을 일으켜, 내가 추락선 위에 몸을 기대고 있다고 착각한 것이다. 사실 오른쪽 다리는 커니스에 곧게 박혀 있었고, 왼쪽 다리 덕분에 추락이 멈췄지만 그 다리는 동시에 내 몸을 옆으로 밀어내고 있었다. 이 때문에 균형을 잃고 오른쪽 아래로 밀리고 있다고 생각한 것이다. 나는 왼쪽에 있는 눈을 할퀴듯 허우적거리며 몸을 그쪽으로 끌어당긴 다음 오른쪽 다리를 능선 위로 올리려고 발버둥 쳤다. 결국 성공한 나는 능선의 가장자리에서 물러나 곡면을 따라 다시 움직였다.

위에서 사이먼이 나타났다. 그는 자신의 발만 쳐다보며 천천히 움직이고 있었다. 나는 더 안전한 곳으로 간 다음, 사면을 내려올 때는 좀 더 왼쪽으로 붙으라고 그에게 소리쳤다. 그렇게 말하는 와중에도 나는 심하게 떨고 있었다. 다리가 갑자기 후들거렸고 소름이 끼쳤다. 그런 증상은 사이먼이 사면을 향해 두어 발짝 내려오다 어쩔 수 없이 미끄러지는 모습을 보고도 한참이 지나서야 사라졌다. 그가 다시 정신을 차리고 내 발자국을 따라 내려왔을 때 그의 얼굴에는 긴장하는 표정이 역력했다. 재미도 없고 재수도 없는 날이었다. 사이먼이 내 쪽으로 왔을 때 그의 긴장감도 나한테로 옮아왔다. 우리는 마음이 가라앉을 때까지 떨리는 목소리로 했던 말을 또 하고 욕을 주거니 받거니 말싸움을 벌이며 불안을 토해냈다.

5

재앙

설동을 출발한 것이 오전 7시 30분, 그로부터 2시간 반이 지나도록 우리의 하산은 고통스러울 정도로 느렸다. 전날 오후 정상을 떠날 때는 6시간이면 빙하에 도착할 수 있을 것으로 계산했는데, 우리가 내려온 거리는 고작 300미터에 불과했다. 나는 점점 더 조바심이 났고, 정신을 계속 집중해야 한다는 것도 짜증이 났다. 산은 나를 흥분시키는 매력과 신비의 대상에서 한시라도 빨리 벗어나고 싶은 곳으로 바뀌었다. 공기는 살을 에는 듯이 차가웠고, 하늘에는 구름 한 점 없었으며, 끝없이 이어지는 얼음과 눈에 햇빛이 반사되어 눈이 부셨다. 오후의 폭풍설이 몰려들기 전에 빙하로 내려가기만 한다면 날씨가 어떻든 상관하지 않을 작정이었다.

마침내 능선이 조금 덜 뒤틀려, 넓고 평편한 곳을 똑바로 서서 걸을 수 있었다. 그 능선은 고래 등같이 둥근 언덕들이 파도처럼 이어지다 북쪽 끝에서 절벽으로 뚝 떨어져 내렸다. 내가 배낭을 깔고 앉아 쉬고 있자 사이먼도 곧 나를 뒤따라왔다. 우리는 서로 아무 말도 하지 않았다. 아침에 이미 한바탕한 터라 더는 할 말도 없었다. 삐뚤삐뚤 불안정하게 이어진 우리의 발자국을 올려다보며 앞으론 더욱 조심스럽게 살피면서 내려가야겠다고 조용히 다짐했다.

배낭을 메고 다시 출발했다. 이제는 앞장서 내려가도 전혀 불안하지 않았다. 내심 사이먼이 앞장서길 바랐지만 불안함을 들키기 싫었고, 또 추락할까 봐 두려운 마음보다 내 불안에 사이먼이 어떻게 나올지가 더 두려웠다. 넓고 평편한 안부의 눈은 무척 깊었다. 움직일 때마다 밀려오는 불안감 대신 깊은 눈 속에 휩쓸리진 않을까 하는 좌절감이 그 자리를 대신했다.

첫 번째 크레바스에 발이 빠졌을 때 로프가 팽팽해졌기 때문에 사이먼도 일어서서 따라오기 시작했다.

갑자기 눈이 푹 꺼졌다. 똑바로 섰는데도 얼굴이 눈의 표면과 같은 높이에 있었다. 그렇게 깊지 않은 그 크레바스는 분설로 채워져 있어서 아무리 발버둥을 쳐도 쉽게 벗어날 수 없었으나, 결국에는 눈의 표면 위로 간신히 다시 올라왔다. 사이먼이 안전한 거리에서 내가 발버둥 치는 모습을 쳐다보며 싱긋 웃고 있었다. 능선을 따라 앞으로 나아가던 나는 다시 한번 목까지 빠지고 말았다. 나는 온갖 욕설을 퍼부으며 기어 나와 능선 쪽으로 다시 돌아왔다. 그때 나는 넓은 설원을 반쯤 건너고 있었다. 그 후에도 작은 크레바스에 네 번이나 더 빠졌다. 아무리 열심히 주의를 기울여도 크레바스가 있을 법한 낌새를 도저히 알아차릴 수 없었다. 사이먼은 저만치 뒤에서 따라오고 있었다. 좌절과 피로가 몰려오면서 화가 치밀어 사이먼이 가까이 오면 그에게 그 화를 다 쏟아낼 것 같았다.

그때, 방금 내가 만든 구덩이에 웅크리고 앉아 숨을 돌리다가 뒤를 돌아본 순간, 능선 사이 틈새로 입을 쩍 벌린 허공을 보고 소스라치게 놀랐다. 그 아래로 어렴풋이 보이는 거대한 서벽의 푸르스름한 빛이 그 틈새에서 반짝이고 있었다. 갑자기, 내가 왜 그렇게 여러 번 빠졌는지 그 이유가 떠올랐다. 그것은 모두 하나의 크레바스였고, 설원을 구성하는 거대한 커니스 위에 그 무게로 인해 생긴 긴 균열선이었다. 나는 황급히 옆으로 이동해 사이먼에게 소리쳤다. 구불구불한 능선이 너무 넓고 평편해 우리가 서 있는 곳이 사실은 100미터나 길게 뻗은 거대한 오버행 커니스 위라는 사실을 미처 몰랐던 것이다. 그것이 통째로 무너진다면? 생각만 해도 오싹했다.

그 후로는 낭떠러지에서 15미터 정도 간격을 두고 움직였다. 사이먼이 10미터 거리에서 커니스가 붕괴되어 떨어진 경험이 있었기 때문이다. 동벽의 홈통이 일정한 경사의 완만한 사면으로 바뀐 마당에 이제는 모험을 할 필요가 없었다. 설원의 끝을 향해 깊은 눈을 헤치며 걸음을 옮기는 다리가 납덩이처럼 무거웠다. 능선의 마지막 언덕에서 뒤를 돌아보니 사이먼이

45미터 뒤에서 내가 그랬던 것처럼 고개를 숙이고 지친 모습으로 올라오고 있었다. 눈앞의 길고 쉬운 사면을 내려가면 그의 모습은 더 이상 보이지 않을 것 같았다.

앞쪽의 사면이 저 아래 안부로 연결되길 간절히 바라고 있었지만, 작은 커니스의 꼭대기로 이어지다 급경사로 떨어진 것을 보고 망연자실했다. 그럼에도 예루파하의 남쪽 능선이 보였고, 안부가 급경사 내리막길 바로 아래에 있다는 것을 충분히 알 수 있었다. 그곳이 바로 예루파하와 시울라 그란데가 서로 만나는 능선의 제일 낮은 부분이리라. 이제 30분만 더 가면 그 안부로 내려설 것이고, 그곳에서부터 아래의 빙하까진 쉬운 길이 될 터였다. 나는 기운을 냈다.

출발하자마자 경사의 변화가 느껴졌다. 위쪽의 능선에서 터벅거리며 걷는 것보다 훨씬 수월했다. 완만한 사면을 뛰다시피 내려가려 하니 안전벨트에 매인 로프가 턱 하고 뒤로 당겨졌다. 사이먼이 피곤한 몸을 이끌고 내 발자국을 따라 뒤에서 천천히 따라오고 있다는 사실을 깜빡한 것이다.

작은 오르막까지 아무런 장애물도 없이 똑바로 갈 수 있을 것으로 기대했으나, 뜻밖에도 그 완만한 사면의 끝에는 얼음 절벽이 있었다. 능선이 수직으로 끊긴 것이다. 그 끝으로 조심스럽게 다가가서 보니 그 수직 절벽은 높이가 8미터 정도였다. 그 아래는 반질반질하고 경사가 급한 사면이 오른쪽으로 연결되어 있었다. 그리고 60미터쯤 떨어진 곳에서 능선은 마지막으로 약간 솟아올라 있었다. 능선이 갑작스레 끊겨 그 절벽은 더욱 높아 보였다. 나는 꼭대기의 가운데에서 어디 쉬운 곳이 없는지 절벽을 이따금씩 내려다보며 능선에서 먼 쪽으로 이동했다. 그 절벽의 한쪽은 10미터도 넘어 보였다. 절벽 꼭대기의 눈은 아이스스크루를 박을 수 없을 정도로 부드러워 로프를 타고 내려간다는 건 아예 생각할 수도 없었다.

선택은 두 가지였다. 절벽을 통해 바로 내려가는 길을 찾든가, 아니면 옆으로 계속 가서 가파른 구간을 피해 다시 돌아오는 길을 찾든가. 내가 서 있는 절벽 끝에서는 두 번째 방법이 무척 위험하고 힘들어 보였다. 그렇게 하려면 크게 원을 그리며 돌아서 내려갔다가 다시 올라와야 했는데, 시작 부분이 경사도 심하고 불안정해 보였다. 능선을 내려오며 너무 많이 미끄러진 데다 동쪽 빙하로 떨어지는 수백 미터의 허공 앞에서 나는 결정을 쉽게 내리지 못했다. 둘 중 하나가 떨어지면 모두 저 아래 빙하로 그대로 날아갈 판이었다. 능선 위에서라면 "네가 추락하면 난 반대로 뛰어내릴게"라는 농담이라도 할 수 있을 텐데….

가장 쉬운 곳을 찾아 절벽을 그대로 내려갈 생각으로 발자국을 따라 다시 돌아왔다. 절벽은 분설로 이루어진 수직이라서 능선 가장자리에선 불가능할 것 같았다. 나는 내려갈 만한 곳을 찾아야 했고, 가장자리에서 몇 미터 이내에 몸을 지탱해 줄 만큼 단단한 어떤 것, 즉 얼음에서 잡을 수 있는 것을 찾아야만 했다. 마침내 그런 것이 보였다. 조그만 균열. 그 부근의 절벽은 매우 가팔랐지만 완전한 수직은 아니었다. 그 균열을 통해선 6미터 정도만 내려가면 되었기 때문에 그 이후는 조심조심 몇 동작만 하면 어려운 부분이 해결되리라는 확신이 들었다.

등을 돌리고 쪼그려 앉아 그 균열 안으로 아이스액스와 해머를 단단히 박는 데 성공했다. 이제 절벽 아래로 조심스럽게 다리를 내려 크램폰의 앞발톱을 그 아래의 얼음에 차서 박았다. 잘 박혔다는 느낌이 들었다. 한 손의 아이스액스를 빼서 이번엔 조금 더 아래에 박았다. 이번에도 아주 잘 박혔다. 가슴과 어깨를 아래로 내리자 절벽의 윗부분이 보이기 시작했다. 이번엔 해머를 빼서 휘둘렀다.

나는 오른손의 아이스액스에 매달려 있었다. 왼손의 해머는 몇 번을 휘둘렀지만 피크만 약간 들어갈 뿐 잘 박히지 않았다. 나는 왼손의 해머가 완벽하게 박힌 뒤에야 몸을 더 낮추고 오른손의 아이스액스를 빼낼 작정이었다. 왼손의 해머가 날카로운 소리를 내며 빠지자 오른손의 아이스액스도 쑥 빠졌다. 그때 갑자기 몸이 바깥쪽으로 홱 움직이더니 곧바로 추락하기 시작했다.

바닥이 내 눈앞으로 확 달려오는가 싶더니 그대로 부딪혔다. 얼굴이 바닥에 처박혔고 양쪽 무릎이 뒤틀렸다. 무릎이 산산조각 나는 느낌과 뼈가 부러지는 느낌이 들었다. 나는 비명을 질렀다. 한 번 부딪힌 몸은 다시 튕긴 다음 뒤집힌 채 동벽의 사면으로 미끄러지기 시작했다. 속도가 빨라지자 머릿속이 뒤죽박죽되었다. 아래의 까마득한 허공을 생각하자 통증이 전혀 느껴지지 않았다. 사이먼도 이끌려 떨어질 텐데… 내 추락을 잡아낼 수 없을 거야. 그때 몸이 확 잡아당겨지며 갑자기 정지되어, 나는 다시 비명을 질렀다.

사방이 조용하고 고요했다. 하지만 머릿속은 미친 듯이 날뛰었다. 통증이 허벅지를 타고 올라오기 시작했다. 맹렬한 불덩이가 허벅지 안에서 타오르는 듯했다. 그것이 사타구니에 모여 점점 더 커지자 나는 참지 못하고 숨을 헐떡이며 소리를 질렀다. 내 다리! 오, 하느님. 내 다리!

나는 등을 눈 바닥에 댄 채 거꾸로 매달려 있었다. 왼쪽 다리는 로프에 감겨 있었고, 오른쪽 다리는 축 늘어져 있었다. 머리를 들어 올리니 가슴 너머로 오른쪽 무릎은 우스꽝스럽게 뒤틀리고 다리는 이상하게 지그재그로 휘어진 모습이 보였다. 그 모습은 사타구니에서 뜨겁게 타오르는 통증과 단번에 연결되지 않았다. 통증은 무릎과 아무 상관이 없는 것 같았다. 왼쪽 다리에 감긴 로프를 풀자 몸이 한 바퀴 돌면서 가슴이 눈에 닿았고 다리가 아래로 향했다. 그러자 통증이 조금 수그러들었다. 나는 왼쪽 다리로 일어섰다.

갑자기 속이 메스꺼웠다. 얼굴을 눈에 대니 얼얼한 냉기에 조금 진정이 되었다. 어둡고 무서운 공포가 엄습했고, 비관적인 생각이 공포를 비집고 들어왔다. '다리가 부러졌어. 이젠 끝장이야. 여기서 죽는구나. 사람들이 그랬지… 둘 중 한 사람이라도 다리가 부러지면 그건 사형선고나 마찬가지라고… 만약 다리가 부러졌다면… 만약…. 그렇게 심하게 아프지 않으니까, 어디가 조금 찢어진 걸지도 몰라.'

오른쪽 다리로 눈을 한 번 걷어차 보니 부러진 건 아닌 것 같았다. 하지만 곧 무릎이 터져나가는 것 같았다. 뼈가 삐거덕거리며 불덩이가 사타구니에서 무릎으로 내려왔다. 나도 모르게 비명을 질렀다. 무릎을 내려다보니, 지금 눈앞의 상황을 애써 믿지 않으려 해봐도 부러진 건 분명했다. 그냥 부러지기만 한 게 아니라 찢어지고 비틀리고 으스러져 있었다. 무릎관절이 뒤틀린 것을 보니 무슨 일이 벌어졌는지 알 수 있었다. 부딪혔을 때의 충격으로 정강이뼈가 관절을 뚫고 올라온 것이다.

그 모습을 보고 있으려니 이상하게도 마음이 조금 진정되었다. 마치 다른 사람을 임상적으로 관찰하고 있는 듯 내가 다리와 분리된 것 같았다. 무릎을 조금 구부려보다가 참을 수 없는 고통으로 숨을 헉헉 들이마시며 포기하고 말았다. 움직일 때마다 뼈가 으드득 으드득 서로 갈리는 듯한 소리를 냈다. 뼈뿐만이 아니라 모든 것이 서로 엇갈렸다. 그러나 적어도 개방골절은 아니었다. 어디가 축축하거나 피가 보이지 않았기 때문이다. 또한 다리에 아직 힘이 남아 있다고 느꼈으므로 어디에서도 피가 나지 않는 것은 확실했다. 오른손을 뻗어 무릎을 쓰다듬으며 불덩이 같은 통증을 무시해보려고 애썼다. 다리는 뒤틀린 나무토막 같았다. 마치 내 몸의 일부가 아닌 것처럼. 고통은 뜨거운 불덩이를 다리 여기저기에 퍼부으며 돌아다녔다.

신음소리와 함께 눈을 질끈 감았다. 뜨거운 눈물이 고여 콘택트렌즈가 뿌옇게 변했다. 다시 눈을 감자 눈물이 뺨 위로 주르륵 흘러내렸다. 고통 때문만은 아니었다. 나 자신이 안됐다는 생각이 들자 아이처럼 눈물을 참을 수가 없었다. 죽음이 아주 먼 일인 줄로만 알았는데 이제는 모든 것이 죽음으로 물들어 있었다. 눈물을 멈추려고 고개를 저었지만 눈물 자국이 지워지진 않았다.

아이스액스로 눈을 파서 성한 다리로 미끄러지지 않게 눈을 깊이 딛고 일어섰다. 조금 움직였다고 속이 다시 메스꺼워지고 머리가 어질어질해서 눈앞이 흐릿해졌다. 다시 움직이자 극심한 고통으로 오히려 앞이 다시 밝아졌다. 서쪽 멀리 세리아 노르테의 정상이 보였다. 내가 서 있는 곳의 높이는 그것보다 별로 낮지도 않았다. 그 광경을 보니 지금의 상황이 더욱 절망적으로 느껴졌다. 우리는 5,800미터의 고도에서 고립된 채 아직 능선도 벗어나지 못하고 있었다. 절벽 위에서, 금방 넘으리라 기대했던 작은 언덕이 이제는 높게만 보였다. 죽어도 그 언덕을 넘을 수 없을 것 같았다. 사이먼이 과연 나를 끌고 저 위를 올라갈 수 있을까? 아니면 내버려둘까? 달리 방법이 없을 텐데. 나는 숨을 참으며 생각했다. 여기에 버려진다면? 혼자서? 그런 생각을 하니 몸이 떨렸다. 홀로 남겨진 채 죽음을 기다리던 로버트가 기억났다. 그는 의식을 잃은 채 죽어가고 있었다. 하지만 나는 다리만 하나 부러졌을 뿐인데. 죽을 정도로 다친 곳은 없었다. 혼자 남겨진다는 생각에 소리를 지르고 욕을 퍼붓고 싶었으나 그냥 참고 조용히 있었다. 한 마디라도 내지르면 금방 미쳐버릴 것 같았다.

그때까지 팽팽하던 로프가 느슨해졌다. 사이먼이 오고 있구나! 그는 무슨 일이 일어났는지 금방 알아차릴 것이다. 그에게 뭐라고 말하지? 다리를 다치긴 했지만 부러진 것은 아니라고 하면 나를 도와줄까? 나는 조금 다쳤다고 말하기로 했다. 얼굴을 다시 눈에 대고 차분히 생각을 정리했다. 침착해야 했다. 내가 패닉에 빠져 히스테리를 부리는 것처럼 보이면 그는 나를 금방 포기해버릴지도 몰라. 나는 두려움을 떨쳐버리려고 무진 애를 썼다. 이성적으로 행동해야 해. 마음이 진정되자 호흡이 규칙적으로 돌아왔고, 다리의 통증도 견딜 만했다.

"무슨 일이야? 괜찮아?"

나는 놀라서 쳐다봤다. 그가 다가오고 있는지 모르고 있었다. 그는 절벽 꼭대기에 서서 어리둥절한 표정으로 나를 내려다보고 있었다. 나는 아무 일도 없었다는 듯 평소처럼 말하려고 애썼다.

"떨어졌어. 꼭대기에서." 나는 잠시 멈추고 나서 침착하게 말을 이었다. "다리가 부러졌어."

그의 표정이 순식간에 변했다. 얼굴이 변해가는 모습이 고스란히 눈에 들어왔다. 나는 그의 얼굴을 똑바로 쳐다봤다. 아무것도 놓치고 싶지 않았다.

"부러진 게 확실해?"

"응."

사이먼은 나를 가만히 내려다봤다. 사실 그렇게 갑자기라고 할 수는 없지만, 어쨌든 그가 갑자기 몸을 돌렸기 때문에 유난히 더 강렬하고 더 오래 나를 쳐다본 것 같았다. 그의 얼굴에 어떤 표정이 살짝 스쳤지만, 나는 순간적으로 그의 표정을 읽을 수 있었다. 그것은 알 수 없는 무심함 같은 것이었다. 그 모습을 보자 불안감이 엄습했고, 갑자기 그가 전혀 낯선 사람처럼 멀게만 느껴졌다. 그의 눈은 생각으로 가득 차 있었다. 연민이나 동정과 다른 그 무엇. 부상당한 동물을 바라보는 것 같은 눈길이었다. 그는 그런 생각을 숨기려 했으나 나는 그것을 보았고, 두려움과 걱정에 휩싸여 시선을 돌려버렸다.

"로프를 타고 내려갈게."

그는 동을 돌려 부드러운 눈에 스노바snow bar(확보용으로 쓰는 알루미늄 막대기)를 깊이 박았다. 그는 사실을 그대로 받아들였고, 나는 내가 피해망상이 너무 심한 건 아닐까 생각했다. 그가 무슨 말을 더 하겠거니 기다렸지만 그는 아무 말도 하지 않았다. 무슨 생각을 하는 걸까? 그는 허술하기 짝이 없는 확보물에 의지해 짧지만 대단히 위험한 로프 하강으로 내 옆에 다가왔다.

사이먼은 내 옆에 서서 아무 말도 하지 않았다. 그는 내 다리만 말없이 쳐다봤다. 그리고 배낭을 벗어 뒤적거리더니 진통제를 찾아내 두 알을 건네줬다. 나는 약을 삼키며 그가 로프를 잡아당기는 것을 쳐다봤다. 로프는 꼼짝도 하지 않았다. 스노바 주위에 파놓은 홈에 끼어버린 것이다. 사이먼은 투덜대더니 능선마루를 향해 올라가기 시작했다. 그 방향이 절벽에서 가장 가까운 구간이었다. 눈이 무척 불안정하다는 것은 나도 알고 사이먼도 알았지만 선택의 여지가 없었다. 서벽 아래로 떨어지면 끝장이라는 건 확실했다. 나는 확신이 현실이 되는 걸 보고 싶지 않아 고개를 돌렸다. 그 추락은 결국 나까지 죽음으로 몰고 갈 것이다. 속도는 늦출 수 있겠지만….

사이먼은 어떻게 할지 아무 말도 하지 않았다. 나 역시 너무 조심스러워 그를 채근할 수도 없었다. 순식간에 우리 사이에 도저히 건널 수 없는 강이 생긴 것 같았다. 우리는 이제 함께 움직이는 하나의 팀이 아니었다.

조가 작은 언덕 너머로 사라지더니 내가 따라갈 수 있는 속도보다 더 빠르게 움직이기 시작했다. 이제 급경사를 거의 다 지나왔다는 것이 기뻤다. 능선도 얼마 안 가면 끝날 것 같았다. 몇 번인가 넘어졌는데, 그때마다 서벽 낭떠러지 바로 가장자리여서 정신적으로도 무척 피곤했다. 깊은 눈을 헤치며 앞장서 가는 조의 발자국을 따라갈 수 있어서 고마운 마음이었다.

조가 움직이지 않는 것을 보고 잠시 쉬었다. 분명 어떤 장애물이 나타난 것일 테니까. 그가 움직일 때까지 기다리기로 했다. 로프가 다시 끌려가기 시작해 나도 터벅터벅 걸었다.

그때 갑자기 로프가 앞으로 홱 채이더니 순식간에 내 몸에 걸렸다. 앞으로 1미터가량 딸려간 나는 충격이 또 올까 봐 아이스액스를 눈 속에 처박고 버텼다. 그러나 충격은 다시 오지 않았다. 조가 떨어진 것이 분명했다. 그래도 그의 상황을 알 수 없어 가만히 기다렸다. 10분 정도를 기다리자 팽팽하던 로프가 느슨해졌다. 그가 이제는 로프에 매달려 있지 않은 것 같았다. 나는 또 다른 충격이 오지 않을까 조심하며 그의 발자국을 따라 움직였다. 그러면서 긴장을 풀지 않고 사고의 징후가 보이면 아이스액스를 곧바로 눈에 꽂아 버틸 태세를 취했다.

언덕을 기어 올라가자 로프가 경사면 아래로 이어져 작은 절벽 너머로 연결되어 있는 것이 보였다. 어떻게 된 거지? 그리로 다가가 절벽 위에 서자 아래에 조가 있는 것이 보였다. 그는 한 발로 버티며 얼굴을 눈에 묻은 채 사면에 기대어 있었다. 내가 무슨 일이냐고 묻자 그는 화들짝 놀랐다. 그가 부상을 당했다는 것을 알아차렸지만, 처음엔 얼마나 심각한 상황인지 감을 잡지 못했다.

조는 다리가 부러졌다고 침착하게 말했다. 그의 모습이 애처로워 보였으나, 그 순간 마음이 흔들리지는 않았다. 이런 젠장. 친구, 넌 이제 죽었어…. 두 가지 방법밖에 없었다. 조 역시 알고 있다고 생각했다. 그의 얼굴에 나타나 있었으니까. 나는 지금 우리가 어떤 상황에 처해 있는지 알았고, 나를 둘러싼 모든 상황을 즉시 받아들였으며, 그가 죽을 거라는 것도 알았다. 내가 죽을지 모른다는 생각은 손톱만큼도 들지 않았다. 당연히 혼자서도 산을 내려갈 수 있을 거라고 생각했으니까. 그것은 의심할 여지없는 사실이었다.

조가 어떤 시도를 했는지 알 수 있었다. 로프를 타고 내려가지 않았다면 나 역시 똑같은 처지가 될 뻔했다. 절벽 위의 눈은 몸서리가 날 정도로 부드러웠다. 나는 눈의 표면을 되도록 많이 파내고 스노바를 박았다. 스노바가 내 체중을 절대 못 견딜 거라는 걸 알았기 때문에 눈 위에 커다란 홈을 팠다. 스노바에 로프를 걸고 절벽 쪽으로 뒷걸음질 쳐서 세게 잡아당겨 봤다. 튼튼한 것 같았지만 확신이 서지 않았다. 나는 가능하면 로프에 체중을 싣지 않으면서 조심스럽게 내려갔다. 로프가 홈을 파들어 가는 것 같았지만 다행히 다 내려갈 때까진 잘 버텨줬다.

절벽 아래로 내려서니 다리가 뒤틀린 채 조가 고통스러워하고 있었다. 그는 침착해 보였지만 누군가에게 쫓기는 듯 두려운 기색이 역력했다. 결과가 어떻게 되리라는 것을, 그도 나만큼 잘 아는 것 같았다. 큰 효과는 없겠지만 조에게 진통제 두 알을 주었다. 다리가 뒤틀려 있었고 무릎 관절 부위가 보기 흉하게 변해 있었다. 두꺼운 바지 속을 볼 수 있었다면 분명 상태는 훨씬 심각했겠지….

할 말이 없었다. 이렇게 순식간에 운명이 뒤바뀌다니. 로프가 홈에 끼어 잘 빠지지 않았다. 로프를 빼내려면 혼자서 다시 올라가는 수밖에 없었다. 한편으론 그 생각을 하느라 뜻밖의 이 상황을 어떻게 처리할지 마음을 정리할 겨를이 생겼다. 나는 절벽을 혼자서 올라가야 했다. 유일한 길은 능선마루로 올라가는 것이었다. 시도할 생각을 하니 두려웠다. 조가 내 옆에서 움직이려다 하마터면 떨어질 뻔했다. 내가 붙잡자 겨우 균형을 되찾았다. 그는 아무 말이 없었다. 그는 내가 작업할 수 있게 안전벨트에서 로프를 풀어놓은 상태여서 내가 붙잡지 않았다면 동벽 밑으로 떨어졌을 것이다. 그 사실을 알았기 때문에 그가 조용히 있었던 걸까? 나는 조를 거기에 놔둔 채 그에 대한 생각은 지워 버렸다.

절벽 꼭대기로 혼자 올라가는 순간은 지금까지 내가 겪어본 중에 가장 힘들고 위험했다. 몇 번이고 발밑의 얼음이 부서져 허둥거렸다. 반쯤 올라가자 이제는 되돌아 내려갈 수도 없게 되었다는 것을 깨달았다. 그렇다고 올라갈 수 있을 것 같지도 않았다. 그저 허우적거릴 뿐이었다. 건드리는 것은 모두 그냥 부서져 내렸다. 어디든 발을 딛기만 하면 부서지거나 서벽 아래로 무너져 내렸지만 어쨌든 나는 믿을 수 없는 속도로 아주 조금씩 올라갔다. 얼마나 걸렸을까? 정말 몇 시간은 걸린 것 같았다. 마침내 절벽 꼭대기에 올라섰을 때 너무 떨리고 긴장해서 마음이 진정될 때까지 잠자코 서 있어야 했다.

아래를 내려다보니 조가 절벽에서 혼자 기어가고 있어 깜짝 놀랐다. 그는 앞에 있는 작은 언덕을 돌아가려고 아주 천천히 움직이고 있었다. 그의 발밑에는 1,000미터의 절벽이 동쪽 빙하로 떨어져 내리고 있었다. 나는 아주 냉정한 마음으로 그를 보았다. 내가 조를 도울 수 있을까? 그는 십중팔구 떨어져 죽을 것이다. 그 생각을 떨쳐 버릴 수가 없었다. 한편으로는 조가 떨어지길 바라고 있었다. 저토록 몸부림치는 조를 두고 갈 수는 없는 노릇이지만, 어떻게 도와줘야 할지도 알 수 없었다. 나 혼자서는 내려갈 수 있었다. 하지만 조를 끌고 내려가다간 함께 죽을지도 모른다. 그게 두렵지는 않았다. 아무리 해봐야 무의미한 일이 될 텐데… 그냥 헛수고란 생각이 들었다. 나는 조가 떨어지길 바라는 마음으로 그를 빤히 쳐다봤다.

한참을 기다리다 몸을 돌려 스노바가 있는 곳으로 올라갔다. 로프를 처리한 다음에는 절벽 끝으로 다시 내려갔다. 로프에 매달렸을 때는 잘 버텨주길, 아래에 내려섰을 때는 잘 빠져주길 마음속으로 빌었다. 또다시 기어 올라갈 마음은 조금도 없었으니까. 다행히 로프는 잘 빠졌다. 지금쯤 조가 없어졌겠지 반쯤 기대하며 돌아섰다. 하지만 그는 여전히 내 쪽에서 저

만치 기어가고 있었다. 내가 올라갔다 다시 내려오는 동안 겨우 30미터밖에 움직이지 못했지만 나는 어쩔 수 없이 그의 뒤를 따라가기 시작했다.

사이먼이 내 옆에 갑자기 나타났다. 그가 떨어질 것만 같아 절벽을 올라가는 것을 차마 지켜볼 수 없었다. 대신 내가 조금이라도 움직이는 것이 낫겠다 싶었다. 눈앞에 있는 언덕을 도저히 넘을 수 없을 것 같아서 옆으로 돌아가기 시작했다. 그다음은 생각도 안 했다. 사이먼이 눈과 사투를 벌이는 모습이 보였다. 속도는 느리고 힘들었지만 조심조심 움직이려고 온 신경을 집중하고 있었기 때문에 다리 통증은 거의 무시할 수 있었다. 열악한 눈 상태 속에서 한 다리로 균형을 잡아야 하는 등, 이 모든 문제들과 함께 씨름해야 할 또 하나의 난관은 통증이었다.

처음에는 한 발로 깡충 뛰었을 때 몸이 불안하게 흔들렸지만 점차 안정적인 동작을 찾았고, 나는 그 동작을 세심하게 반복했다. 한 동작은 한 걸음을 의미했고, 내가 주변의 모든 것과 분리되는 듯했다. 나는 오직 이 동작에만 집중했다. 딱 한 번 멈춰 서서 사이먼을 돌아봤다. 그 순간 그가 넘어지는 것 같아 고개를 재빨리 돌렸다. 동벽은 발밑에서 끝없는 낭떠러지가 형성되어 있었다. 저 아래로 떨어져도 살아날지 모른다는 생각이 나를 유혹했다. 바닥까지 일정한 각도의 사면이 이어지고 있었으나, 미끄러지는 가속도로 인해 그곳에 닿기도 전에 몸이 갈기갈기 찢기리라는 것은 물론 알고 있었다. 어쨌든 그쪽으로 떨어지겠지만, 이러나저러나 그게 무슨 소용이겠는가. 그런 생각을 해도 별로 무섭지 않았다. 그것은 너무도 분명하고 피할 수 없는 사실 같았다. 이론적으로는 정말 그랬다. 나는 완전히 끝장난 것이다. 결국에는 마찬가지이겠지만.

사이먼이 나를 앞질러 올라가더니, 사면을 가로질러 눈 속으로 홈을 만들면서 앞으로 나아가다 사면을 돌아 사라졌다. 그는 모퉁이 뒤에 뭐가 있는지 보러 간다고 말했다. 우리 둘 다 앞으로 어떻게 할 건지 의논하지는 않았다. 우리가 의논할 게 없다고 생각했다는 뜻은 아니다. 그래서 나는 내 동작으로 다시 돌아왔다. 사이먼이 만든 홈 덕분에 좀 더 수월해졌으나 여전히 정신을 집중해야 했다.

우리 둘 다 문제를 피하고 있다는 생각이 얼핏 스쳤다. 2시간이 넘는 동안 우리는 마치 아무 일도 없었던 것처럼 행동했다. 암묵적 동의라고나 할까. 시간이 해결해주기를 기다렸는지도 모른다. 우리 둘 다 사실은 알고 있었다. 간단했다. 나는 부상을 당해 살아날 가망이 거의 없다. 사이먼은 혼자라도 내려갈 수 있다. 그의 반응을 기다리는 동안 나는 내가 무척 깨지기 쉬운 귀중한 어떤 것을 갖고 있다는 생각이 들었다. 그에게 도움을 청하면 그 소중한 것을 잃게 될 수도 있었다. 나를 두고 가버릴지도 모르니까. 나는 조용히 있었지만, 자제력을 잃을까 봐 그런 건 아니었다. 냉정한 이성을 되찾았기 때문이다.

이제 동작이 자동적인 리듬으로 바뀌었다. 사이먼이 괜찮으냐고 묻는 바람에 깜짝 놀랐다. 그러고 보니 나는 그의 존재를 까맣게 잊고 있었고, 내가 그 동작을 얼마나 오래 반복하고 있었는지도 몰랐다. 내가 왜 이 짓을 하고 있는지도 잊을 뻔했다. 사이먼이 눈 위에 앉아 나를 쳐다보고 있었다. 나는 그에게 미소를 지어 보였고, 그는 불안한 속마음을 미처 숨기지 못한 채 일그러진 웃음으로 응답했다. 사이먼은 우리가 우회한 언덕의 측면 아래로 뻗은 사면을 내려다보며 앉아 있었다. 그의 뒤로 능선마루가 보였다.

"안부가 보이네." 그가 이렇게 말했을 때 내 가슴엔 한줄기 차가운 바람처럼 희망의 물결이 번졌다.

"확실해? 곧장 내려갈 수 있냔 말이야." 나는 목소리에서 흥분의 기색을 감추려 애쓰며 물었다.

"그럭저럭…."

나는 내가 하던 동작을 서둘러 시작했지만 대충 하지 않으려고 노력했다. 급경사의 사면이 나타나 깜짝 놀랐다. 몸이 부들부들 떨렸다. 그래도 출발할 때부터 이랬다면 그나마 여기까지 오지도 못했겠지. 사이먼이 앉아 있는 곳까지 가서는 눈 위에 풀썩 주저앉았다. 사이먼이 내 어깨에 손을 올려놓으며 물었다.

"할 만해?"

"좀 나아. 고통스럽긴 하지만…." 나 자신이 작고 쓸모없는 인간처럼 느껴졌다. 사이먼이 걱정하자 오히려 겁이 났다. 저 걱정 뒤에 어떤 마음이 숨어 있는 걸까. 어쩌면 은근히 최후통첩을 날리려 했는지도 모른다. "사이먼… 지금까지 해봤는데 이 속도론 도저히 안 되겠어."

대답을 기다렸으나 그는 아무 말도 하지 않았다. 내 말은 신파조의 대사같이 들렸다. 사이먼은 내가 넌지시 던진 질문을 끝내 무시했고, 대신 자신의 안전벨트에서 로프를 풀었다.

아래쪽 안부를 내려다봤다. 안부는 200미터 정도 아래 오른쪽에 있었다. 별 수 없이 그곳으로 내려설 방법을 찾기 시작했다. 그냥 내려가면 사면을 대각선으로 기로질러야 해서 대단히 어려워 보였다. 대신 똑바로 내려간 다음 수평으로 이동하면 될 것 같았다. 그 구간은 내가 방금 건너온 사면보다 짧아 보였다.

"눈에서 내 체중을 잡아 줄 수 있겠어?" 내가 물었다.

스노바는 이제 한 개도 남지 않았다. 사이먼이 내 체중을 로프로 잡아주려면, 확보물도 없이 그냥 부드러운 눈에 서서 잡아주는 수밖에 없었다.

"눈구덩이를 크게 파면 될 거야. 무너지기 시작하면 소리칠게. 그럼 로프에서 체중을 빼."

"좋아. 로프 두 동을 연결하면 더 빠를 거야."

그는 고개를 끄덕이더니 버티고 서 있을 구덩이를 파기 시작했다. 나는 로프를 서로 연결하고 한쪽 끝을 내 안전벨트에 묶었다. 다른 쪽 끝은 이미 사이먼의 안전벨트에 연결되어 있었다. 이제 우리는 90미터 길이로 연결되었기 때문에 구덩이를 팔 시간도 늘어났고, 한꺼번에 내려갈 수 있는 거리도 두 배로 늘어났다. 사이먼은 확보기구를 사용해 내가 내려오는 속도를 조절할 수 있을 뿐 아니라 내가 갑자기 확 당겨져서 그의 언 장갑 사이로 로프가 한꺼번에 많이 빠져나가는 것도 피할 수 있었다. 한 가지 문제는 두 로프를 묶은 매듭이었다. 확보기구를 통과시키는 유일한 방법은 일단 로프를 빼낸 다음 매듭 반대쪽에 다시 끼우는 것이었다. 그러려면 내가 중간에 한 번 일어서서 로프에 실린 내 체중을 빼야만 했다. 다리가 둘 다 부러지지 않은 게 천만다행이었다.

"좋아. 준비됐어?"

사이먼이 사면에 판 깊은 구덩이에 두 다리를 넣은 다음 눈에 단단히 버티고 앉았다. 그리고 로프가 서서히 풀어지도록 확보기구를 손으로 잡았다.

"그래. 멈추지 말고 계속 풀어줘. 무슨 일 있으면 소리쳐."

"걱정하지 마. 매듭이 다 됐는데도 네 목소리가 안 들리면 로프를 세 번 짧게 잡아당길게."

"그래."

나는 가슴을 눈에 대고 엎드려 체중이 로프에 실리도록 하면서 조금씩 아래로 내려갔다. 처음엔 사이먼의 두 다리에서 눈을 떼지 못했다. 사이먼이 앉아 있는 눈이 무너지면 우리는 순식간에 떨어질 판이었다. 그는 고개를 끄덕이며 싱긋 웃었다. 나는 그의 자신감에 힘입어 발을 들고 미끄러져 내려가기 시작했다. 아, 되네!

사이먼이 로프를 일정한 속도로 계속해서 부드럽게 풀어줬다. 나는 떨어질 것 같으면 즉시 눈에 꽂아 정지할 수 있도록 양손에 아이스액스를 든 채 눈 위에 엎어져 계속 내려갔다. 이따금 오른쪽 부츠의 크램폰이 눈에 걸릴 때마다 무릎 통증으로 놀라 소리를 질렀다. 나는 사이먼이 멈추지 않기를 바랐기 때문에 소리를 지르지 않으려 했지만 나도 모르게 비명이 터져 나왔다.

얼마 지나지도 않은 것 같았는데 사이먼이 멈춰서 놀랐다. 고개를 들어 보니, 그는 벌써 상당히 멀어져 있었다. 나는 눈 위로 솟아 있는 그의 머리와 어깨만 겨우 분간할 수 있었다. 사이먼이 뭐라고 외쳤지만 로프가 세 번 짧게 당겨지고 나서야 그 의미를 알아차렸다. 언덕을 올라가는 데 긴긴 시간을 보낸 터라 45미터를 내려온 속도에 놀랐다. 기분이 좋아 낄낄거리며 웃고 싶을 지경이었다. 그 짧은 시간에 내 기분은 절망에서 격렬한 낙관으로 바뀌었고, 죽음은 피할 수 없는 사실이 아니라 다시 막연한 가능성으로 변했다. 성한 다리로 버티고 서자 로프가 느슨해졌다. 사이먼이 매듭을 통과시킬 때가 가장 위험한 순간이라는 사실은 정확히 알고 있었다. 내가 떨어지면 그 거리가 로프의 총 길이만큼인 45미터일 것이고, 그러면 충격으로 사이먼도 함께 떨어질 것이 뻔했다. 나는 아이스액스를 눈에 꽂고 꼼짝도 안 했다. 안부는 내 오른쪽 밑으로 많이 가까워진 것 같았다. 로프가 다시 짧게 당겨져서 몸을 사면으로 조심스럽게 구부린 다음 내려가기 시작했다.

나는 위쪽 멀리 있는 빨간색과 파란색 점을 향해 손을 흔들었다. 그러자 사이먼이 자리에서 일어서는 것이 보였다. 그는 몸을 돌려 사면을 바라보며 거꾸로 내려오기 시작했다. 로프가 나를 지나 흘러내렸다. 사이먼이 내려오고 있었다. 나도 몸을 돌려 그가 앉아서 버틸 자리를 파기 시작했다. 깊이 더 깊이, 그가 안전하게 들어앉을 수 있는 자리를. 뒷벽과 바닥을 둥그렇게 파서 구덩이의 가장자리가 올라오도록 만들었다. 내가 판 구덩이에 만족스러워하며 위를 올려다보니 사이먼이 빠르게 내려오고 있었다.

그다음은 훨씬 더 빨랐다. 우리는 효율적인 시스템을 택했다. 하지만 우리의 희망 위에 어두운 그림자가 드리웠다. 날씨가 급격히 악화되고 있었다. 구름이 안부를 휙휙 지나가고, 커다란 뭉게구름이 동쪽에서 끓어올랐다. 게다가 바람이 점점 거세지면서 눈보라가 몰아쳤다. 서벽 위로는 눈의 꼬리가 수평으로 길게 날렸다. 기온도 떨어졌다. 얼굴 전체가 화끈거리며 코와 턱이 얼얼했고 손가락이 얼기 시작했다.

사이먼은 두 번의 하강 끝에 내가 있는 곳까지 왔다. 우리는 이제 안부와 거의 비슷한 높이에 있어서, 그리로 가려면 수평 이동을 해야 했다.

"내가 앞에 가서 눈에 구덩이를 만들게."

그는 내 대답을 기다리지 않았다. 그가 나에게서 멀어지는 것을 보니 혼자만 위험에 노출된 느낌을 받았다. 안부까진 멀게만 느껴졌다. 안전벨트에서 로프를 풀까? 논리적으로 따지면 로프는 내 생명을 보호하는 데 아무 소용이 없었으나, 그러고 싶진 않았다. 내가 떨어지면 사이먼도 함께 끌려갈 거야. 하지만 로프가 담보해주는 위안을 포기할 수 없었다. 사이먼을 보고 눈을 의심했다. 그는 벌써 안부에 도착했는데 불과 25미터 떨어진 곳이었다. 늦은 오후의 역광이 거리 감각을 마비시킨 것이다.

"이쪽으로 와!" 사이먼이 바람을 거슬러 소리쳤다. "로프로 잡아줄게."

부드럽게 잡아당기는 힘이 허리에 느껴졌다. 그는 늘어진 로프를 모두 당긴 다음 나를 확보하려고 했다. 만약 내가 떨어지면 그는 서벽 쪽으로 뛰어내리겠지…. 내 추락을 정지시킬 방법은 그것뿐이니까. 나는 옆으로 폴짝 뛰다가 내 발에 걸려 균형을 거의 잃을 뻔했다. 무릎 속의 연골이 비틀어지는 것 같았다. 그 충격으로 숨을 헐떡거렸다. 통증이 조금 사라지자 나는 정신을 집중하지 않은 나 자신에게 욕설을 퍼부었다. 이전에 시도했던, 게처럼 옆으로 가는 동작을 다시 했다. 다리를 빙 돌릴 수 없을 때는 아래로 뻗어 사이먼이 파놓은 홈을 따라 다리를 들어 올리고 다시 동작으로 들어갔다. 다리는 무기력하고 무겁기만 한 쓸모없는 물건이었다. 그 다리가 내가 가는 방향으로 끼어들거나 혹은 통증을 유발하거나 하면 나는 저주를 퍼부으며 마치 나를 걸어 넘어뜨린 의자인 양 옆으로 치워 버리곤 했다.

안부는 훤히 노출되어 바람이 심했으나, 우리는 처음으로 산의 서쪽 측면을 자세히 내려다볼 수 있었다. 우리 바로 아래에 닷새 전에 걸어 올라온 빙하가 거의 1,000미터 아래의 베이스캠프로 연결되는 크레바스와 모레인지대로 굽이져 있었다. 아직도 많이 내려가야 했으나, 이제는 곧장 내려가기만 하면 되었고, 절벽에서 우리를 덮친 절망에서도 어느 정도 벗어나고 있었다. 안부에 도착한 것으로 결정적인 교두보를 확보한 셈이었다. 만약 그 절벽과 안부 사이에 급경사 구간이 있었더라면 이곳까지 온다는 건 생각조차 못 할 일이었다.

"몇 시야?" 사이먼이 물었다.

"오후 4시 조금 지났어. 이제 시간이 얼마 안 남았어."

사이먼이 가능성을 저울질했다. 안부 아래의 벽은 눈보라가 날리고 구름에 덮여 있어서 아무것도 보이지 않았다. 분설이 바람에 쓸려 날리는 탓에 눈이 언제부터 내리기 시작했는지 판단하기가 힘들었다. 우리는 안부에 오래 머물지 않았다. 그러나 나는 추위로 온몸에 감각이 없었다. 계속 내려가고 싶었지만 사이먼의 결정에 따를 수밖에 없었다. 나는 사이먼이 마음을 정할 때까지 기다렸다.

"내 생각엔 계속 내려가야 할 것 같아. 괜찮겠어?" 사이먼이 마침내 입을 열었다.

"괜찮아. 가자. 얼어 죽을 것 같아."

"나도 마찬가지야. 손이 다시 이상해."

"여기서 설동을 파면 어떨까?"

"아니. 날이 밝을 동안 아래 빙하에 도착하진 못하겠지만 조금이라도 고도를 낮추는 게 좋아."

"그래. 이런 날씨, 이젠 지긋지긋해."

"날씨가 걱정이야. 좋아. 여기서부터 내려줄게. 오른쪽으로 내려가야겠지만 대각선으로 내려가진 못할 거야. 되든 안 되든 아래로 곧장 내려가 보자."

나는 능선마루를 넘어 서벽으로 미끄러져 내려가기 시작했다. 사이먼은 능선의 가장자리에 서서 내 체중을 견뎌 내고 있었다. 분설눈사태가 몇 번이고 나를 덮쳤다. 나는 빠른 속도로 떨어졌다. 사이먼에게 속도를 줄이라고 소리쳤으나 그는 내 말을 듣지 못하는 것 같았다.

6

최후의 선택

초조한 마음으로 서두르며 미친 듯이 구덩이를 팠다. 안부에서 내려가는 처음의 90미터가 걱정스러웠다. 오른쪽으로 비스듬히 내려가는 것은 도저히 불가능했다. 몸이 중력을 받은 탓에 아이스액스로 눈을 아무리 헤집어도 수직 방향으로만 내려갔다.

벽 상태는 사면과 현저히 달랐다. 사이먼은 예상했던 것보다 더 빨리 나를 내렸는데, 내가 아무리 조심하라고 소리치거나 고통스럽게 비명을 질러도 계속 같은 속도를 유지했다. 15미터쯤 내려간 뒤 나는 소리치기를 멈췄다. 바람과 눈보라가 모든 소리를 삼켜 아무 소용이 없었기 때문이다. 대신 눈에 다리가 걸리지 않게 신경을 집중했다. 성한 다리를 눈에 두어도 체중이 밀리면 오른발의 크램폰이 걸렸다. 한 번씩 갑자기 발이 걸려 비틀리면 타는 듯한 통증이 밀려왔다. 그러면 숨을 헐떡이며 흐느꼈고, 눈과 추위에 그러나 대부분은 사이먼에게 저주를 퍼부었다. 매듭을 바꿔야 하는 지점에서 로프가 짧게 잡아당겨지는 것을 느꼈다. 나는 왼발로 폴짝거리며 일어나 아이스 액스 자루를 눈에 박고 거기에 기대어 허리를 구부리고 통증이 사라지길 기다렸다. 그러자 통증은 끔찍하게 욱신거리는 아픔과 납덩이처럼 무거운 피로를 남기고 서서히 빠져나갔다.

로프가 또다시 짧게 당겨졌다. 나는 되는 대로 로프에 의지해 내 몸이 내려가도록 내버려뒀다. 고통을 더 이상 참을 수 없을 때까지 로프는 계속 내려졌지만 그 고통을 막기 위해 할 수 있는 일은 아무것도 없었다. 그만하라고 사이먼에게 울부짖으며 소리쳐 봤자 소용없었다. 뭐라도 붙잡고 욕을 해야 견딜 수 있을 것 같아, 사이먼을 악마 같은 놈이라고 저주했다. 이젠 분명히 로프가 다 됐을 테니 금방이라도 멈출 거라고, 생각하고 또 생각했지만 로프 길이는 두 배로 늘어나는 것만 같았다.

이곳의 벽은 안부 위보다 경사가 훨씬 심해서 겁이 났다. 사이먼 역시 균형을 겨우 잡고 있을지 모른다는 생각이 들었다. 그의 자리가 언제든 무너져 내릴 수 있다는 생각을 떨쳐버릴 수 없어 내내 긴장했다. 가속도가 붙어 로프가 뚝 떨어지는 순간은 언제일까. 그건 사이먼도 로프에 끌려 떨어진다는 말이었고, 우리 둘 다 죽는다는 것을 의미했다. 하지만 그런 일은 일어나지 않았다.

끔찍한 하강이 멈추고 나는 사면에 조용히 매달렸다. 세 번

탁탁 잡아당기는 느낌이 팽팽한 로프를 타고 내려왔다. 나는 성한 다리로 폴짝거리며 몸을 일으켜 세웠다. 메스꺼움과 고통이 엄습했다. 얼굴을 할퀴고 지나가는 차가운 눈보라가 오히려 상쾌했다. 타는 듯한 통증이 무릎에서 수그러지길 기다리는 동안 머릿속이 맑아졌다. 몇 번이고 다리가 걸릴 때마다 옆으로 뒤틀렸고 그때마다 움직이는 게 부자연스러웠다. 무릎이 뒤틀리면서 고통의 불꽃이 튀었고 관절 안의 조각들이 연골을 오독오독 부서뜨리는 것 같았다. 흐느낌을 겨우 진정하면 다리는 곧바로 또 걸렸다. 결국 다리가 통제할 수 없을 정도로 떨렸다. 진정하려고 애썼지만 안간힘을 쓰면 쓸수록 더 많이 떨렸다. 나는 얼굴을 눈에 처박고 이를 악물며 기다렸다. 그러자 마침내 진정이 되었다.

사이먼이 내려오기 시작하자 늘어지는 로프가 내 옆으로 원을 그리며 쌓였다. 위를 올려다봤지만 그가 어디쯤 있는지 알 수 없었다. 눈보라가 사면을 할퀴며 날렸다. 아무것도 보이지 않았다. 보이는 게 있다면 전보다 더 심해진 눈보라뿐. 그렇다는 건 눈발이 굵어지기 시작했다는 뜻이었다. 밑으로도 보이지 않기는 마찬가지였다.

나는 사이먼이 앉아 버틸 자리를 팠다. 눈을 판 덕분에 몸이 훈훈해지자 무릎에 신경이 덜 쓰였다. 고개를 다시 들어 보니 사이먼이 빠르게 내려오고 있었다.

"이런 속도라면 9시까진 내려갈 것 같은데." 사이먼이 쾌활하게 말했다.

"그럼 좋겠어." 나는 더 이상 말하지 않았다. 지금 내 기분이 어떤지 말해 봐야 소용없는 일 아닌가.

"자, 또 시작하자." 사이먼이 구덩이 안에 앉더니 나를 내릴 로프를 준비하며 말했다.

"놀러온 거 아니잖아?"

"뭘 꾸물거려. 이리 와."

그는 여전히 빙글거리며 웃고 있어서 그 자신감이 나에게까지 전염되었다. 한 사람이 다른 한 사람을 구조할 수 없다고 누가 말했던가? 등반은 이제 구조로 바뀌었고, 그런 만큼 우리는 효율적으로 손발을 맞췄다. 우리는 사고를 당했다고 해서 주춤거리거나 당황하지 않았다. 물론 처음엔 여러 가지 불안 요소가 있었다. 그러나 능동적으로 대처하자 모든 것이 잘 풀렸다.

"좋아, 난 준비됐어." 내가 몸을 옆으로 누이며 말했다. "이번엔 좀 천천히 내려줘. 안 그러면 다리가 떨어져 나갈 거야."

사이먼은 내 말이 들리지 않는 듯 전보다 나를 더 빨리 내렸고, 그때부터 망치로 때리는 것 같은 호된 고문이 시작되었다. 낙관적인 생각은 사라졌다. 로프를 바꿔 끼는 순간이 올 때까지 참는 것 외에 다른 생각은 할 수도 없었다. 영영 오지 않을 것만 같던 그 순간이 왔지만, 한숨 돌릴 새도 없이 고통이 가라앉기도 전에 또다시 미끄러져 내려갔다.

눈에 손바닥을 대고 다리를 표면에서 들어 올리려 했으나 소용없었다. 안전벨트 고리에 매달린 아이스액스가 달랑거렸다. 손은 얼어붙고 다리는 눈에 걸렸다. 할 수 있는 일이 없었다. 근육이 굳어지고 있었다. 다리를 눈에서 들어 올리려 몇 번이고 노력했으나 너무 무거워서 잘 되지 않았다. 허벅지를 잡고 힘을 써봤지만 꿈쩍도 하지 않았다. 다리는 더 이상 내 몸의 일부가 아니었다. 내 명령을 듣지도 않고 아무 쓸모없이 몸에 매달려 덜렁거릴 뿐이었다. 다리는 눈에 걸리고 또 걸리고, 뒤틀리고 또 뒤틀리면서 온갖 고통을 불러일으켰다. 내가 포기하고 흐느끼면서, 허물어져 내리는 눈에 몸을 맡겨버릴 때까지. 나는 계속 내려졌다. 끝나리라는 생각은 잊고 고통을 고스란히 받아들였다. 고통은 무릎 주위로 몰려들더니 허벅지 위로 올라와 내 모든 의식과 생각에 뜨거운 열기를 쏟아부었다. 그 고통의 열기는 다리가 덜렁거릴 때마다 더 뜨거워졌고, 내 관심을 요구하면서 고유한 특성을 부여받은 무언가로 변해갔다. 마침내 나는 다리가 보내는 메시지를 확실히 들을 수 있었다. "아파. 다쳤단 말이야. 날 좀 쉬게 해 줘. 제발 가만두란 말이야."

그때 갑자기 몸이 정지되었다. 세 번 짧게 잡아당기는 것이 로프로 전달되어 왔다. 나는 덜덜 떨면서 몸을 일으켜 세웠다. 아이스액스를 손으로 잡고 구덩이를 파려 했으나 자루를 쥘 수가 없었다. 장갑을 낀 손에 아이스액스를 가만히 올려놓으니 제멋대로 움직였다. 해머 자루를 잡아보려 했지만 결과는 마찬가지였다. 오른쪽 벙어리장갑을 벗으려 해도 장갑을 벗길 만큼 왼손에 힘이 들어가지 않아 결국 이빨로 장갑 끝을 물고 벗어야 했다. 파란 속장갑은 손에 그대로 얼어붙어 있었다. 장갑 위로 보이는 손가락이 나무토막 같았다. 너무 굳어서 주먹이 쥐어지지 않았다.

손을 재킷 안의 겨드랑이 밑에 넣어놓은 동안 눈보라가 사면으로 쏟아져 내려 손목 고리에 매달려 있던 벙어리장갑 속을 가득 채웠다. 겨드랑이의 온기로 피가 돌면서 전해져 오는 끔찍한 고통밖에 생각할 수 없었다. 다리의 통증조차도 무섭게 타오르는 통증 앞에선 약해지는 듯했다. 통증이 가라앉자 벙어리장갑의 눈을 털어 손에 다시 끼우고 다른 쪽 손도 똑같이 했다.

구덩이를 반쯤 파기도 전에 사이먼이 내려왔다. 그는 고개를 숙이고 조용히 기다렸다. 가만히 보니 그도 양손을 겨드랑이 밑에 넣고 있었다.

"내 손가락도 상태가 아주 심각해. 동상에 걸린 것 같아." 내가 말했다.

"넌 내가 내려주는 대로 그냥 가만히 있기만 하면 되잖아. 널 내리는 동안 내 손가락은 꽁꽁 얼어붙어! 가운뎃손가락 좀 봐. 완전히 맛이 갔어."

그는 심한 고통과 싸우느라 눈을 꼭 감고 있었다. 무거운 눈덩어리가 덮쳐도 꼼짝하지 않았다. 그 눈덩어리가 내가 파놓은 구덩이를 일부 메워버렸다. 나는 팔로 밀어서 눈을 치웠다.

"자, 점점 더 나빠지고 있어. 서둘러야 해."

나는 사이먼의 발밑에 엎드렸다. 로프가 팽팽해지자 또다시 내려질 생각에 긴장했다. 그는 나를 서둘러 내렸고, 나는 다리가 눈에 걸릴 때마다 소리를 질렀다. 사이먼의 얼굴은 무표정해 보였다. 나는 계속 내려졌다. 그에겐 동정 따위를 하고 있을 시간이 없었다.

네 번째 하강이 끝날 때쯤 상태가 악화되었다. 다리가 계속 떨려 멈출 수가 없었다. 고통은 도저히 참을 수 없는 지경에 이르렀다. 다리를 들든 말든 변함이 없었다. 신기하게도 고통은 점점 더 견딜 만해졌다. 발을 헛디딜까 봐 더 이상 긴장하거나 몸을 움츠리지 않았기 때문이다. 통증은 점차 익숙해졌다. 그러나 손은 상태가 훨씬 더 심해졌다. 하강이 끝날 때마다 손을 다시 따뜻하게 하려고 해봤지만 갈수록 효과가 떨어졌다. 사이먼의 손은 내 손보다 훨씬 더 심각했다.

눈보라가 거세져 작은 눈사태가 계속 흘러내렸고, 구덩이를 파고 있으면 나를 밀어 내리려고 위협했다. 바람은 사납게 휘몰아쳐 맨살이 드러난 부분이 아프기까지 했고, 옷에 조그만 구멍이라도 있으면 비집고 들어오려고 기를 썼다. 나는 거의 탈진할 지경이었다.

하강을 계속하면서 체념의 관용 상태에 빠졌다. 내가 왜 이렇게 내려지는지 잊은 지 오래였다. 그저 지금 이 순간을 견디는 것 외에는 앞으로 닥칠 일을 생각할 여유가 없었다. 사이먼은 여전히 아무 말도 하지 않았다. 그는 표정이 굳어 있었고 단호했다. 우리는 우리 자신을 암울한 투쟁에 가둔 셈이었다. 나는 고통으로 괴로워하고 있었고, 사이먼은 쉬지 않고 나를 1,000미터나 내리는 끝없는 육체적 싸움을 벌이고 있었다. 사이먼이 버티고 있는 구덩이가 언제든 무너져버릴지 모른다는 생각을 얼마나 많이 했던가. 내가 신경 쓸 상황은 아니었으나 사이먼은 원하기만 하면 혼자서도 훨씬 더 안전하게 내려갈 수 있었다. 그에게 고마움을 느꼈지만 그런 생각은 더 이상 안 하기로 했다. 그래 봐야 내가 사이먼에게 의지하고 있다는 것을 강조할 뿐이니까.

사이먼이 내려오는 동안 다섯 번째 구덩이를 팠다. 많이 파지도 못하고 표면만 겨우 걷어냈을 때 단단한 얼음이 나왔다. 나는 왼발로만 서 있었는데 발이 얼음 속으로 깊이 들어가지 않았다. 크램폰의 앞발톱으로만 서 있으면 장딴지 근육이 금방 피곤해진다. 미끄러질지도 모른다는 생각이 나를 괴롭혔다. 둘 다 동시에 떨어지게 될 테니까. 가만히 서 있으려니 설상가상으로 속이 메스껍고 어지러웠다. 의식을 잃을지도 모른다는 생각에 머리를 흔들다 차가운 눈에 댔다. 이렇게까지 발버둥을 쳤는데도 죽으면 얼마나 바보 같을까.

아이스스크루를 박아야 한다는 생각이 들기까지 시간이 얼마나 걸렸는지 보니 추위에 어지간히 정신이 없었나 보다. 바람과 눈사태는 내 몸을 마비시키고 정신마저도 흐려놓았다. 아이스스크루 생각이 났을 때도 나를 집어삼킨 무기력한 무관심을 뚫고 나가기까지는 다소 시간이 걸렸고, 그것을 행동으로 옮기는 것 자체가 대단한 일 같았다. 나는 내 느린 움직임에 깜짝 놀랐다. 추위를 미처 깨닫지 못하고 뒤늦게 대처하거나 아예 생각지도 못한 사이에 얼어 죽어간 사람들 얘기를 들은 적이 있다. 그래서 나는 스크루에 로프를 걸고 몸을 뒤로 젖힌 다음 매달려 정신을 차리고 워밍업을 부지런히 했다. 가능한 한 몸을 많이 움직이고, 팔을 찰싹찰싹 때리고, 몸을 구석구석 열심히 비비고, 머리를 마구 흔들었다. 그러자 몸이 점차 따뜻해지며 나태한 기운이 빠져나가는 것 같았다.

사이먼이 아이스스크루를 주시했다. 사면에서 쓴 첫 번째 스크루였다. 그는 나를 미심쩍어 하는 것 같았다.

"우리 아래에 분명 뭔가가 있어. 가파른 구간 같은 것." 내가 말했다.

"그래? 아무것도 안 보이는데." 그는 스크루에 매달려 아래쪽을 유심히 내려다봤다. "경사가 점점 심해지는데 왜 그런지 모르겠네."

나도 아래를 내려다봤으나 소용돌이치는 눈보라 외에는 아무것도 보이지 않았다. 하늘은 온통 눈이었다. 하늘에서 내리는 눈 때문이든 바람에 날리는 눈 때문이든, 이러나저러나 결과는 화이트아웃 상태였다.

“아래에 뭐가 있는지도 모르면서 날 내리는 건 좋은 생각이 아냐.” 내가 말했다. “뭐든 될 수 있어… 바위 버트레스도 빙벽도.”

“알아. 하지만 세리아 노르테에 오를 때 그렇게 큰 뭔가를 본 기억이 없잖아, 안 그래?”

“그래. 몇 군데 바위가 튀어나온 것 말고는. 먼저 로프를 타고 내려가서 내가 내려가도 될 것 같으면 로프로 신호를 보내. 그럼 로프로 내려갈 수 있을 것 같아.”

“선택의 여지가 없네. 좋아. 그럼 내가 스크루를 하나 더 박을게.”

그는 단단한 얼음에 스크루를 박고 그곳에 로프를 걸었다. 나는 내가 박은 스크루에 확보줄을 걸고 로프를 풀었다. 사이먼이 다 내려가면 안전하게 확보를 한 후 나에게 내려오라는 신호를 보내기로 했다. 내가 소리쳤다.

“로프 끝을 묶어놔. 정신을 잃어도 더 떨어지지 않게.”

사이먼은 알았다는 듯 손을 흔들고 눈보라 속으로 사라졌다. 그가 시야에서 사라지자 나는 혼자가 되었다. 나는 그에게 무슨 일이 일어날 거라는 생각을 머릿속에서 지워 버리려 애썼다. 그리고 한 발로 조용히 서서 미친 듯이 소용돌이치는 눈보라를 바라봤다. 눈보라가 흩날리며 재킷을 스칠 때 휙휙 하는 소리와 바람에 펄럭이는 소리만이 들려왔다. 혼자 있기엔 너무나 황량한 곳이었다. 설동의 구멍을 통해 본 예루파하 위의 태양이 생각났다. 그게 바로 오늘 아침이었는데. 아! 아주 오래전 일인 것 같았다. 오늘 아침에… 우리는 능선을 내려왔고, 크레바스를 건넜고, 절벽을 내려왔다. 그런데… 너무나 많은 것이 바뀌었다. 추위가 나를 다시 파고들더니 느릿느릿 무겁게 퍼지는 것을 느낄 수 있었다.

나는 다시 워밍업을 했다. 때리고 문지르고 그러면서 침입자를 몰아냈다. 그때 로프가 흔들리는 것이 보였다. 로프를 잡으니 다시 당겨졌다. 나는 확보기구(하강기로도 쓴다)에 로프를 걸고 내 스크루를 회수했다. 혹시 로프가 걸린 스크루가 빠지진 않을지 살펴보면서 체중을 로프로 조심스럽게 옮겼다. 그런 다음 미끄러지듯 사이먼이 있는 곳으로 내려갔다.

6미터를 내려가자 경사가 수직으로 바뀌었다. 나는 일단 멈춰서 아래를 내려다봤다. 5미터 아래는 경사가 조금 완만했다. 그리고 그 아래는 눈보라로 아무것도 보이지 않았다. 다시 내려가기 시작하자 곳곳에 얼음이 붙어 있었다. 한두 번 벽에 부딪혀 통증을 느꼈지만, 로프를 타고 내려가는 것이 매달려 내려지는 것보다 쉽고 고통도 덜했으며, 속도를 내 마음대로 조절할 수 있다는 장점도 있었다. 경사진 곳에선 다리를 돌려 다친 다리를 허공으로 향하게 할 수 있어서 고통이 없었고, 빙벽에선 다리가 걸리는 것을 그럭저럭 피할 수 있었다.

조심스럽게 내려가는 데 온 신경을 집중하고 있을 때 사이먼의 목소리가 들렸다. 아래를 내려다보니 스크루에 확보한 그가 몸을 뒤로 젖히고 나를 올려다보며 웃고 있었다.

"한 번 더 있어. 그 아래는 사면이야. 이제 거의 다 끝나가는 것 같아."

사이먼은 손을 뻗어 내 안전벨트를 잡더니 자신이 서 있는 곳으로 끌어당겼다. 얼마나 조심스럽게 내 몸을 돌려줬는지, 내가 그의 옆에 멈춰 섰을 때 나는 사면에서 바깥쪽을 향하고 있었다. 그는 자신이 매달린 스크루 옆에 하나를 더 박아 내 몸을 걸고 나서, 얼음을 파서 만든 자리로 내 다친 다리를 끌어 디디게 해줬다. 그때 문득, 그가 나를 어떤 고통에 빠뜨렸는지 충분히 알고 있다고 느꼈다. 그런 배려는 "괜찮아. 난 그렇게 나쁜 놈이 아니야. 이런 건 당연한 거지"라고 조용히 말하는 것 같았다.

"이제 얼마 안 남았어. 이번에 로프를 타고 내려간 다음 네 번만 더 내리면 될 것 같아."

그것은 사이먼의 짐작이라는 걸 나는 알고 있었다. 그는 내 기분을 맞추려 노력하고 있었고, 나는 그것이 무척 고마웠다. 눈보라가 몰아치는 속에서 서로의 로프를 확보해주는 짧은 시간 동안 우리는 따뜻한 우정을 주고받았다. 마치 삼류 전쟁영화의 진부한 대사처럼. "여러분, 우린 모두 함께 싸워야 합니다. 그럼 집으로 돌아갈 수 있습니다." 실제로 모든 것이 불확실한 가운데 난공불락의 어떤 적과 대치하고 있는 것처럼 느껴졌다. 나는 사이먼의 어깨에 팔을 올리고 미소를 지었다. 사이면도 미소를 지었으나 얼굴은 일그러져 있었다. 그 미소 뒤에는 우리가 처한 상황의 진실이 숨겨져 있었다. 그에겐 너무나 힘든 일일 터였다. 그는 핼쑥해 보였다. 추위로 움츠러든 그의 얼굴에는 그동안의 긴장이 고스란히 배어 있었다. 그의 눈은 전혀 웃지 않았다. 대신 그 눈에는 염려와 걱정이 가득 차 있었다. 그의 말투는 확신에 차 있었으나 얼굴에 번진 어두운 그림자는 현실을 말해주고 있었다.

"난 괜찮아. 이젠 견딜 만해. 손은 좀 어때?"

"안 좋아. 점점 더 나빠지고 있어." 사이먼이 웃어 보였다. 죄책감으로 마음이 아팠다. 나는 이미 대가를 치렀지만, 그는 이제 치르고 있었다.

"로프를 타고 내려가 앵커를 만들게."

사이먼이 사면으로 내려서더니 눈보라가 소용돌이치는 속으로 사뿐히 내려갔다. 곧이어 내가 내려가자, 이미 그는 커다란 구덩이를 파놓고 있었다. 우리는 하강 시스템으로 다시 돌아왔다. 시간을 확인하려 했으나 잘 보이지 않았다. 벌써 이렇게 어두운데! 시계의 표시등을 누르자 7시 30분이었다. 1시간 반 전부터 어두워지고 있었는데 우리는 그것도 모르고 있었다. 그제야 나는 한 일이 별로 없다는 사실을 깨달았다. 우리는 하강과 자리를 만드는 데만 신경 썼는데, 그런 작업은 빛이 크게 필요 없었다.

이전의 하강지점에서 느낀 따뜻한 감정이 그다음까지 이

어졌고, 나는 하강이 계속되는 동안 들뜬 마음으로 낄낄거리고 싶은 충동을 겨우 참았다. 마치 어린아이처럼 이성을 잃은 것 같았다. 빙하에 내려가 아늑한 설동에 들어갈 생각으로 몸이 달아 견딜 수 없을 정도였다. 그것은 마치 추운 산에서 하루 종일 헤매다 모닥불 옆에 놓여 있는 음식의 이미지처럼 내 마음에 넘쳐흘렀다. 그런 헛된 생각이 혹시라도 재앙으로 이어지지 않을까 염려하며 그 생각을 떨쳐버리려 노력했다. 기대가 크면 실망도 큰 법이라고 스스로를 타일렀지만 뜻대로 되지 않았다. 이번엔 더 빠르고 쉽게 내려졌다. 고통은 여전했으나 그것은 부차적인 문제였다. 나는 무조건 내려가야만 했다.

하강은 이제 더 익숙해졌다. 마치 몇 년 동안이나 연습한 것처럼. 앞이 잘 보이지 않는 눈보라 속을 내려가면서도 우리의 낙관주의는 조금씩 내려갈 때마다 눈덩이처럼 불어났고, 덩달아 사이먼의 미소도 커져갔다. 내 헤드램프 불빛에 비친 그의 눈이 그 사실을 똑똑히 말해주고 있었다. 우리는 상황을 통제할 수 있는 힘을 되찾았다. 더 이상 절망으로부터 도망치지 않았고, 불가능에 대항해 필사적으로 싸우지 않았다. 우리는 통제되고 질서 있게 하강했다.

생각보다 분설눈사태가 무겁게 느껴져서 나는 어깨를 움츠리고 눈사태가 지나갈 때까지 기다렸다. 다시 움직이니 가슴과 사면 사이에 모여 있던 눈이 다리로 흘러내려 내가 파놓은 자리에서 눈을 털어내야 했다. 날씨는 좋아질 기미가 보이지 않았으나 적어도 더 나빠지진 않았다. 사이먼이 어둠 속에서 나타났다. 헤드램프 불빛이 눈보라를 뚫고 노랗게 반짝거렸다. 나는 그를 계속 주시하여 내 헤드램프 불빛이 그를 안내하게 했다. 사이먼이 내 쪽으로 내려섰을 때 눈사태가 우리를 또 한 번 덮쳤으나 간신히 피할 수 있었다.

"젠장! 저 위에서 하마터면 휩쓸릴 뻔했어."

"눈사태가 점점 커지고 있어. 아마 아래로 거의 다 내려와서 그럴 거야. 내려갈수록 눈이 더 많아지네."

"로프를 풀어버릴까 했어. 그럼 내가 눈사태에 세게 맞아도 너까지 끌고 내려가진 않을 테니까." 나는 웃었다. 그가 떨어지고 나면 남은 로프로 내가 할 수 있는 일은 아무것도 없었다.

"그럼 결국은 나도 떨어지니까 함께 떨어지게 로프를 묶고 있어! 네가 떨어질 거란 생각은 안 하지만, 그럼 내가 죽더라도 네 탓으로 돌릴 수 있으니까."

사이먼은 웃지 않았다. 그는 내가 다쳤다는 사실을 거의 잊고 있었는데, 지금 내가 그것을 다시 일깨워준 셈이었다. 그는 자리에 앉아 나를 또다시 내릴 준비를 했다.

"기껏해야 두 번이면 끝날 거야. 지금이 여덟 번째거든. 로프를 타고 두 번 내려왔으니까, 800미터 이상은 내려온 셈이야. 벽이 900미터는 안 되니까 어쩌면 이번이 마지막일지도 몰라."

그의 말에 나는 고개를 끄덕였다. 내 몸이 미끄러지기 시작하자 그는 자신만만한 미소를 지어 보였다. 그의 모습이 곧 눈보라 속으로 사라졌다. 처음엔 점차 완만해져서 이제 빙하에 거의 가까워졌다고 생각하며 용기를 내자고 마음을 다졌다. 하지만 사이먼이 시야에서 완전히 사라지자마자 경사가 다시 가팔라졌다. 속도가 빨라졌고 내 다리가 눈에 점점 더 자주 걸렸다. 고통이 너무 심해 더 이상 경사 따위를 생각할 겨를이 없었다. 눈에서 발을 들어 올리려 했으나 헛일이었다. 나는 고통을 그냥 받아들였다.

속도가 빨라지자 안전벨트에 걸리는 무게도 늘어났다. 팔로 제동을 했지만 효과가 없었다. 몸을 비틀어 내 위의 어둠을 올려다봤다. 헤드램프의 불빛에 눈보라가 사방으로 날리며 반짝거렸다. 사이먼에게 속도를 좀 늦추라고 소리쳤다. 그러나 속도가 더 빨라져서 심장이 격렬하게 요동치기 시작했다. 그가 손을 놓쳤나? 다시 멈추려고 했지만 소용이 없었다. 나는 점점 커지는 공포감을 억누르며 정신을 차리려고 노력했다. 아니! 그가 놓친 건 아냐. 속도가 조금 빠를 뿐이지, 꾸준하잖아? 그냥 서두르고 있을지 몰라…. 그래 그런 걸 거야. 그렇다는 걸 알고 있었지만, 여전히 뭔가 잘못되고 있었다.

사면이었다. 당연하잖아! 좀 더 일찍 알았어야 했는데. 하지만 경사가 훨씬 더 가팔랐다. 그렇다면 그 의미는 딱 하나였다. 나는 다시 절벽으로 내려가고 있었다.

미친 듯이 소리쳤으나 사이먼은 내 말을 듣지 못하는 모양이었다. 다시 더 크게 소리쳤지만 소리는 눈보라에 묻히고 말았다. 아마 5미터 떨어져 있었어도 듣기 어려웠을 것이다. 매듭까지 얼마나 남았는지 가늠해봤다. 30미터? 15미터? 하지만 알 길이 없었다. 끝이 없는 것 같았다. 나는 소용돌이치는 눈보라 속으로, 시간의 흐름에 무감각해진 채 영원히 미끄러져 내려갔다. 그러나 그것은 간신히 고통을 견딜 수 있을 만큼 짧은 시간이었다.

너무 위험하다는 생각이 들었다. 나는 **멈춰야만** 했다. 사이먼이 내 말을 전혀 듣지 못하므로 스스로 정지해야 했다. 로프에서 무게가 느껴지지 않으면 뭔가 이유가 있다는 걸 알아차릴 거야. 나는 아이스액스를 쥐고 정지하려고 몸부림쳤다. 아이스액스 헤드를 몸으로 눌러 사면에 박으려 했으나 소용이 없었다. 눈이 너무 부드러웠다.

그러다 갑자기 발이 허공에 떴다. 소리를 치면서 눈을 움켜잡으려 했으나 소용이 없었다. 몸 전체가 절벽 끝을 넘어 매달리고 말았다. 나는 몸이 뒤로 젖혀진 채 빙그르 돌았다. 절벽 끝에 걸친 로프가 계속 내려지는 것이 보였다. 하지만 그 광경도 커다란 분설눈사태가 나를 덮친 순간 시야에서 사라졌다.

눈사태가 그치자 하강도 멈췄다. 사이먼이 갑작스럽게 로프에 실린 내 무게를 겨우 붙잡은 것 같았다. 혼란스러웠다. 내가 허공에 덩그러니 매달려 있다는 것 외에는 무슨 일이 일어났는지 알 수가 없었다. 로프를 잡고 앉은 자세로 몸을 똑바로 일으켜 세웠다. 몸은 계속 빙그르 돌았지만 그렇게 빠르진 않았다. 한 바퀴 돌 때마다 2미터 앞의 빙벽이 보였다. 회전이 멈췄을 때 바깥쪽을 향하고 있었기 때문에 빙벽을 보려면 몸을 조금 돌려야 했다. 눈보라가 멈췄다. 헤드램프로 빙벽을 비춘 다음 로프를 따라 불빛을 올리니 내가 넘어온 절벽 끝이 보였다. 내 위로 5미터 정도 높이였다. 단단한 얼음으로 된 그 빙벽은 90도가 넘는 오버행이었다. 로프가 툭 하고 조금 더 내려오더니 멈췄다. 분설눈사태가 그 위에서 다시 쏟아져 내렸고 회오리바람이 불었다. 바람을 막으려고 몸을 웅크렸다.

다리 사이로 아래쪽 빙벽이 보였는데 바닥까지 오버행이었다. 벽의 높이를 가늠해 보려고 아래를 내려다봤다. 눈 덮인 바닥과 내 아래로 검은 윤곽을 드러낸 크레바스가 보이는 것 같았다. 그때 눈보라가 시야를 가렸다. 나는 위쪽으로 빙벽 끝을 다시 올려다봤다. 사이먼이 나를 끌어올리는 것은 불가능했다. 그가 버티고 있는 자리가 안전하다 할지라도 그것은 극도로 어려운 작업이었다. 더구나 눈구덩이에서 시도한다면 자살행위나 다름없었다. 위쪽의 어둠을 향해 소리쳤으나 내 귀에 들리는 것은 도저히 분간할 수 없는 이상한 소리였다. 그것이 사이먼의 목소리인지 아니면 내 목소리의 메아리인지도 확실하지 않았다.

나는 팔로 로프를 꼭 껴안고 앉아 가만히 기다렸다. 그러다 다리 사이로 아래를 내려다보고 심한 충격을 받았다. 점점 커지는 두려움을 무릅쓰고 다시 내려다보니 조금씩 분간이 되기 시작했다. 나는 빙벽 아래 천 길 낭떠러지만큼 떨어진 크레바스 위에 매달려 있었고, 그 사실을 서서히 깨달으면서 속이 뒤틀리는 것 같았다. 발밑은 최소한 30미터의 허공이었다! 잘못 봤기를 바라며 아래를 계속 내려다봤다. 웬걸, 잘못 보기는커녕 30미터는 어림도 없었다. 나는 잠시 혼란에 빠졌다. 도대체 어떻게 된 거지? 그때 한 가지 사실이 머리를 스쳤다.

몸을 돌려 빙벽을 바라봤다. 빙벽은 2미터 떨어진 거리에 있었다. 아이스액스를 잡은 손을 아무리 뻗어도 닿지 않았다. 그쪽으로 몸을 흔들어 봤으나 제자리에서 빙빙 돌기만 했다. 로프를 타고 올라갈 수는 없을까? 사이먼은 내가 어디에 매달려 있는지 모를 테니 서둘러야 해. 이전의 경사진 벽면이 짧았으니까 사이먼은 이번에도 높이가 비슷할 거라고 생각할 거야. 그러면 나를 다시 아래로 내리겠지? 아, 이런! 바닥에 닿기 훨씬 전에 확보기구에 매듭이 끼이면 어떡하지?

빙벽에 닿기는 불가능했고, 그래 봤자 아무 소용이 없다는 걸 나는 바로 깨달았다. 5미터의 오버행 빙벽을 다리 하나만으로 올라갈 수는 없어. 안전벨트를 더듬어 슬링 두 개를 찾았다. 그러나 벙어리장갑을 낀 손으로는 잡을 수가 없었다. 나는 이빨로 물어 장갑을 벗고 슬링을 다시 잡았다. 하나는 손목에 걸고 하나는 이빨에 물었다. 슬링을 잡느라 로프를 놓쳐서 몸이 뒤로 넘어가는 바람에 허리로 매달렸다. 그것도 등에 멘 배낭의 하중으로 머리와 다리가 허리보다 늘어진 자세였다. 나는 몸부림을 쳐서 로프를 다시 잡고 앉은 자세로 돌아왔다.

왼팔을 로프에 감고 상체를 일으켜 오른손으로 이빨에 문 슬링을 잡았다. 가늘고 둥근 슬링을 로프에 돌려 감으려 했으나 손가락이 말을 듣지 않았다. 로프를 타고 올라갈 수 있도록 푸르지크(둥근 슬링으로 로프에 감아 만드는 매듭)를 만들어야 했다. 하지만 그사이에 지쳐버리고 말았다. 그러다 마침내 이빨과 손을 동원해 슬링을 로프 주위에 한 바퀴 돌려 감는 데 성공했다. 그 매듭은 적어도 세 번은 돌려야 쓸모가 있었다. 나는 거의 울음이 터질 지경이 되어서야 겨우 끝냈다. 거의 15분이나 걸렸다. 바람으로 몸이 계속 빙그르 돌았고 작은 눈사태가 얼굴에 떨어져 앞도 잘 보이지 않았다. 나는 푸르지크에 카라비너를 걸고 허리를 바싹 당겨 그 카라비너를 다시 안전벨트에 걸었다.

로프 위로 가능한 한 높이 매듭을 밀어 올리고 힘을 실은 다음 몸을 뒤로 젖혔다. 매듭이 꽉 조여들면서 조금 내려오는가 싶더니 로프에 고정되었다. 로프를 잡고 있던 팔을 놓고 매달렸다. 그러자 몸이 뒤로 넘어가지 않고 앉은 자세가 유지되었다. 이제 매듭 하나를 더 만들어야 했다. 그러면 두 손을 자유롭게 쓸 수 있게 될 터였다.

왼쪽 손목에 걸어 둔 슬링을 빼내면서 내 손이 얼마나 쓸모없게 되었는지 알게 되었다. 양손이 모두 얼어 있었다. 오른쪽 손가락은 움직일 수 있었지만 로프를 잡고 있느라 움직이지 않은 왼손은 동상에 걸렸다. 나는 양손을 서로 탁탁 두드려 손가락을 구부리려고 애썼다. 탁탁 두드리고 구부리고, 탁탁 두드리고 구부리고…. 하지만 온기가 돌면서 발생하는 통증을 느낄 수 없었다. 손가락이 약간 움직이며 감각이 돌아오는 것 같았으나, 거의 알아차리지 못할 정도였다.

손목에서 빼낸 슬링을 로프로 가져가 안쪽으로 돌리려다 그만 떨어뜨리고 말았다. 다행히 안전벨트와 로프가 연결된 부분에 걸려 바람에 날아가기 전에 움켜잡을 수 있었다. 다시 로프에 대려고 올리는데 슬링이 손에서 빠져나가려 했다. 그것을 왼손으로 잡고 오른쪽 팔뚝으로 받쳐 올렸지만 잡을 수가 없었다. 손가락이 구부러지지 않았다. 오른쪽 팔뚝에서 약간 미끄러뜨리려다 다시 떨어뜨렸다. 이번엔 슬링이 허공으로 떨어져 사라졌다. 이제 로프를 타고 올라갈 가망이 없어졌다. 슬링이 두 개라도 굉장히 힘든 일인데 슬링 하나에 쓸모없는 두 손만 남았으니 희망이 사라져버렸다. 나는 로프에 기댄 채 심한 욕설을 내뱉었다.

그래도 상체를 똑바로 하려고 애쓰지 않아도 되었다. 뜻대로 된 일은 하나도 없었지만 그것만으로도 작은 위안이 되었다. 안전벨트 위로 연결된 로프는 쇠막대기처럼 팽팽했다. 이미 만들어놓은 매듭이 안전벨트 1미터쯤 위에서 단단하게 걸려 있었다. 그 슬링을 안전벨트에서 풀어 배낭의 끈에 통과시킨 다음 다시 연결했더니 이제는 배낭과 함께 상체가 당겨졌다. 마지막 남은 카리비너를 이용해 더 당기고 시험 삼아 몸을 뒤로 눕혀봤다. 결과는 훌륭했다. 매듭이 상체를 잡아당겨 안락의자에 앉은 듯 허공에 앉아 있을 수 있었다. 그것이 아주 튼튼하게 버텨준다는 확신이 든 순간 너무나 지쳐 로프에 다시 주저앉았다.

바람이 미친 듯이 불어 로프에 매달린 나를 흔들었다. 한차례씩 세게 불 때마다 추위가 점점 더 심해졌다. 안전벨트의 허리와 허벅지에 걸린 체중의 압력이 혈액순환을 막아 양쪽 다리에 감각이 없었다. 그러자 무릎 통증이 사라졌다. 팔을 늘어뜨리자 장갑 속의 쓸모없는 양손이 무겁게 느껴졌다. 그 손들을 되살려 봤자 아무 의미가 없었다. 이렇게 매달려 있는 상태에서는 빠져나갈 방법이 전혀 없었다. 나는 올라갈 수도 없었고, 그렇다고 사이먼이 나를 내릴 수도 없었다. 빙벽 끝을 넘어 내려온 게 얼마나 오래됐지? 30분 넘게 걸리지는 않았을 거야. 2시간이면 난 죽은 목숨인데. 추위가 나를 야금야금 잡아먹고 있는 것 같았다.

은밀한 공포가 마음속에 맴돌았지만 그조차도 조금씩 희미해져갔다. 나는 느긋한 마음으로 감각이 어떻게 변하는지 흥미롭게 관찰했다. 적어도 고통스럽지는 않을 거야. 나는 그것이 기뻤다. 고통 때문에 기진맥진한 상태였는데, 고통이 끝나니 이젠 너무나 마음이 편했다. 허리 위로는 추위가 느릿느릿 움직였다. 나는 추위가 정맥과 동맥을 타고 내 몸속으로 무자비하게 기어 들어와 얼마나 조심스럽게 위로 올라오는지 머릿속으로 그려봤다. 추위가 마치 살아 있는 무언가, 그러니까 내 몸 속을 천천히 기어 다니며 살아가는 무언가처럼 느껴졌다. 물론 실제로 그렇지 않다는 건 알지만 나는 분명히 그렇게 느꼈고, 그렇게 믿는 것도 전혀 터무니없는 일은 아닌 것 같았다. 이 문제로 누구와도 논쟁하고 싶은 생각은 없지만, 그 느낌은 확실했다. 그 생각에 나는 껄껄 소리 내다시피 웃고 말았다. 무척 피곤했다. 졸리고 나른했다. 팔다리가 잘려 나가고 유체이탈된 것처럼 이렇게 나른한 기분을 느껴본 적이 없었는데. 기분 참 묘하네.

몸이 갑자기 아래로 내려갔다. 로프가 짧게 움직였다. 빙벽을 바라보니 내가 아래로 내려지고 있었다. 사이먼은 나를 다시 내리고 있었다. 무기력 상태에서 벗어나려고 머리를 흔들었다. 사이먼도 달리 방법이 없었겠지. 매듭에 걸릴 때까지 나를 내리려고 도박을 하는 것이 틀림없어. 마음속으로 그가 성공하길 바랐지만, 가망이 없다는 건 너무도 잘 알았다. 검은 하늘을 향해 소리를 질렀으나 아무 대답이 없었다. 내 몸은 꾸준히 내려졌다. 아래를 내려다보니 크레바스가 눈에 들어왔다. 이제는 분명하게 보였다. 위쪽의 빙벽 너머는 더 이상 보이지 않았다. 로프가 눈보라 속으로 이어진 채 사라지고 있었다. 로프는 한 번 살짝 당겨졌고, 또 한 번 그러더니 이내 멈췄다.

30분이 흘렀다. 나는 이제 사이먼을 부르지 않았다. 사이먼도 나처럼 어쩔 수 없는 상황에 처했다는 것을 알고 있었으니까. 그는 그 자리에서 죽거나, 내 체중이 계속 그를 끌어당겨 떨어지거나 둘 중 하나였다. 사이먼이 그렇게 되기 전에 내가 먼저 죽을까? 그가 의식을 잃자마자 나도 죽을 것이고, 어쩌면 나보다 그가 먼저 그렇게 될지도 몰라. 로프에 매달려 있으니 심한 눈사태는 피할 수 있었다. 사이먼은 나보다 더 춥겠지….

나와 사이먼의 죽음을 생각해도 별 느낌이 없었다. 죽음을 신경 쓰기엔 너무나 지쳐 있었다. 죽음이 두려웠다면 더 열심히 싸웠어야지. 하지만 이런 생각도 곧 외면해버렸다. 토니 쿠르츠Tony Kurz는 알프스의 아이거 북벽에서 죽어가면서도 싸움을 멈추지 않았다. 그는 한 번도 싸움을 포기한 적이 없었고, 살기 위해 로프에 매달려 발버둥 치다 갑자기 떨어져 죽고 말았다. 구조대는 그가 죽어가는 모습을 바라볼 수밖에 없었다. 쿠르츠와 같은 상황에 처했는데도 왜 나는 발버둥 치지 않은 걸까. 이상했다…. 추워서 그런가? 이제 얼마 안 남았어. 아침까지 버티지도 못하겠지… 태양이 떠오르는 모습도 다시는 못 볼 거고. 사이먼이 죽지 않아야 할 텐데. 너무 가혹한 일이야… 나 때문에 사이먼이 죽어선 안 돼….

로프가 위로 조금 당겨지는 것 같았다. 머릿속을 헤집고 다니던 온갖 잡념이 사라지고 대신 사태가 이렇게 된 데 대해 소모적인 분노가 치밀어 올랐다. 나는 바람에다 대고 소리치며 맹목적으로 욕을 해댔다.

"고통이란 고통은 다 겪었는데 결국 이 꼴이라니. **이 씨팔 개새끼들아!**"

비통하고 불만 가득한 분노에 떨며 아무한테나 내지른 소리는 눈보라와 바람 속으로 흩어졌다. 주위를 맴도는 공허한 바람처럼 무의미한 바보 같은 말. 분노가 치솟았다. 상스러운 소리를 내뱉으며 좌절의 눈물을 흘리는 동안 분노가 나를 자극하면서 추위를 몰아냈다. 나는 나 자신이 불쌍해서 울었고, 나 자신을 원망했다. 모든 것이 내 잘못이었다. 깨진 것은 내 **무릎**이었다. 누구도 아닌 **내가** 떨어졌고 내가 죽어 가고 있었으며, 사이먼은 그런 나와 함께 있었다.

로프가 조금 흘러내렸다. 내 몸도 그만큼 내려졌다. 그리고 또다시. 사이먼이 매듭을 넘겼나? 다시 내 몸이 조금 더 내려졌다. 무슨 일이지? 아, 사이먼이 끌려 내려오고 있구나. 내 무게가 그를 끌어내리고 있어. 나는 가만히 매달린 채 일이 벌어지길 기다렸다. 지금, 바로 지금 이 순간에….

조금씩 내려주자 조는 미소를 지어 보였다. 사실은 미소도 아니었다. 그의 얼굴은 고통으로 일그러져 있었다. 나는 그의 비명을 무시한 채 더 빨리 내려보냈다. 그는 곧 내 헤드램프의 불빛 밖으로 사라졌다. 그때 눈사태가 또다시 덮쳐서 로프가 보이지 않았다. 그의 존재를 나타내는 것은 허리에 느껴지는 체중뿐이었다.

나는 빠른 속도를 유지했다. 손가락이 말을 안 들어도 확보기구를 조작하는 데는 아무 문제가 없었다. 안부를 내려설 때부터 걱정했는데 손가락 상태가 심각했다. 조의 등반은 이제 끝장났다. 그러나 당장 내 손가락이 걱정이었다. 밝을 때 잠깐 본 바로는 엄지손가락 하나와 다른 네 손가락의 끝부분이 까맣게 변했는데, 나머지가 얼마나 손상되었는지는 알 수 없었다.

아래에서 희미한 외침이 들렸고 로프가 약간 당겨졌다. 불쌍한 자식! 내가 내리는 동안 얼마나 아팠을까? 냉정해져야 하는데 그게 잘 되지 않았다. 하지만 아프지 않게 내릴 수는 없었다. 이제는 전보다 수월해졌다. 우리는 아주 빠른 속도 하산했다. 효율적으로. 나는 자랑스럽기까지 했다. 우리는 호흡이 잘 맞았다. 조를 내리는 것은 그가 내 자리를 파준 덕에 생각보다 쉬웠다. 조는 정말 열심히 도왔고, 일이 착착 진행되고 있었다. 나는 조에게 자리를 파달라고 한 적이 없었으나, 그는 자진해서 자리를 파놓았다. 내가 그 일까지 해야 했다면 이렇게 빨리 내려올 수 있었을까?

손이 다시 굳어졌다. 매듭을 갈아 낄 때쯤이면 매번 그랬다. 마치 짐승의 발바닥처럼 딱딱했다. 로프는 부드럽게 빠졌다.

로프가 꼬이지 않게 조심했다. 한 손으로는 존이 매달려 있는 로프를 잡고 다른 손으로는 엉켜서 얼어붙은 로프를 푼다는 건 생각조차 할 수 없는 일이었다. 안전벨트에 걸린 힘이 강해졌다. 경사가 심해졌나? 매듭이 20미터 정도 남은 지점이었다. 나는 속도를 높였다. 조는 얼마나 아플까. 날이 밝은 상태에서는 고통스럽게 내려가는 그의 모습을 멀리서도 볼 수 있었지만, 지금은 무조건 내려가야 했다. 어둠 속에서 울부짖는 소리가 희미하게 들려왔다. 눈보라가 또다시 몰아쳤다. 눈이 가라앉으며 약간 무너지는 것을 느낀 나는 몸을 더 웅크렸다. 내 자리는 내릴 동안은 버텨줬지만 끝날 때쯤이면 무너졌다.

몸이 갑자기 앞으로 확 당겨지면서 자리에서 거의 떨어질 뻔했다. 나는 눈에 몸을 기대며 갑작스러운 압력에 대항해 다리로 겨우 버텼다. 이런, 젠장! 조가 떨어진 거야. 로프를 갑자기 멈추면 충격이 크기 때문에 로프를 살살 풀어주면서 잡았다. 무게는 줄어들지 않았다. 안전벨트가 엉덩이를 파고들었고, 다리 사이로 로프가 팽팽하게 당겨지면서 나를 자리에서 끌어내리려 했다.

30분 후에 나는 로프를 조금씩 풀었다. 조가 어디로 떨어졌는지는 모르지만 로프에서 체중을 빼내지 못하고 있었다. 엉덩이에 가해지는 압력이 혈액순환을 막자 다리가 감각을 잃어갔다. 로프를 계속 내리는 것 외에 다른 방법은 없을까? 하지만 뾰족한 수가 없었다. 조는 다시 올라오려는 시도를 하지 않았다. 뭐라도 하고 있다면 로프가 가늘게나마 떨릴 텐데 그런 기미가 전혀 안 보였다. 조를 끌어올릴 방도가 없었다. 내 자리는 벌써 반으로 줄어들고 있었다. 그곳은 내 허벅지 아래에서 조금씩 무너지고 있었다. 아, 얼마 못 견딜 텐데. 위에서 경사가 급한 곳은 15미터도 되지 않았다. 조를 조금만 내려주면 로프에서 체중을 빼낼 수 있을 것으로 판단하고 자리를 고쳐 앉았다. 달리 선택의 여지가 없었다.

로프를 계속 내려도 하중이 줄어들지 않았다. 조는 여전히 허공에 매달려 있었다. 도대체 그를 어디로 내리고 있는 거지?

확보기구를 계속 빠져나가는 로프를 쳐다봤다. 6미터 아래에서 매듭이 나를 향해 꾸준한 속도로 올라왔다. 조, 어디라도 좋으니 제발 단단한 곳에 내려서기만 해. 3미터 전에서 나는 로프를 멈췄다. 로프에 가해지는 하중은 변함이 없었다.

나는 계속 발을 디디며 자리가 무너지는 것을 막으려 했지만 잘 되지 않았다. 처음으로 두려움을 느꼈다. 뒤에서 눈이 덮치면서 내 위쪽은 물론 사방을 묻어버렸다. 허벅지가 아래로 조금씩 밀렸다. 눈사태는 나를 앞으로 밀어내면서 뒤쪽에서부터 내 자리를 채워갔다. 오, 하느님! 떨어지겠네.

그러다 갑자기 멈췄다. 나는 골똘히 생각하면서 로프를 1.5미터 더 내렸다. 한 손으로 로프를 잡고 확보기구에서 뺀 다음 매듭 뒤에 다시 끼울 수 있을까? 로프에서 한 손을 들어올려 쳐다봤다. 주먹도 쥐어지지 않았다. 로프를 허벅지에 돌려 감아 고정시킨 다음 확보기구를 안전벨트에서 빼내면 어떨까? 어리석은 생각이었다. 내 손만으로는 조의 무게를 지탱할 수 없었다. 자칫하면 로프가 45미터나 곧장 풀려 내려가 결국에는 나까지 저 아래 바닥에 내던져질 거야.

조가 허공으로 떨어진 지 거의 1시간이 지났다. 나는 추위에 떨었다. 로프를 잡는 힘이 점점 더 약해졌다. 로프가 계속 빠져나가 매듭이 오른손을 압박했다. 잡을 수도 없고 멈출 수도 없어. 오만 가지 생각이 머리를 스쳤다. 밀려 내려오는 눈과 바람과 추위는 벌써 잊어버렸다. 나는 아래로 끌려 내려가고 있었다. 앉아 있던 자리가 밑으로 내려오고 눈이 내 발을 스치고 밀려 내려왔다. 사면에 발을 세게 딛자 움직임이 멈췄다. 오, 하느님! 뭐라도 좀 해봐, 사이먼!

칼!

불쑥 칼 생각이 났다.

그래. 칼! 서둘러. 빨리 꺼내.

칼은 배낭 속에 있었다. 한 손으로 어깨에서 배낭끈을 벗어 버리는 데 한참이 걸렸다. 그다음 다른 손으로 같은 동작을 반복했다. 허벅지 위에 로프를 대고 오른손으로 가능한 한 세게 확보기구를 붙잡았다. 배낭 속을 더듬는데 밑의 눈이 무너져 내리는 것 같았다. 무서워서 정신을 차릴 수가 없었다. 배낭 속을 필사적으로 더듬거렸다. 손에 무언가 동글고 매끄러운 것이 잡혔다. 그것을 꺼내려다 빨간 플라스틱 손잡이가 장갑에서 미끄러져 하마터면 떨어뜨릴 뻔했다. 칼을 무릎 사이에 끼고 이빨로 장갑을 물어서 벗었다. 나는 이미 결정을 내렸다. 선택의 여지가 없었으니까. 이빨로 칼을 여는 순간, 금속 칼날이 입술에 쩍 달라붙었다.

로프로 손을 뻗었다가 멈췄다. 느슨한 로프! 발 주위에 엉킨 로프를 풀어야 했다. 아니면 나도 끌려 내려갈 테니까. 로프를 한쪽 옆으로 조심스럽게 치우고, 그 로프가 확보기구에서 멀리 떨어져 있는지 확인했다. 다시 손을 뻗었다. 이번엔 칼날을 로프에 댔다.

힘을 줄 필요도 없었다.

툭!

팽팽한 로프는 칼날이 닿자마자 그대로 끊어졌다. 그 바람에 나도 뒷벽에 부딪쳤다. 나는 떨고 있었다.

뒤쪽의 눈에 기대어 마음을 진정시키려 애쓰는 동안 관자놀이에서 펄떡이는 격렬한 맥박 소리가 들려왔다. 눈이 내 위로 소리를 내며 급류처럼 밀려 내려왔다. 얼굴과 가슴 위로 쏟아지는 눈이 목의 지퍼 틈으로 들어가는데도 가만히 있었다. 눈은 계속 밀려 내려왔다. 내 위로, 끊어진 로프 위로, 그리고 아래로 떨어졌을 조에게로….

나는 살아남았다. 잠시 동안은 오로지 그 생각밖에 할 수 없었다. 로프가 끊어진 뒤 오랜 고요 속에서 조가 어디에 있는지, 살았는지 죽었는지는 관심도 없었다. 그의 무게는 나로부터 떨어져 나가, 이제 나에게는 바람과 눈사태만이 남았다. 조는 사라졌다. 아, 내가 그를 죽인 걸까? 마음 한구석은 그렇게 대답하라고 재촉했으나 나는 대답하지 않았다. 아무 감정도 없었다. 몸을 꽁꽁 얼리는 추위와 마비된 침묵 속에서 충격을 받은 나는 아래에서 소용돌이치는 눈보라를 넋 놓고 바라봤다. 슬픔도 죄책감도 들지 않았다. 헤드램프의 불빛이 눈보라를 뚫고 나가는 것을 보자 텅 빈 허공이 무섭게 느껴졌다. 조를 불러보고 싶은 유혹을 받았지만 꾹 참았다. 들을 수도 없을 텐데 뭐. 추위가 등을 타고 올라와 몸이 떨렸다. 눈사태가 어둠 속에서 내 위를 또 덮쳤다. 위험할 정도로 추워지고 있었고, 눈사태는 계속되고 있었다. 폭풍설이 몰아치는 산에 홀로 남겨진 나는 아침이 될 때가지 조에 대한 생각은 잊어야 했다.

일어서서 사면 쪽으로 몸을 돌렸다. 앉아 있던 자리는 쏟아진 눈가루로 가득 차 있었다. 그것을 파내어, 다리 한쪽만 바깥으로 내놓으면 몸의 절반은 파묻혀 누울 수 있는 크기의 설동을 만들었다. 내 마음이 괴로운 논쟁 속에서 방황하며 대답할 수 없는 질문을 계속하는 동안 나는 기계적으로 계속 눈을 파냈다. 이윽고 가만히 누워서 다가올 밤을 생각했다. 그러다 다시 파냈다. 몇 분마다 혼란스러운 생각을 떨쳐내고 다시 파내다 곧 다시 생각에 잠기길 반복하면서 꽤 오랜 시간이 걸려 설동을 완성했다.

섬뜩한 밤이었다. 마치 그 사건과는 멀리 떨어져 있었던 것처럼 이미 일어난 일을 냉정하게 되돌아봤다. 그러는 나 자신이 낯설게 느껴질 정도였다. 조가 아직 살아 있을까? 그는 어디로 떨어졌을까? 우리가 상당히 많이 내려왔으니까 조가 빙하까지 짧게 떨어졌다면 살아 있을지도 몰라. 그러면 그는 지금 설동을 파고 있을 텐데. 하지만 무언가가 그런 생각을 못하게 막았고, 나는 그가 이미 죽었거나 죽어가고 있다는 절박한 느낌을 지울 수가 없었다. 나는 설동 아래의 어두운 밤을 틈타 미친 듯이 소용돌이치는 분설눈사태 속에 끔찍한 무언가가 숨겨져 있다는 것을 감지했다.

설동이 완성되자 침낭 속으로 힘겹게 들어가 입구를 배낭으로 막았다. 바람과 눈사태 소리는 더 이상 들리지 않았다. 나는 고요한 어둠 속에 누워 잠을 청했다. 그러나 꼬리에 꼬리를 무는 끝없는 생각에 사로잡혀 잠을 이룰 수 없었다. 나는 내가 한 일을 되돌아보고 모든 것을 다시 정리해 마음을 안정시키려 했다. 사실을 기억해내는 데는 성공했으나 그것이 너무나 극명하게 현실적이어서 아무 결론도 내릴 수 없게 되자, 잠시 후 그만두고 말았다. 나는 내가 한 일을 신문해, 나 자신을 기소하고 내가 틀렸다는 것을 입증하고 싶었다.

결과는 생각이 꼬리에 꼬리를 무는 것보다 더 나빴다. 나 자신은 스스로에게 만족한다고 주장했다. 그리고 내가 로프를 끊을 만큼 강하다는 사실이 실제로도 기뻤다. 다른 방법이 없었기 때문에 최후의 선택을 따른 것뿐이었다. 나는 실행에 옮겼고 그것도 아주 잘해냈다. 빌어먹을! 그렇게 하기까지 얼마나 힘들었는지! 하지만 다른 사람들은 대부분 그런 생각을 해보지도 못하고 죽어갔을 거야. 마지막 순간까지 모든 것을 제대로 했기 때문에 나는 아직 살아 있었다. 나는 차분히 실행했다. 심지어 로프가 엉켜 나까지 끌려가는 건 아닌지 확인하려고 조심스럽게 동작을 멈추기도 했다. 그래서인지 지독하게 혼란스러웠다. 나는 죄의식을 느껴야 마땅했다. 그러나 그런 마음이 안 들었다. 난 옳은 일을 한 거야. 그럼 조는 어떻게 한단 말인가….

마침내 깜빡 졸다가 몇 시간 잠에서 깨어 이런저런 생각에 뒤척이다 다시 잠이 들었다. 눈보라가 몰아치는 어두운 설동 속에서 나는 걷잡을 수 없는 생각에 빠져들었다. 내 마음이 잠을 거부해서인지, 아니면 내가 긴장과 공포로 너무 지쳐서인지 생각이 끊이지 않았다. 조는 죽었어, 조가 죽었다는 걸 알아. 이렇게 염불 외듯 똑같은 생각을 반복하다 그다음에는 이런 생각으로 이어졌다. '그'는 더 이상 '조'가 아니야. 그는 단지 내가 붙잡을 수 없을 정도로 순식간에 빠져나가 버린 '무게'일 뿐이라고.

밤이 깊어지면서 멍한 혼란에 빠지자 조에 대한 기억이 희미해졌다. 대신 갈증이 찾아왔다. 잠깐씩 잠이 깰 때마다 물을 마시고 싶다는 욕망이 머릿속을 온통 지배했다. 혀가 바짝 말라 부어오른 것 같았다. 혀가 입천장에 달라붙어, 입속으로 눈을 아무리 많이 삼켜도 갈증이 해소되지 않았다. 수분을 흡수한 지도 거의 24시간이 지났다. 지금쯤은 고도 때문에 생기는 탈수현상을 방지하기 위해서라도 최소한 물을 1.5리터는 마셔야 했다. 눈에서 물 냄새가 나자 미칠 지경이었다. 나는 탈진으로 인한 마비 상태에서 깜빡 졸다가 퍼뜩 깨어나 다시 허겁지겁 물을 찾았다.

차츰 날이 밝아왔다. 천장에 아이스액스 자국이 보였다. 밤이 끝난 것이다. 동이 터오자 내가 해야 할 일을 생각했다. 이제 어떻게 해야 하지? 내려갈 수 있을까? 혼자 내려가다니 옳지 않은 일이야. 나는 내내 그렇게 생각했었다. 이것은 나에게 어쩔 수 없이 일어나고 만 일이었다. 이제는 두렵지 않았다. 밤의 두려움은 새벽과 함께 사라졌다. 하산을 시도해볼 거야. 그러다 죽는 한이 있어도 해볼 거야. 나에게도 최소한의 존엄성은 남아 있을 테니까. 그러니까 더더욱 최선을 다해야 해. 충분하지 않을지도 모르지만 그래도 노력할 거야.

나는 신부가 엄숙하고 정성스럽게 미사를 드리듯 준비했다. 서둘러 내려갈 필요 없어. 어차피 내 인생 마지막 날이 될 테니까. 죄책감에 가득 찬 나는 마치 고대의 보편적 종교의식, 그러니까 오랫동안 계획된 의식의 일부로 느껴지도록 하루를 준비했다. 그 의식은 간밤에 나를 고문한 어두운 생각이 만들어낸 것이었다.

마지막으로 크램폰의 끈을 조이고 장갑 낀 손을 조용히 바라봤다. 정성스러운 준비가 나를 진정시켰다. 두려움이 사라지고 마음이 차분해졌다. 냉정하고 강건하게 느껴졌다. 밤의 어둠이 죄와 고통을 씻어 나를 깨끗하게 해줬다. 로프를 자른 후의 외로움도 사라졌다. 갈증도 누그러졌다. 나는 할 수 있는 한 모든 준비가 되어 있었다.

설동의 지붕을 아이스액스로 부수고 완벽한 날의 눈부신 빛 앞에 섰다. 눈사태도 바람도 없었다. 주위의 하얀 산들이 조용히 반짝이고 있었다. 빙하가 서쪽으로 완만하게 굽이지며 베이스캠프 위쪽에 있는 검은 모레인지대로 이어지고 있었다. 누군가 나를 감시하고 있는 듯한 기분이 들었다. 초승달 모양의 정상과 능선이 나를 내려다보며 기다리고 있었다. 나는 부서진 설동을 나와 내려가기 시작했다. 이제 곧 죽겠지. 나도 그것을 알고, 주위를 둘러싼 하얀 산들도 그것을 알고 있었다.

7

얼음 속의 그림자

로프에 매달린 채 고개를 들기조차 힘들었다. 이렇게 매달려 있는 것도 곧 끝나리라는 강렬한 기대와 함께 지독한 피로가 몰려왔다. 더 이상 고통 받는 일도 없겠지. 나는 어서 끝장이 나길 진심으로 바랐다.

로프가 좀 더 내려졌다. 사이먼이 얼마나 버틸까? 얼마나 더 있으면 내가 있는 곳으로 떨어질까? 얼마 안 걸리겠지. 철사같이 팽팽한 로프가 파르르 떨리는 것이 느껴졌다. 그것이 진실을 정확히 말해주고 있었다. 그래! 여기서 끝장이구나. 안됐네! 누군가 우리를 발견하고 우리가 서벽을 올랐다는 걸 알아주면 좋으련만. 흔적도 없이 사라지긴 싫었다. 그러면 어느 누구도 우리가 해냈다는 걸 모를 테니까.

바람이 나를 부드럽게 빙그르 돌렸다. 크레바스를 내려다봤다. 컸다. 너비가 적어도 6미터는 되는 듯했다. 나는 그 15미터 위쪽에 매달려 있는 것 같았다. 그것은 빙벽 기슭을 따라 뻗어 있었다. 내 밑은 눈으로 덮여 있었으나 그 오른쪽에는 시커먼 심연이 아가리를 떡 벌리고 있었다. 나는 멍하니 생각했다. 바닥도 보이지 않네. 아니, 바닥이 없을 수는 없지. 얼마나 깊이 떨어질까? 바닥까지… 바닥에 흐를 차가운 물까지? 제기랄! 그런 일은 없으면 좋으련만.

몸이 또 조금 내려졌다. 로프는 빙벽 끝을 톱질하듯 깎아 얼음 조각을 떨어뜨렸다. 어둠 속으로 이어진 로프를 응시했다. 이미 오래전에 추위가 나와의 싸움에서 이겨 팔다리에 감각이 전혀 없었다. 모든 것이 느려지고 누그러졌다. 생각은 아무 대답도 하지 못하는 쓸데없는 의문이 되었다. 나는 죽을 수밖에 없는 현실을 받아들였다. 달리 방도가 없었다. 그래도 아주 무서운 생각은 들지 않았다. 추위로 마비되어 통증도 느껴지지 않았다. 너무나 무의미한 추위에 자고만 싶었다. 결과가 어찌되든 상관하고 싶지 않았다. 꿈도 꾸지 않는 잠이 되겠지. 현실은 악몽이 되었다. 그리고 잠은 나를 끈질기게 불렀다. 검은 구멍은 그곳이 고통도 없고 죽음처럼 시간이 정지된 곳이라며 나를 유혹했다.

헤드램프 불빛이 죽었다. 추위로 배터리가 약해진 탓이다. 내 위의 검은 공간에서 별들이 보였다. 별인가, 아니면 내 마음 속의 빛인가? 눈보라가 끝났군. 별을 다시 볼 수 있어서 좋았다. 오랜 친구가 돌아오다니. 별은 아주 멀리 있는 것 같았다.

이전에 내가 봤던 것보다 훨씬 더 멀리에. 그리고 밝게 빛났다. 마치 하늘에 박힌 보석같이. 어떤 별은 떨어졌고 어떤 별은 깜빡깜빡 밝은 빛을 보내왔다.

바로 그때 내가 기다리는 일이 벌어졌다. 별들은 가버렸고 나는 떨어졌다. 로프가 살아 있는 물체처럼 얼굴에 세게 부딪치며 조용히 떨어졌다. 마치 떨어지는 꿈을 꾸듯 절대적 무無를 향해 끝없이. 나는 빨리 떨어졌다. 생각보다도 더 빨리. 속이 뒤집힐 정도로. 아무것도 느끼지 못할 정도로 확 하고 떨어졌다. 아무 생각도 들지 않았다. 두려움까지도 모두 사라졌다. 그래, 이제 죽는 거야!

엄청난 충격이 꿈을 깨우더니 눈이 나를 집어삼켰다. 뺨에 차가운 것이 느껴졌다. 나는 멈추지 않았다. 앞에 아무것도 보이지 않은 순간 나는 공포에 휩싸였다.

크레바스다!

아아아아… 안 돼!

가속도가 붙으며 점점 더 빨라졌다. 무자비할 정도로. 너무나 빨라 내 비명이 위에서 들렸다.

끔찍한 충격이 나를 정지시키자 눈에 하얀 섬광이 번쩍였다. 그 섬광은 전깃불이 터질 때처럼 소리를 내며 계속 번쩍였다. 몸에서 바람이 쑥 빠졌지만 느껴지진 않았다. 눈이 내 위로 떨어져 내렸다. 부드러운 충격이 이어졌고, 먼 곳에서 육체를 분리시키는 방식으로 나에게 상처를 입히는 소리가 들렸다. 머릿속에서 무언가가 고동치더니 사라지면서 섬광이 갖아 들었다. 헤아릴 수 없는 시간 동안 나는 충격에 망연자실했다. 무슨 일이 일어났는지 거의 의식하지 못한 채 멍하니 누워 있었다. 꿈결처럼 시간이 느리게 흘렀다. 마치 질량이 없는 듯 아무런 지지도 없이 공중에 떠서 움직이지 않았다. 나는 입을 벌린 채 감았다고 생각한 눈으로 어둠을 바라보며 여전히 누워 있었다. 몸 안에서 고동치는 모든 메시지와 온갖 감정을 느꼈으나 꼼짝할 수 없었다.

숨을 쉴 수 없었다. 속이 메스꺼웠다. 그러나 아무것도 올라오지 않았다. 다만 가슴을 억누르는 통증이 있었다. 다시 메스꺼워지고 구역질이 났다. 공기를 들이마시려고 애썼다. 해변에서 조약돌이 단조롭게 구르는 소리가 들려왔다. 기분이 편안해졌다. 눈을 감으니 의식이 가물가물 꺼지려 했다. 가슴이 경련을 일으키다 부풀어 올랐다. 찬 공기가 들어오자 머릿속에서 아우성치던 소리가 갑자기 사라졌다.

나는 살아 있었다.

타는 듯한 통증이 다리에서 올라왔다. 다리는 밑에 깔려 구부러져 있었다. 통증이 커지자 살아 있다는 것이 실감났다. 젠장! 죽을 수도 없네. 통증이 계속되었다. 나는 웃었다. 나는 살아 있었다. 이런 씨팔! 또 웃었다. 정말 행복하게 웃었다. 통증 속에서도 웃고 웃었다. 눈물이 얼굴로 흘러내릴 정도로. 도대체 뭐가 그렇게 재미있는지 알 수 없었으나 어쨌든 웃었다. 내 안에서 어떤 것이 기지개를 켜자 낄낄대며 울고 웃었다. 팽팽하게 꼬인 어떤 것이 내 의도와는 달리 스스로 웃더니 나를 떠났다.

그러다 웃음이 갑자기 사라졌다. 가슴이 바싹 조여지면서 긴장이 나를 다시 사로잡았다.

어떻게 멈췄지?

아무것도 보이지 않았다. 나는 이상하게 구부러져 옆으로 누워 있었다. 팔을 조심스레 휘저어봤다. 단단한 벽이 만져졌다. 얼음! 크레바스의 벽이었다. 계속 더듬거리자 팔이 갑자기 허공으로 떨어졌다. 내 바로 옆은 낭떠러지였다. 나는 그곳으로부터 멀어지고 싶은 욕망을 꾹 참았다. 뒤쪽의 내 다리는 사면에 걸쳐 있었다. 그 사면 역시 내 밑에서 가파르게 기울어져 있었다. 나는 테라스나, 아니면 크레바스에 걸쳐 있는 스노브리지 위에 있었다. 미끄러지진 않았지만 어느 쪽으로 움직여야 안전한지 알 수 없었다. 나는 얼굴을 눈에 묻고 혼란스러운 생각을 하나의 계획으로 끌어모으려 노력했다. 이제 어떻게 해야 하지?

그냥 가만히 있어. 그게 다야… **움직이지 마**… 아!

가만히 있을 수 없었다. 무릎 통증이 나를 잡아 흔들면서 움직이라고 채근했다. 나는 무릎 위에서 체중을 빼내야 했다. 조금 움직이니 몸이 살짝 미끄러졌다. 모든 근육이 눈 위로 집중되었다. **움직이지 마.**

움직임이 느려지다 이내 멈췄다. 너무 오랫동안 숨을 참았던 탓에 헐떡거리며 숨을 들이마셔야 했다. 팔을 다시 뻗어보니 단단한 빙벽이 만져졌다. 안전벨트에서 가는 슬링을 더듬어 아이스해머를 잡아당겼다. 허공 속에 대롱거리며 매달려 있던 해머가 내 앞으로 당겨져 올라왔다. 나는 테라스에서 떨어지지 않고 빙벽에 아이스스크루를 박아야만 했다.

작업은 생각보다 어려웠다. 안전벨트에 달려 있던 마지막 스크루를 찾아낸 다음 몸을 비틀어 빙벽과 마주했다. 눈은 이제 어둠에 적응해 있었다. 내가 떨어진 구멍으로 반짝이는 별빛과 은은한 달빛을 통해 심연을 어렴풋이 볼 수 있었다. 회색으로 그림자 진 빙벽과 빛이 들어가기엔 너무 깊은 시커먼 심연을 분간할 수 있었다. 얼음에 스크루를 박기 시작하면서 어깨 너머의 심연을 무시하려 애썼다. 해머를 두드리자 저 밑 깊은 곳, 어깨 너머의 심연에서 메아리가 두세 번 울려 퍼졌다. 나는 몸서리쳤다. 시커먼 심연은 무언의 공포를 숨기고 있었다. 스크루를 한 번씩 칠 때마다 몸이 옆으로 조금씩 밀려났다. 스크루가 다 박히자 그 고리에 카라비너를 걸고 허리에 연결된 로프를 허둥지둥 찾았다. 심연은 나를 위협하는 듯했고, 배 속의 빈창자를 쥐어짜듯 옭아매는 것 같았다.

나는 몸을 끌어올려 왼편의 낭떠러지를 마주하며 반쯤 앉은 자세로 벽에 가까이 붙었다. 다리가 눈 위에서 자꾸만 미끄러져 벽 쪽으로 몸을 추슬러 올려야 했다. 스크루를 잡은 손을 다만 몇 초라도 놓는다는 것은 감히 엄두도 낼 수 없었으나, 손가락으로 매듭을 만들려면 그 이상의 시간이 필요했다. 매듭이 엉망이 될 때마다 갖은 욕을 퍼부으며 반복해서 시도했다. 어두워서 로프가 잘 보이지 않았다. 보통 때는 눈을 감고도 곧잘 만들었으나 지금은 손가락이 얼어서 잘 되지 않았다. 손가락의 감각이 없어서 로프를 이리저리 돌려 넣고 빼면서 매듭을 만들 수가 없었다. 여섯 번을 시도했는데도 실패하자 눈물이 날 지경이었다. 로프를 손에서 떨어뜨렸다. 로프를 잡으려다 낭떠러지 쪽으로 미끄러지면서 소스라치게 놀라 스크루가 박혀 있는 뒷벽으로 몸을 끌어당겼다. 그러다 장갑 낀 손이 벽에서 미끄러지는 바람에 균형을 잃고 다시 뒤로 넘어졌다. 빙벽을 허우적거리자 손에 스크루가 잡혔다. 스크루를 손으로 움켜잡으니 미끄러지기를 멈췄다. 나는 내 밑의 시커먼 심연을 내려다보며 미동도 하지 않았다.

다시 몇 번을 시도하자 우연히 매듭 비슷한 것이 만들어졌다. 나는 매듭을 얼굴에 가까이 대고 크레바스 구멍을 통해 들어오는 희미한 빛에 비춰 봤다. 매듭으로 부풀어 오른 부분이 보였고, 그 위에 내가 그토록 바라던 고리가 만들어져 있었다. 기뻤다. 나는 바보같이 웃으며 고리를 스크루에 걸린 카라비너에 끼웠다. 이제는 시커먼 심연으로부터 안전했다.

팽팽하게 당겨주는 로프에 몸을 맡기고 크레바스의 작은 구멍을 쳐다봤다. 그 구멍으로 보이는 밤하늘은 구름 한 점 없이 별들로 가득 차 있었다. 달빛이 별들의 반짝임을 더해주는 것 같았다. 심장이 터질 것 같은 긴장은 풀렸다. 그러자 몇 시간 만에 처음으로 생각을 차분하게 가다듬을 마음의 여유가 생겼다. 나는 크레바스 속 15미터쯤에 있었다. 여기서 사이먼을 기다리면 내일 아침에는 나갈 수 있을까?

"사이먼!?"

떨리는 목소리로 그의 이름을 크게 불러봤다. 메아리가 울려 퍼졌다. 그가 죽었을지도 모른다는 생각은 들지 않았다. 하지만 그때까지 일어난 일을 더듬어보다 잔인한 결과에 이르렀을 수 있다는 생각에 화들짝 놀랐다. 죽었다고? 그가 죽었다는 게 납득이 되지 않았다. 여기서 죽다니. 안 돼. 내가 살고 그가 죽다니…. 크레바스의 차가운 정적이 나를 덮쳤다. 무덤 같은 곳, 아무도 와본 적 없는 곳, 생명도 없이 냉혹하고 비인간적인 공간. 사이먼이 죽었어? 그럴 순 없어! 사이먼의 소리가 들리며 빙벽 너머로 보일 것 같았다. 그는 이제 로프를 타고 내가 있는 곳으로 내려올 거야.

다시 낄낄거리기 시작했다. 참을 수 없었다. 메아리가 빙벽에 부딪쳐 울리면서 미치광이의 소리같이 나에게 되돌아왔다. 웃었는지 울었는지 분간이 안 갈 정도였다. 어둠 속에서 되돌아오는 이상한 소음은 사람의 소리가 아닌 것 같았다. 나는 다시 낄낄 웃다가 귀를 기울이고, 또 낄낄 웃기를 반복했다. 잠깐 동안 사이먼도 크레바스도 심지어 내 다리의 상태까지도 잊었다. 나는 빙벽에 기대어 앉아 발작적으로 웃고 몸을 떨었다. 추웠다. 내 의식의 일부가 추위를 인식했다. 머릿속에선 차분하고 이성적인 목소리가 그것이 추위와 충격이라고 알려줬다. 그 목소리가 무슨 일이 일어났는지 나에게 알려주는 동안 의식의 나머지는 조용히 미쳐가고 있었다. 나는 마치 둘로 쪼개진 것 같았다. 한쪽은 웃고, 다른 쪽은 감정도 없이 객관적으로 관찰하는. 잠시 후 그런 생각이 멈추자 나는 다시 하나가 되었다. 덜덜 몸을 떠니 체온이 약간 회복되면서 추락의 아드레날린이 사라졌다.

배낭 속에 있는 여분의 배터리를 꺼내 헤드램프에 넣고 불을 켠 다음 옆의 시커먼 심연을 들여다봤다. 밝은 불빛이 어둠을 가르며 반짝이는 빙벽을 비췄다. 그 벽은 불빛이 닿을 수 없는 깊이로 춤을 추며 아래로 연결되어 있었다. 얼음에 닿은 빛이 파란색과 은색과 녹색으로 반사되었고, 그 얼음에 일정한 간격으로 작은 돌멩이가 박혀 있는 것이 보였다. 조개껍질 모양으로 움푹 들어간 곳을 비추자 물에 젖은 듯 번들거렸다. 나는 긴장한 나머지 침을 꿀꺽 삼켰다. 불빛으로 30미터 아래까지 내려다볼 수 있었다. 6미터 정도로 벌어진 양쪽 벽면은 좁아질 기미가 보이지 않았다. 헤드램프 불빛 밑으로 다시 수십 미터의 심연이 숨어 있을 거라고 짐작할 수 있을 뿐이었다. 건너편 벽은 부서진 얼음덩어리들이 서로 엉키며 위로 뻗어 올라 15미터쯤에서 아치를 그리며 천장으로 변했다. 오른쪽 벽은 10미터 정도 가파른 경사를 이룬 뒤 심연 속으로 사라졌다.

불빛 너머의 어둠이 신경을 자극했다. 그곳에 무엇이 숨어 있는지 상상할 수 있었다. 두려웠다. 꼼짝없이 덫에 갇힌 것 같았다. 벽에 어떤 틈이라도 있는지 재빨리 둘러봤다. 아무것도 없었다. 불빛은 단단하고 반질반질한 벽에 반사되거나 아니면 시커먼 심연에 삼켜졌다. 크레바스의 입구 오른쪽은 눈으로 덮여 있었고, 왼쪽은 들쭉날쭉한 얼음조각들에 가려 입구가 다 보이지도 않았다. 나는 눈과 얼음으로 된 거대한 동굴 속에 갇힌 셈이었다. 다만 깜빡거리는 별빛을 나에게 보내고 있는 위쪽의 작은 구멍만이 다른 세계의 모습을 보여주고 있었다. 그 세계는 내가 얼음을 기어올라 빠져나가지 않으면 하늘의 별만큼이나 닿을 수 없는 곳이었다.

배터리를 아끼기 위해 헤드램프를 껐다. 어둠이 더욱 무겁게 느껴졌다. 내가 떨어져 있는 곳이 어디인지 알았는데도 불안한 마음이 가시지 않았다. 나는 혼자였다. 고요한 공간과 별들로 가득 차 있는 검은 구멍은 탈출하고 싶다는 내 생각을 비웃었다. 사이먼 생각뿐이었다. 그만이 유일한 희망이었다. 나는 사이먼이 죽지 않았다는 확신이 들었고, 그도 내가 살아 있다고 믿을 것 같았다. 그의 이름을 최대한 크게 불렀지만 소리는 내 쪽으로 되돌아와서 아래의 어두운 심연 속으로 점점 작아지는 메아리를 남기며 사라졌다. 내 소리가 눈과 얼음을 뚫고 그에게 들릴까? 천장의 구멍은 15미터 위에 있었다. 사이먼은 내려오다 오버행 빙벽과 아가리를 떡 벌린 크레바스를 볼 것이고, 그러면 내가 죽었다는 것을 대번에 알아차릴 것이다. 그는 이렇게 멀리 떨어져서는 살아남을 수 없을 거라고 생각할 것이다. 나라도 마찬가지일 것이다. 30미터 높이에서 떨어져 다치지 않고 살아난다는 것은 상상조차 할 수 없는 일이니까.

나는 심한 욕을 내뱉었다. 어둠의 메아리는 내 몸부림을 헛된 짓으로 만들었다. 그러나 또 욕을 했다. 크레바스 속이 상스럽고 성난 욕으로 가득 찰 때까지 욕을 했다. 목이 잠길 때까지 절망과 분노 속에서 소리를 질렀다. 그리고 마침내 더 이상 소리를 지를 수 없게 되었다. 사방이 조용해지자 앞으로 어떻게 될지 생각해봤다. 사이먼이 크레바스 속을 들여다본다면 나를 발견할지도 몰라. 내 목소리를 들을 수 있을지도 모르고. 그가 내 목소리를 듣기만 한다면 그냥 가버리진 않을 텐데…. 하지만 사이먼이 죽지 않았다는 것을 어떻게 알지? 사이먼도 나와 함께 떨어졌을까? 아, 그렇지. 로프를 당겨보자!

나는 늘어진 로프를 잡아당겼다. 로프는 저항 없이 움직였다. 헤드램프를 켜고 살펴보니 크레바스 천장의 구멍에 느슨하게 반원을 그리며 로프가 걸쳐 있는 것이 보였다. 다시 당기자 눈이 툭툭 떨어졌다. 로프를 더 당겼다. 그럴수록 흥분되었다. 탈출할 수 있는 기회였다. 나는 로프가 팽팽해지길 기다렸고, 그렇게 되길 바랐다. 사이먼의 시체 무게가 걸리길 바라다니 기분이 이상했다. 하지만 빠져나갈 방법은 그것뿐이었다. 사이면이 사면을 따라 휩쓸렸다면 분명 크레바스 바깥쪽으로 떨어졌을 것이다. 그러면 사면에 부딪혀 정지되었을 것이다. 그렇게 추락하면 죽을 수밖에 없다. 로프가 팽팽해지면 나는 푸르지크로 올라갈 수 있다. 그의 시체가 단단한 앵커 역할을 해줄 테니까. 그래, 그러면 되는 거야….

그러나 로프는 가볍게 떨어져 내렸고, 그와 동시에 내 희망도 떨어져 내렸다. 나는 늘어진 로프를 끌어당겨 해어진 끝을 살펴봤다. 아, 로프 끝이 잘려 있었다! 눈을 뗄 수 없었다. 흰색과 분홍색의 속심이 잘린 로프 끝에서 삐져나와 너덜거리고 있었다. 어떻게 이럴 수가! 그 사실을 믿다니 미친 짓이었지만 모든 게 그렇게 되어가고 있었다. 나는 여기서 나가지 못하게 되어 있었다. 씨팔! 여기까지 왜 왔지? 사이먼은 나를 능선마루에 버리고 가버렸어야 했어. 그랬다면 생고생도 하지 않았을 것 아냐? 이 모든 일을 겪었는데, 이렇게 죽게 될 줄이야. 왜 그토록 발버둥을 쳤지?

나는 헤드램프를 끄고 어둠 속에서 감정이 격해진 채 조용히 흐느껴 울었다. 그렇게 울자 사이사이에 어린아이 같은 소리가 내 아래로 사라지는 것이 들렸다. 그러면 또다시 울었다.

잠에서 깨어나자 추웠다. 긴 공허에서 서서히 빠져나오며 나는 내가 어디에 있는지 감을 잡지 못해 어리둥절했다. 나도 모르게 잠이 들었고 다시 깜짝 놀라 깬 것이다. 추위가 나를 깨웠다. 좋은 조짐이었다. 나를 쉽게 데려갈 수 있으니까. 나는 차분해졌다. 크레바스 속에서 끝장이 날 것 같았다. 내 인생이 이런 식으로 끝나리라는 것은 언제나 알고 있었다. 이제 조용히 받아들일 수 있다는 사실이 기뻤다. 너무 많이 울었고 소리도 질러봤으나 순순히 받아들이는 것이 좋을 것 같았다. 이런 식의 트라우마는 없었다. 사이먼이 나를 죽도록 내버려둘 것이라는 확신이 들었다. 그래도 별로 놀랍지 않았다. 그러면 일이 더 쉬울 테니까. 하지만 걱정거리가 하나 생겼다. 죽는 데 며칠이 걸릴지 모른다는 생각이 들었다. 적어도 사흘은 걸릴 것 같았다. 크레바스가 피난처 역할을 할 것이고, 침낭 속에 들어가면 며칠은 살 수 있으니까. 얼마나 길게 느껴질까? 여명과 어둠과 희미한 의식의 잠 사이에서 방황하는 길고 긴 시간. 아마 그 시간의 후반은 꿈도 없는 잠 속에서 생명이 조용히 빠져나갈 테지. 나는 최후를 곰곰이 생각해봤다. 그것은 내가 여태 상상해온 방식이 아니었다. 죽음은 꽤나 음울한 모습이었다. 빛나는 영광과 함께 오리라고 생각하진 않았지만, 이렇게 천천히 무의 세계로 사라져버리리라고 생각하지도 않았다. 그렇게 되기는 싫었다.

나는 앉아서 헤드램프를 다시 켰다. 스크루 위의 빙벽을 바라보며 올라가는 것이 가능할지 모른다는 생각이 들었다. 마음속 깊은 곳에선 불가능하다는 걸 알았지만, 떨어진다면 적어도 속도는 빠를 거라고 단정 짓고 가느다란 희망을 자꾸 충동질했다. 그러나 시커먼 심연을 보자 결심이 흔들렸다. 크레바스의 테라스가 갑자기 절망적으로 위태로워 보였다. 나는 스크루 위의 로프에 푸르지크 매듭을 했다. 스크루에 로프를 연결한 채 빙벽등반으로 올라갈 작정이었다. 로프가 느슨하면 매듭을 풀 수 있을 테고, 만약 떨어지면 그 매듭이 나를 잡아줄 터였다. 갑작스러운 충격에 매듭이 풀어질 수도 있지만 겁이 나서 로프를 쓰지 않고는 올라갈 수 없었다.

1시간 뒤 시도를 포기했다. 수직의 빙벽을 등반해서 올라가려고 네 번이나 시도했지만 딱 한 번 얼음 테라스에서 양발을 떼고 빙벽에 달라붙을 수 있었다. 양손의 아이스액스와 해머를 내 위로 찍고 몸을 끌어올렸다. 왼발의 크램폰으로 빙벽을 딛고 일어섰다. 아이스액스를 조금 위로 휘둘러 박기도 전에 크램폰의 앞발톱이 빠져버리자 다른 손의 해머에 힘겹게 매달리게 되었다. 그러나 그마저도 빠져버려 얼음 테라스로 다시 떨어지면서 다친 다리가 몸 밑에 깔렸다. 나는 고통스럽게 비명을 지르며 몸을 비틀어 다리를 빼냈다. 그리고 가만히 누워 고통이 가라앉길 기다렸다. 젠장, 두 번 다시 안 해!

나는 배낭에 앉아 헤드램프를 끄고, 스크루에 다시 묶은 로프에 쓰러지듯 기댔다. 다리가 어렴풋이 보였다. 조금 지나서야 나는 다리를 볼 수 있다는 것이 중요하다는 사실을 깨달았다. 위에서 비치는 희미한 빛을 보고 시간을 확인했다. 새벽 5시. 1시간만 있으면 완전히 훤해질 터였다. 그러면 사이먼이 내려올지도 몰라. 나는 어둠 속에서 7시간이나 있었다. 그전까진 빛이 없다는 것이 얼마나 절망적인지 깨닫지 못했다. 사이먼의 이름을 크게 불렀다. 내 주위로 메아리가 들려왔다. 나는 그가 들을 때까지, 혹은 그가 가버린 것이 확실할 때까지 계속 불렀다.

한참 후에 소리치는 것을 멈췄다. 사이먼은 가버렸어. 나는 그가 돌아오리란 것도 돌아오지 않으리란 것도 알았다. 나는 죽었다. 따라서 그가 돌아올 이유가 전혀 없었다. 벙어리장갑과 속장갑을 벗고 손가락을 살펴봤다. 한 손에 두 손가락씩 까맣게 변해 있었고, 한쪽 엄지손가락이 퍼레져 있었다. 주먹을 세게 쥐어봤다. 생각보다 그렇게 나쁘진 않았다. 천장의 구멍을 통해 햇살이 쏟아져 들어왔다. 내 왼쪽의 시커먼 심연을 들여다봤다. 좀 더 깊이 들여다봤으나 양쪽 벽이 서로 좁아지는 기미는 없었다. 한참 더 멀리까지 검은 그림자였다. 오른쪽 벽은 내가 어젯밤에 본 심연을 향해 경사져 있었다. 그 오른쪽 멀리서 햇살이 크레바스의 검은 벽을 비추고 있었다.

로프의 잘린 끝을 만지작거리며 어떻게 해야 할지 망설였다. 이곳에서 하룻밤을 더 보낼 자신이 없었다. 하지만 나에게 남은 단 하나의 방법을 생각하자 겁이 나서 움찔하고 말았다. 그런 선택을 할 자신이 없었다. 그러나 결정을 내리지도 않았는데 나는 어느덧 로프를 둥그렇게 사리고 있었다. 로프를 오른쪽 아래로 던졌다. 로프가 심연으로 날아가 펴지면서 어둠 속으로 사라졌고, 곧 그 무게가 느껴졌다. 나는 로프에 하강기를 걸고 안전벨트에 연결했다.

빙벽에 박힌 스크루를 보면서 망설였다. 빠지진 않겠지? 스크루 바로 밑에는 끝내 쓰지 못한 푸르지크 슬링이 매달려 있었다. 슬링을 가지고 가야 하지 않을까? 로프 끝까지 내려갔는데도 여전히 텅 비어 있다면, 슬링 없이는 이곳으로 다시 올라올 수 없으니까. 나는 로프에 매달려 조금씩 내려가면서 두고 가는 푸르지크 슬링이 점점 작아지는 것을 바라봤다. 밑에 아무것도 없다면 다시 돌아오고 싶지 않았다.

8

무언의 목격자

내려가기 시작하자 두려움이 몰려들었다. 날씨는 전날 밤에 마구 날뛰던 것과는 대조적으로, 불안할 정도로 고요했다. 눈사태가 쏟아질 것으로 예상했으나 아무런 움직임도 없었다. 눈을 날리는 바람 한 점 없었고, 내 발에 채는 눈도 그저 조용히 미끄러져 떨어질 뿐이었다. 산은 마치 또 다른 죽음을 기다리며 숨죽이고 있는 것 같았다. 조는 죽었다. 사방이 고요한 것을 보니 틀림없었다. 산은 나도 데려갈까?

햇볕이 내리쬐니 따뜻했다. 벽은 거대한 그릇이 된 듯 태양의 섬광을 받아들이고 있었고, 수백 미터 위의 눈은 그 열기에 반짝거렸다. 어제 우리는 그곳에 있었지만, 우리가 지나온 흔적은 부드럽게 물결치는 모양만 남긴 채 깨끗이 지워졌을 터였다. 입안이 바싹 말라 불쾌한 냄새가 났다. 의심할 여지없이 탈수증이었다. 속이 쓰렸다. 내 위로 솟은 산을 쳐다봤다.

산은 텅 비어 있었다. 올라가고 건너가고 내려오고…. 쓸데없는 짓이었다. 어리석은 짓이었다. 산은 완벽해 보였다. 너무나 깨끗했다. 우리가 바꿔놓은 것은 하나도 없었다. 산은 아름답고 흠잡을 데 없었다. 그래서 더 허탈했다. 산에 너무 오래 있었나? 그래서 내 모든 것을 빼앗아갔나?

로프를 타고 조심스럽게 계속 내려갔다. 더 빨리 내려갈 수도 있었으나 그래 봐야 별 의미가 없어 보였다. 바람도 불지 않는 고요가 나를 에워쌌다. 하얀 산으로 둘러싸인 발아래의 빙하도 조용했다. 얼음이 무너지는 소리나 빙하가 갈라지는 소리도 들리지 않았다. 나는 이상한 고요에 압도된 채 계속 내려갔고, 고요의 아우라가 나를 기다리고 있다는 것을 느꼈다. 그래도 할 수 없었다. 나는 하강을 조용히 그리고 위엄 있게 하고 싶었다. 하지만 조심스럽게 후퇴하는 동안 위협을 받고 있다는 느낌이 점점 더 커졌다.

눈덩어리들이 빠르게 떨어졌다. 마침내 빙벽 끝에 섰다. 30미터쯤 되는 그 아래를 내려다봤다. 그리고 빙하 위에 생명체의 흔적이 있는지 찾아봤다. 아무것도 없었다. 설동을 판 흔적도. 조가 내려간 곳이 이곳인데…. 오, 하느님, 왜 하필 이런 곳을! 우리는 전혀 알지 못했다. 밤새도록 품은 무서운 의구심은 사실이었다. 조는 죽었다.

충격을 받은 나는 그대로 서서 빙하를 뚫어지게 내려다봤다. 최악의 경우를 두려워하지 않은 것은 아니었지만, 이런 것을 발견하게 될 줄은 전혀 몰랐다. 작은 빙벽, 혹은 암벽까지는 상상했으나 이렇게 가파른 빙벽은 아니었다. 나는 벽을 올려다보며 우리가 똑바로 내려온 길을 그려봤다. 속은 기분이 들었다. 어떻게든 목숨을 구하려고 택한 길이 사고를 일으키다니! 순조롭게 내려오던 때 느낀 엄청난 흥분이 떠올랐다. 그때는 우리가 탈출하고 있다는 사실이 자랑스러웠다. 모든 것이 잘되어가고 있었다. 그러나 조가 고통을 참고, 열심히 자리를 파고, 사력을 다해 노력했음에도 결국은 이곳에서의 피할 수 없는 사고를 향해 달려온 셈이었다. 애초의 생각대로 대각선을 그리며 왼쪽으로 내려왔다면 우리는 이 빙벽을 피할 수도 있었다. 그때는 이곳에 빙벽이 있다는 것을 전혀 눈치채지 못했다.

빙벽에서 눈을 돌려 위에 있는 봉우리를 멍하니 쳐다봤다. 그 봉우리가 너무나 잔인하게 느껴졌다. 무언가 고의적이고 지루하며 사악한 힘 같은 것이 운명을 바꿔놓은 듯했다. 어제 종일토록 쏟아부은 노력과 눈보라가 몰아친 밤의 혼란이 헛수고였단 말인가! 이리로 내려설 수 있다고 믿은 우리는 얼마나 어리석었는가! 단지 로프를 자르기 위해 그토록 발버둥 쳤다니…. 나는 웃었다. 짧고 씁쓸한 그 웃음소리가 고요 속에서 더욱 크게 울렸다. 웃기는군. 신물이 날 정도로 웃겼지만 바보 멍청이는 나였다. 병신 같은 놈!

빙벽 끝을 따라 옆으로 이동했다. 운명일 수밖에 없었다는 생각은 사라졌다. 대신 분노가 그 자리를 차지했다. 그와 함께 원한 같은 것이 치솟아 올라 무기력을 몰아냈다. 체념도 사라졌다. 쇠잔하고 기진맥진했으나 살아 있는 채로 산을 내려가고야 말겠다는 각오가 섰다. 이제는 더 이상 산에 끌려다니지 않을 거야.

때때로 빙벽 아래를 내려다봤다. 오른쪽으로 계속 가자 높이가 낮아졌다. 그러나 사면은 여전히 경사가 급하고 위험했다. 빙벽이 마침내 사면과 만나는 지점에 이르자 단단한 얼음이 부드러운 눈으로 바뀌면서 이따금 부서진 바위가 튀어나와 있었다. 나는 천천히 대각선으로 내려갔다. 등반이 기술적으로 몹시 까다로워 더욱 집중하자 이전의 감정이 어느새 사라졌다.

15미터를 내려오자 얼어붙은 바위가 나왔다. 걸음을 옮겨 걸어갈 때마다 점점 더 어려웠다. 70도 경사의 깨지기 쉬운 빙벽에 크램폰 앞발톱으로 섰다. 가까이서 살펴보니 내가 서 있는 곳은 얼음 위로 삐져나온 작은 바위기둥이었다. 밑을 힐끗 내려다봤다. 얼음 층이 급격히 얇아지면서 회색 그림자가 비치는 것으로 미루어 바위를 덮고 있는 얼음은 두께가 고작 2~3센티미터밖에 안 되는 것 같았다. 나는 바위틈에 피톤을 박고 확보를 했다.

로프를 조작하자니 어색했다. 로프는 눈보라에 여전히 얼어 있었고, 무감각해진 손가락은 매듭을 만들라는 명령을 거부했다. 마침내 로프를 통과시켜 아래로 던졌다. 그러자 경사가 심한 부분을 지나 45미터 밑의 완만한 사면에 닿았다. 나는 로프에 하강기를 끼고 피톤에 걸었던 확보를 푼 다음 얼음이 덮인 바위를 조심스레 내려갔다.

로프를 타고 내려가자 빙벽이 점차 모습을 드러냈다. 그것은 거대한 돔 형상의 벽에서 내 왼쪽으로 펼쳐져 있었다. 그 꼭대기에서 전날 저녁 우리의 로프가 깊게 파놓은 자국이 보였다. 그곳이 빙벽의 제일 꼭대기였다. 빙벽은 오버행이었다. 그리고 아래로 내려갈수록 경사가 더욱 심해져, 내가 그 빙벽의 오른쪽 끝에 있는데도 마치 내 위에 걸려 있는 것 같았다. 나는 놀라서 쳐다봤다. 거대했다. 아, 왜 이런 것을 미리 발견하지 못했지? 처음에 서벽으로 접근할 때 바로 그 밑의 빙하를 건너갔었는데….

반쯤 내려오자 아래쪽에 크레바스가 보였다. 나는 하강기를 꽉 붙잡아 로프가 더 이상 빠지지 않게 하고 그 자리에 멈췄다. 빙벽 밑의 깊이를 알 수 없는 시커먼 심연을 뚫어지게 쳐다보자 공포에 몸서리가 쳐졌다. 아, 조가 저리로 빠졌구나! 무서웠다. 괴물같이 검은 아가리를 벌리고 있는 곳으로 떨어져 들어간다는 생각에 나도 모르게 로프를 꽉 붙잡았다. 그리고 눈을 감고 팽팽한 로프에 이마를 댔다.

길고도 지루하게 느껴진 시간 동안 죄의식과 두려움이 몰려들었다. 내가 마치 바로 그 순간에 로프를 끊은 것 같았다.

조의 이마에 총을 들이대고 쏜 셈이었다. 눈을 다시 떴을 때 차마 크레바스를 다시 내려다볼 수 없어서 바위가 드러난 내 앞의 얼음을 절망적으로 쳐다봤다. 나는 거의 다 내려왔기 때문에 안전한 생환을 확신할 수 있는 상황이었으나 우리가 겪은 모든 것의 충격에서 벗어나지 못하고 있었다. 따뜻하고 평화로운 태양 아래에서 돌이켜보는 지난밤의 사건이 너무나 멀게만 느껴져서 그 일이 이렇게 끔찍했다는 것이 믿기지 않았다. 모든 것이 이제는 너무나 많이 변해 있었다. 여전히 안 좋은 상황에 처해 있다면 얼마나 좋을까? 그럼 최소한 무언가와 싸우고 있었을 테고, 나의 생환과 그의 죽음을 정당화할 이유라도 되었을 텐데…. 그런데 지금 저 아래 시커먼 크레바스는 나를 계속 비난하고 있었다.

이토록 비참하게 혼자였던 적은 없었다. 나는 승자가 될 수 없었다. 지난밤 설동에서 어쩔 수 없이 유죄판결을 받은 것 같은 기분을 느낀 이유가 이제야 이해되었다. 로프를 자르지 않았다면 나는 물론 죽었을 것이다. 빙벽을 보니, 거기서 떨어져선 살아날 가능성이 전혀 없었다. 하지만 나는 살아났기 때문에 집으로 돌아갈 수 있는데, 이 이야기를 하면 과연 누가 믿을까? 아무도 로프를 자르지 않아. 그것은 아주 나쁜 짓이야. 왜 이렇게 하지 않았어? 왜 저렇게 해보지 않았어? … 질문들이 내 귀에 들려오고, 내 이야기를 믿어주던 사람들의 눈에서조차 의심의 기미가 보이기 시작하는 것 같았다. 기이하고 잔인한 눈빛. 조의 다리가 부러진 순간부터 나는 패자 쪽에 선 셈이었다. 어느 누구도 그것을 바꿀 수 없었다.

더 아래로 내려갔다. 그리고 크레바스 속을 살펴보며 어떤 생명의 징후라도 있는지 필사적으로 찾으면서 그런 쓸데없는 생각을 떨쳐버리려 했다. 가까이 갈수록 크레바스가 더 넓어졌다. 그리고 깊이가 눈에 익자 더 깊어 보였다. 계속 들여다봤지만, 한 발짝씩 내려가자 나의 짧은 희망도 점점 사라졌다. 저렇게 깊은 곳으로 떨어져선 아무도 살아날 수 없어. 혹시 조가 살아 있다 하더라도 내가 할 수 있는 일이 없잖아? 이곳은 물론이고 베이스캠프에도 저렇게 깊은 크레바스로 내려갈 만큼 긴 로프는 없었다. 또한 나에겐 그럴 만한 힘도 없었다. 크레바스 속으로 내려가 봐야 희망도 없는 헛된 짓일 뿐이었다. 나는 그런 위험을 감수할 자신이 더 이상 없었다. 그동안 충분히 죽을 뻔했잖아?

"조!"

그의 이름을 큰 소리로 불렀다. 그러나 그 소리는 시커먼 심연 속에서 메아리치며 내 보잘것없는 노력을 비웃었다.

크레바스는 너무나 크고 진실은 너무나 적나라했다. 나는 조가 살아 있다고 믿으려는 노력조차 해볼 수 없었다. 모든 상황은 그가 죽었다고 말하고 있었고, 내가 하는 모든 노력은 단지 양심에서 비롯된 자기위안에 지나지 않는 것 같았다. 하지만 나는 다시 그 무시무시한 구멍을 들여다보며 소리쳤다. 메아리가 들려왔다. 그리고 그 뒤에 이어진 완벽한 고요는 내가 이미 알고 있는 사실을 다시 한번 확인시켜줬다.

발이 눈에 닿았다. 로프 하강이 끝났다. 아래는 완만한 사면이 빙하에 연결되어 있었다. 60미터만 더 내려가면 빙하에 안전하게 내려설 수 있었다. 다시 몸을 돌려 빙벽을 쳐다봤다. 나는 그 오른쪽 끝에, 크레바스의 바깥쪽 가장자리에서 약간 아래에 있었다. 내가 한 일에 대한 무언의 목격자인 로프 자국이 여전히 빙벽 꼭대기에 남아 있었다. 고운 눈가루가 하얀 구름마냥 빙벽 꼭대기에서 떨어져 내렸다. 나는 그 눈가루가 하늘거리며 부드럽게 떨어지는 모습을 멍하니 바라봤다. 이곳은 늙지도 않고 생명도 없고 시간도 흘러가지 않는 곳이다. 눈과 얼음과 바위가 서서히 움직이며, 얼고 녹고 부서지면서 아주 긴긴 세월에 걸쳐 변해간다. 이런 곳에 맞서 싸우는 것이 얼마나 어리석은 짓인가? 왼쪽 먼 곳은 눈이 크레바스를 덮고 있었다. 조가 저리로 떨어졌군. 눈이 안 덮여 있더라도 아래까지 들여다볼 수는 없겠지만, 최소한 그 눈은 조의 시체를 감춰주고 있었다.

돌아가서 한 번만 더 볼까? 아냐. 그래 봐야 소용없어. 나는 몸을 돌렸다. 이제는 사실을 직시해야 할 시간이었다. 하루 종일 시체나 찾으며 이곳에 있을 수는 없으니까. 나는 빙하를 향해 휑한 기분으로 걸어 내려갔다.

평편한 곳에서 배낭을 눈에 내려놓고 그 위에 앉아 부츠만 쳐다봤다. 산은 돌아다보고 싶지도 않았다. 안도감이 나를 감쌌다. 나는 해냈어! 나는 그곳에 앉아 산을, 그리고 우리가 그 위에서 보낸 며칠을 생각했다. 6일이 아니라 마치 1년을 보낸 것 같았다. 하얀 산으로 둘러싸인 빙하는 태양의 용광로였다. 그 빙하는 사방에서 열을 흡수한 다음 나에게 초점을 맞춰 반사했다. 나는 재킷과 덧바지와 모자를 아무 생각 없이 벗었다. 이제는 자동적으로 움직였다. 올라가고 내려가는 것이 깊게 생각할 필요도 없이 저절로 이뤄졌다. 마치 의식적인 노력도 없이 빙하로 갑자기 옮겨진 것처럼. 그 전날의 사건은 흐릿한 감정과 충격적인 생각 속으로 이미 희미해졌다. 그제야 나는 얼마나 지쳤는지 깨달았다. 지난 24시간 동안 아무것도 마시지 못하고 먹지도 못한 영향이 나타나고 있었다. 이제는 거대한 벽에서 하나의 작은 부분에 지나지 않는 그 빙벽을 돌아보고 나서 저곳에 영원히 돌아갈 수 없었으리라 생각했다. 베이스캠프까지 갈 수 있을지도 의문이었다. 조를 구조하려면 며칠을 먹고 쉬면서 체력을 회복해야만 할 것 같았다. 하느님의 뜻일 거야. 조, 너는 어쨌든 죽었어! 나는 먼 빙벽에 대고 소리쳤다. 그가 심각한 부상을 입은 채 살아 있을지 모른다는 생각이 들자 소름이 돋았다. 그를 도우려면 그를 떠나야 하지만, 그것이 도움이 될 것 같지 않았다. 내가 체력을 회복해 돌아와도 그는 이미 얼음 속에서 절대적 고독의 죽음을 맞이한 뒤일 테니까.

"그래, 이게 최선의 길이야." 나는 중얼거렸다.

나는 시울라 그란데를 등지고 빙하의 부드러운 눈 위를 터벅터벅 걸어갔다. 내 뒤에 있을 거대한 존재가 느껴져서 뒤를 돌아 시울라 그란데를 다시 쳐다봤다. 하지만 이내 고개를 숙이고 빙하 끝의 크레바스에 도달할 때까지 발아래로 시선을 고정한 채 계속 걸어갔다. 빙하가 모레인을 향해 휘어져 내려가는 동안 얼음이 뒤틀리고 갈라져 수백 개의 평행 크레바스가 만들어져 있었다. 어떤 곳은 눈에 잘 띄어 피할 수 있었으나 대부분은 눈으로 덮여 있었다. 완만한 사면 아래에는 언제나 위험이 숨어 있었다. 로프가 없는 나는 발가벗긴 채 무방비로 노출되었다는 느낌이 들었다.

이른 아침의 편집증이 복수심과 함께 돌아왔다. 태양의 열기로 인한 아지랑이와 갈증 속에서, 올라온 길을 생각해낼 수 없었다. 나는 이 크레바스와 저 크레바스를 미친 듯이 바라보며 패닉의 첫 번째 감정에 휩싸였다. 저 크레바스의 위로 갔나, 아니면 아래로 갔나? 아래쪽의 저것인가? 기억해낼 수가 없었다. 기억하려고 애쓰면 애쓸수록 더 깊은 혼란에 빠졌고, 마침내 어느 쪽으로 가야 하는지도 모른 채 무섭게 굽이진 길을 이리저리 짜 맞추며 내려갔다. 나는 단지 내 주변의 눈과 얼음만을 생각했다. 정처 없이 사면을 횡단하기도 하고, 지그재그로 올라가다 다시 내려오기도 했다. 언제 발밑의 눈이 꺼져 시커먼 심연이 입을 벌릴지도 모를 일이었다.

모레인에 도착한 나는 바위에 고꾸라져 배낭을 베고 누웠다. 뜨거운 햇볕을 얼굴에 느끼자 크레바스에 대한 공포도 녹아버렸다.

심한 갈증으로 결국 일어나고 말았다. 나는 베이스캠프 위 호수로 이어지는 넓은 강바닥을 향해 비틀비틀 걸어갔다. 베이스캠프까진 대략 7킬로미터에 2시간 정도 거리였다. 그리고 그 중간쯤에 눈 녹은 물이 커다란 화강암 바위를 타고 흘러내리는 곳이 있었다. 그것이 내가 원하는 전부였다. 주위에서 온통 물 냄새가 났다. 발밑의 바위 사이로 물이 뚝뚝 떨어지고 벌어진 틈 깊숙이 물이 쫄쫄거리며 흐르는 소리를 들을 수 있었으나, 아직은 내가 닿을 수 없는 곳이었다.

몇 걸음 더 가서 시울라 그란데를 마지막으로 보기 위해 돌아섰다. 대부분이 보였으나 고맙게도 아래쪽은 곡선을 이룬 빙하에 가려 감춰져 있었다. 빙벽도 보이지 않았다. 조는 저기 어딘가 눈 속에 묻혀 있겠지. 그러나 죄책감은 더 이상 들지 않았다. 내가 다시 이런 상황에 처한다 해도 같은 방식으로 대응할 거라는 확신이 들었다. 그렇지만 내면에선 아련한 아픔과 커져가는 상실감과 슬픈 감정 같은 것이 느껴졌다. 무엇인가 잃어버린 듯하고 애석한 기분에 휩싸여 모레인 한가운데 서 있는 나, 이것이 바로 이번 등반의 결과였다. 돌아서서 출발하기 전에 마음속으로 조용히 작별인사를 할 작정이었는데, 끝내는 그러지 못했다. 그는 영원히 가버렸다. 빙하의 꾸준한 이동은 언젠가 그를 계곡으로 데리고 내려가겠지만, 그때쯤엔 그에 대한 기억이 무심한 단편에 지나지 않을 터였다. 나는 벌써 조를 잊기 시작했다.

커다란 바위와 모레인의 미로를 비틀비틀 걷다 뒤를 돌아봤다. 시울라 그란데는 이제 더 이상 보이지 않았다. 발은 자꾸만 돌멩이에 걸리고 마음은 고통과 슬픔을 아무렇게나 앞서갔다. 갈증이 너무나 심했다. 입안이 바싹 말라붙었다. 침이라도 삼키려 했으나 침이 나오지 않았다. 다리는 무겁고 힘이 너무 없어 바위 사이에서 자꾸만 넘어졌다. 발밑의 돌이 갑자기 굴러도 몸이 넘어지는 것을 막을 힘이 없었다. 아이스액스로 몸을 안정시켰고, 때로는 팔을 뻗어 균형을 잡았다. 손가락이 날카로운 바위에 긁혀도 감각이 없었다. 햇볕을 쬐어도 손가락의 감각은 돌아오지 않았고, 여전히 마비된 채로 차가웠다. 1시간 뒤 커다란 바위에서 물이 반짝거리며 흘러내리는 것이 보였다. 그러자 갑자기 힘이 솟아 발걸음이 빨라졌다.

그 바위 아래 움푹 파인 곳에 도착했으나 그곳에는 내 갈증을 달래줄 만큼 물이 흐르지 않았다. 그곳에 물이 더 고이도록 돌멩이로 조심스럽게 막았다. 물은 감질나도록 느리게 고였다. 나는 바위에 쪼그리고 앉아 모래투성이의 물을 한 모금 마시고 기다리고, 또 한 모금 마시고 기다리길 반복했다. 물은 끝없이 마실 수 있을 것 같았다. 그때 위에서 갑자기 달가닥거리며 주먹만 한 돌들이 내 옆의 모레인지대로 떨어졌다. 나는 물이 고이는 곳으로 돌아가기 전에 잠시 망설였다. 올라갈 때도 여기서 쉬며 물을 마셨었다. 그때도 돌이 떨어졌었는데…. 그때는 놀라면서도 낄낄거리며 옆으로 재빨리 피했었다. 조는 이곳을 '폭탄통로'라고 이름 붙였다. 낮이 되어 더워지면 바위 위에 얼어붙어 있던 작은 돌들이 녹아 간간이 떨어지는 것이다.

입안에 낀 모래를 뱉어내며 배낭을 깔고 앉았다. 물렁한 진흙과 자갈 바닥 위로 발자국들이 찍혀 있었다. 우리가 산으로 올라갔다는 유일한 흔적이었다. 오래 쉬기에는 쓸쓸한 장소였다. 거대한 모레인지대에서 내가 쉬었던 기억이 나는 장소는 이곳뿐이었다. 우리는 6일 전에도 이곳에서 쉬었었다. 그때의 흥분과 긴장한 육체의 느낌은 이제 허망한 추억이 되어버렸다. 아래쪽에 호수를 숨기고 있는 모레인을 힐끔 쳐다봤다. 이렇게 쓸쓸한 시간도 이제는 얼마 남지 않았어. 1시간이면 베이스캠프에 도착할 것이고, 그러면 모든 것이 끝나겠지?

나는 호수를 향해 출발했다. 물을 마셔서 그런지 팔과 다리에 새로 힘이 났다. 리처드를 만나면 뭐라고 하지? 그는 어떻게 된 일인지 분명 알고 싶어 하겠지? 누구나 다 그럴 거야. 그에게 말하고 싶지 않았다. 그에게 사실을 말하면 영국에 돌아가서도 똑같은 말을 해야 할 테니까. 내가 추측할 수 있는 것은 필연적으로 직면하게 될 비난과 불신이었다. 그것은 견딜 수 없는 것이었고, 부딪칠 필요도 없는 것이었다. 어떻게 해야 하지? 마음속에서 노여움과 죄의식이 충돌했다. 하지만 어찌되었든 내가 한 일은 정당했다. 마음속 깊은 곳에서부터 나는 아무것도 부끄러워할 것이 없었다. 사실을 말하지 않는다고 그것이 그렇게 나쁜 일이야? 불필요한 고통과 고뇌를 피할 수 있잖아.

내가 로프를 잘랐다고 왜 말해? 그런 말을 안 하면 사람들은 절대로 모를 텐데. 그런다고 뭐가 달라지나? 조는 빙하를 내려오다 크레바스에 빠졌다고 하자. 그래! 우리는 로프를 서로 묶지 않은 채 내려오던 중이었다고. 그것이 어리석은 일인지는 알아. 하지만 빌어먹을, 많은 사람이 그렇게 죽었잖아! 조는 죽었어. 그가 어떻게 죽었는지는 중요하지 않아. 나는 그를 죽이지 않았어. 내가 이렇게 살아서 내려온 것은 운이 좋았기 때문이야. 왜 일을 어렵게 만들어? 사실대로 말해선 안 돼. 씨팔, 나도 지금 나 자신이 로프를 잘랐다는 사실을 거의 못 믿을 지경이잖아…. 그들도 분명 안 믿을 거야.

호수에 도착했을 때 나는 사실을 말하는 것은 어리석은 짓이라고 확신했다. 사실을 말하면 비탄에 빠질 뿐이리라. 나는 호수에서 물을 더 마시고 캠프를 향해 더욱 천천히 걸어갔다. 내 마음은 내가 말해야 할 것을 계속 일러주고 있었다. 그것은 이치에 맞고 분별이 있었다. 나는 이성을 저버릴 수 없었다.

두 번째 작은 호수 끝을 지나 모레인의 마지막 언덕을 기어오르니 베이스캠프의 텐트 두 동이 보였다. 먹고 싶고 마시고 싶은 욕망과 동상 치료에 대한 기대로 선인장이 덮인 언덕을 황급히 내려갔다. 캠프를 앞에 두고 마지막 작은 언덕을 기어 올라가자 리처드가 천천히 걸어오는 것이 보였다. 작은 배낭을 멘 그는 땅을 보고 걷느라 구부정한 자세였다. 내가 내려오는 소리를 듣지 못했나? 나는 그의 갑작스러운 출현에 놀라 걸음을 멈추고는 그가 다가오길 기다렸다. 그를 조용히 기다리는 동안 엄청난 피로가 몰려왔다. 다 끝났다는 안도감이 나를 더 심한 탈진으로 몰아넣었다. 눈물이 나올 것 같았지만 눈은 바싹 말라 있었다.

리처드가 길목에 서서 나를 올려다봤다. 걱정스러워하던 그의 표정이 놀라움으로 바뀌었다. 그리고 활짝 웃었다. 서둘러 다가오는 그의 눈이 기쁨으로 빛났다.

"사이먼, 반가워. 걱정했단 말이야."

어떻게 대꾸해야 할지 떠오르지 않아 그냥 멍하니 그를 쳐다봤다. 그는 어리둥절한 표정을 짓더니 조가 어디 있는지 찾았다. 내 얼굴 표정이 이상했나? 아니면, 안 좋은 일을 예상하고 있었나?

"조는?"

"죽었어."

"뭐라고?"

나는 고개를 끄덕였다. 우리는 아무 말도 하지 않았다. 서로를 쳐다보지도 않았다. 나는 배낭을 내려놓고, 마치 다시는 일어설 수 없을 것처럼 느끼며 그 위에 털썩 주저앉았다.

"몸 상태가 너무 안 좋아 보여!"

나는 대답하지 않았다. 대신 그에게 무슨 말을 해야 할지 고민했다. 거짓말을 하겠다는 각본은 그럴듯했으나 말할 힘이 없었다. 나는 까맣게 변한 손가락을 무기력하게 쳐다봤다.

"이거 먹어." 리처드가 나에게 초콜릿 바를 건네줬다.

"스토브도 가져왔어. 차를 끓일게. 어떻게 된 일인지 궁금해서 올라가는 중이었어. 저 위 어딘가에 다쳐서 누워 있는 줄 알았지. 조가 떨어졌어? 어떻게?"

"그래, 떨어졌어." 나는 단호하게 말했다. "내가 할 수 있는 일이 아무것도 없었어."

리처드는 초조하다는 듯 말을 많이 했다. 내가 적응할 시간이 필요하다고 느끼고 있는 것 같았다. 그는 가지고 올라온 차를 끓이며 먹을 것을 넘겨주고 의약품 통을 뒤져 약을 건네줬다. 나는 그냥 말없이 받았다. 리처드가 여기까지만 온 것에 불현듯 깊은 애정과 고마움을 느꼈다. 만약 더 위쪽까지 올라왔다면 크레바스에 빠져 목숨을 잃을 수도 있었기 때문이다. 그런 위험을 알고는 있었을까? 리처드가 고개를 들었을 때 그와 눈이 마주쳤다. 우리는 서로 미소를 지었다.

언덕 위에 앉아 있으니 따뜻했다. 무엇을 하고 있는지 미처 깨달을 새도 없이 나는 그에게 사실대로 말하고 있었다. 꾸며댈 수가 없었다. 그는 나에게 한 번도 묻지 않았고 내가 하는 말에 놀란 표정을 짓지도 않았다. 그는 내가 겪은 모든 일을 조용히 듣기만 했다. 나는 그에게 사실을 말할 수 있어서 기뻤다. 그렇게 하지 않았다면 고통을 덜 받았을지도 모른다. 하지만 그에게 말하면서 나는 우리가 몸부림치며 노력했던 일들, 반드시 들려줘야만 했던 일들이 훨씬 더 많다는 것을 깨달았다. 눈보라 속에서의 구조와 탈출, 우리가 함께 힘을 합쳐 노력한 일들, 살아서 내려오던 투쟁. 조가 살려고 그토록 처절하게 노력했기에, 로프도 묶지 않고 빙하 위를 걷다가 죽었다고는 차마 말할 수 없었다. 나는 부당한 거짓말로 그를 욕되게 할 수 없었다. 내가 그를 죽였다는 죄책감이 거짓말을 하지 못하도록 만들었다. 이야기를 끝마치자 리처드가 나를 쳐다봤다.

"무슨 끔찍한 일이 벌어졌을 거라곤 생각했어. 어쨌든 너라도 무사히 내려와서 다행이야."

리처드는 남은 식량을 정리한 다음 내 배낭에 집어넣고, 배낭 두 개를 어깨에 걸머멨다. 우리는 말없이 텐트로 내려갔다.

그날의 나머지 시간은 나른한 아지랑이 속에 지나갔다. 나는 장비를 말리려고 주위에 아무렇게나 널어놓은 다음 텐트 밖 햇볕 아래에 기진맥진 누웠다. 우리는 조에 대해 더 이상 이야기하지 않았다. 리처드는 뜨거운 음식을 만들고 차를 계속 끓여대느라 바빴다. 그러고는 내 옆에 앉아 자신이 오랫동안 기다려온 날들에 대해 말했다. '우리에게 무슨 재앙이 닥쳤구나' 하는 생각이 점차 굳어지자 그는 더 이상 불안을 견디지 못하고 우리를 찾아 나선 참이었다. 6~7시간 동안 나는 햇볕 아래에서 졸고 먹는 것 외에는 아무것도 하지 않았다. 캠프에서의 호사스러운 생활에 적응하기가 어려웠다. 그러나 기력이 천천히 돌아오고 몸이 저절로 회복되는 것을 느끼며 반쯤 잠이 든 상태로 계속 누워 있었다.

초저녁이 되자 동쪽에서 구름이 몰려들어 소나기가 쏟아지더니 천둥도 쳤다. 나는 그때까지 들어가기 싫었던 돔 텐트 안으로 들어갔다. 리처드는 자기 텐트에서 침낭을 옮겨다 놓고 입구에 앉아 가스스토브 두 개로 또 음식을 만들기 시작했다. 식사를 마칠 때쯤 되자 비가 눈으로 바뀌었고 강풍이 텐트를 흔들었다. 밤은 몹시 추웠다.

우리는 폭풍소리를 들으며 침낭에 들어가 나란히 누웠다. 양초 불빛이 텐트 천 색깔에 따라 다양하게 바뀌었다. 조의 물건은 텐트 구석에 아무렇게나 밀쳐져 있었다. 나는 전날 밤의 눈보라가 생각나 몸을 부르르 떨었다. 그때의 장면이 잠들 때까지 남았다. 저 위는 얼마나 추울까? 눈사태가 쏟아져 빙벽 밑의 크레바스를 채우고 있을 테지. 조를 묻어버리면서…. 몹시 지친 나는 꿈도 꾸지 않고 깊은 잠에 빠져들었다.

9

황금빛 구멍

깊은 심연으로 미끄러지듯 떨어지는 눈이 바스락 소리를 냈다. 나는 점점 더 작아지는 아이스스크루를 올려다봤다. 추락을 멈춰준 얼음 테라스가 튀어나온 모습이 분명하게 보였다. 그 뒤로 입을 벌린 크레바스의 동굴이 그림자 속으로 희미해졌다. 나는 로프를 부드럽게 잡고 하강기를 통해 일정한 속도로 풀어줬다.

로프 하강을 멈추고 싶은 욕망을 참을 수 없었다. 밑에 뭐가 있는지는 알 수 없었으나 확실한 사실은 두 가지였다. 사이먼은 가버렸고 다시는 돌아오지 않을 것이다. 그러니까 내가 얼음 테라스에 있어 봤자 거기서 최후를 맞을 수밖에 없다는 말이었다. 위로는 탈출할 방도가 없었고 반대쪽인 아래로는 얼른 끝장을 내고픈 유혹 외에 아무것도 없었다. 나는 자살의 유혹을 느꼈지만 지독한 절망 속에서도 그럴 용기가 나지 않았다. 얼음 테라스에 있다간 머지않아 추위와 탈진에 굴복하고 말 것이고, 이렇게 오래 화가 난 상태로 혼자 기다려야 한다고 생각하니 길을 찾을 때까지 로프를 타고 내려가거나, 아니면 내려가다 죽는 길을 택하는 게 낫겠다는 생각이 들었다. 죽음이 나에게 다가오는 것을 기다리느니 차라리 죽음을 맞으러 가는 것이다. 이제 돌아갈 수는 없었다. 하지만 마음속에선 그만하라는 외침이 들려왔다.

밑에 무엇이 있는지 감히 쳐다보지 못했다. 또 다른 깊은 심연이 기다리고 있는 것을 마주할 엄두가 나지 않았다. 그것을 보면 곧장 멈추게 될 것 같았다. 그런 다음에는? 얼음 테라스로 올라갈 수 없어 로프에 매달려 있으려고 필사적으로 발버둥 칠 것이고, 로프에 오래 매달려 있으려고 미친 듯이 기를 쓸 것이고… 안 돼! 아래를 내려다볼 수는 없어. 나는 그렇게 용감하지 못해. 사실 내려오기 시작하면서부터 나를 억누르는 공포를 막느라 죽을 지경이었다. 하지만 달리 방도가 없었다. 나는 얼음 테라스 위에서 결정을 내렸고 그대로 실행하는 중이었다. 여기서 내 인생이 끝날 바에야 갑작스럽게 끝내고 싶었다. 그래서 나는 스크루에 시선을 고정시켰다.

경사가 더 심해졌다. 스크루에서 15미터쯤 내려왔을 때 갑자기 다리가 심연을 허우적거리자 본능적으로 로프를 움켜잡았다. 얼음 테라스에서 내려다보이던 시커먼 심연이었다. 나는 얼음 테라스를 쳐다보며 로프를 다시 풀어주기 시작했다. 전에도 이런 감정을 느낀 적이 있었다. 높은 다이빙대 끝에 서서 저 아래의 풀장을 내려다보며 뛰어내려도 괜찮다고 나 자신과 정신적인 싸움을 벌였었다. 그러다 심장이 터질 듯 도약해 뛰어내린 다음 물속으로 안전하게 들어가면 웃음을 터뜨리곤 했었다. 로프가 끝날 때까지 내려갔는데 매듭이 없어 하강기가 쑥 빠져버리면 심연으로 떨어지고 만다는 생각에 언 손으로 로프를 더욱 단단히 붙잡았다. 마침내 나는 로프를 다시 풀어주면서 오래된 기억을 되살렸다. 내가 풀장 옆으로 떨어지거나, 뛰어내리자마자 물이 없어질지도 모른다는…. 하지만 이번엔 아래에 풀장이 있을지 어떨지도 확실치 않았다.

조금 더 내려가다 로프에 대롱대롱 매달렸다. 빙벽은 깨끗하고 단단했다. 스크루는 이제 더 이상 보이지 않았다. 점점 더 내려가자 빛이 사그라져 공포의 파도가 밀려왔다. 나는 하강을 멈췄다.

울고 싶었으나 눈물이 나오지 않았다. 당황하자 아무 생각도 나지 않고 몸이 마비되었다. 잘 모르는 어떤 일, 지독하게 무서운 그런 일을 예상하던 고통이 이제는 없어졌다. 속수무책이 된 나는 한동안 헬멧 쓴 머리를 빙벽에 대고 눈을 꼭 감은 채 떨면서 매달렸다. 그토록 강하게 다짐했는데도 아래에 무엇이 있는지 내려다보고 싶었다. 확실히 그것은 나를 더 이상 두렵게 만들지 않았다. 내 위로 팽팽해진 로프를 쳐다봤다. 로프는 빙벽을 따라 올라가다 사면 위로 사라졌다. 6미터 위의 그 사면으로 다시 올라갈 가능성은 없었다. 어깨 옆의 빙벽을 봤다. 그곳은 3미터 정도로 솟아 있었다. 나는 얼음으로 만들어진 굴뚝 속에 매달려 있는 셈이었다. 몸을 돌려 아래를 내려다봐야겠다고 굳게 마음먹었다. 몸을 재빨리 돌렸다. 무릎이 빙벽에 세게 부딪쳐 지독한 고통에 울부짖었다. 로프가 심연 속으로 길게 늘어진 광경을 보리라는 예상과 달리 발아래는 눈이 쌓여 있었다. 두 눈을 믿을 수 없었다. 바닥이야! 내 5미터 아래는 눈이 덮인 넓은 바닥이었다. 텅 빈 공간도 시커먼 심연도 아니었다. 나는 살짝 욕을 내뱉었다. 그러자 주위 벽에 부딪혀 속삭이는 듯한 소리로 들려왔다. 나는 크레바스 속이 쾅쾅 울릴 정도로 기쁨과 안도의 소리를 질렀다. 그 메아리를 들으며 환호성을 지르고 또 질렀다. 그리고 고함소리 사이사이에 크게 웃었다. 어느덧 나는 크레바스의 바닥에 있었다.

정신을 차리고 나서는 발밑의 눈 바닥을 더욱 조심스럽게 둘러봤다. 바닥에서 몇 개의 위협적인 검은 구멍을 발견하자 환희는 곧장 식었다. 그곳은 바닥이 아니었다. 보통 크레바스는 둥근 항아리 모양을 이루는데, 그 측면이 내 앞에서 15미터 정도의 너비로 벌어졌다가 다시 좁아진 것이다. 바닥은 크레바스의 아래를 옆으로 자르듯 놓여 있었다. 크레바스는 위로 갈수록 점점 좁아져 30미터 높이의 끝부분은 너비가 3미터밖에 되지 않았다. 바삭바삭한 눈 조각들이 천장에서 후드득 떨어졌다.

나는 위쪽의 좁아지는 눈과 얼음의 천장을 올려다보면서 그 형태와 크기를 눈에 익혔다. 맞은편 벽은 굽어지고 있었으나 서로 만나지는 않았다. 틈이 좁은 부분이 위에서 떨어진 눈으로 채워져 천장까지 원추형의 눈 기둥을 형성하고 있었다. 그 밑동은 대략 5미터였으나 위로 올라가며 2미터 정도로 좁아져 있었다.

천장에 난 조그만 구멍에서 황금빛 햇살이 들어와 크레바스 속의 깊은 벽에 밝은 반사광을 흩뿌렸다. 진정한 바깥세상에서 둥근 천장을 통해 타오르듯 들어오는 그 햇빛은 무척 매혹적이었다. 그 모습이 너무나 아름다워 나는 아래가 불안정하다는 것도 잊은 채 로프를 마저 풀며 내려갔다. 그 햇빛에 닿아보고 싶었다. 나는 내 기대를 절대적으로 확신했다. 어떻게 할 것인지, 언제 닿을 것인지는 생각하지 않았다.

기분이 순식간에 바뀌었다. 피곤하고 무서웠던 간밤의 일들을 잊어버리면서 로프를 타고 내려올 때 느낀 밀실공포증까지 사라졌다. 이 멋진 곳의 부자연스러운 고요 속에서 보낸 절망적인 12시간이 무슨 악몽을 꾼 것같이 갑자기 아무것도 아닌 듯 여겨졌다. 이제 무언가 긍정적인 일을 할 수 있었다. 기어서라도 올라갈 수 있었다. 그렇게라도 계속하면 이 얼음의 무덤 속에서 탈출할 수 있을 것 같았다. 바로 얼마 전까지만 해도, 나는 얼음 테라스 위에 누워 두려워하거나 외로워하지 않으려고 노력하는 일 외에는 아무것도 할 수 없었다. 그때는 무기력이 가장 큰 적이었다. 하지만 이제 나에겐 희망이 생겼다.

변신은 놀라웠다. 기운이 솟고 낙관적이며 상쾌했다. 위험한 곳이 있을 수도 있었다. 그러나 이제는 내 모든 희망을 깨뜨릴 정도로 심각한 위험지대가 어디라는 것을 알아차릴 수 있게 되었다. 그리고 그것을 어떻게든 극복할 수 있으리라는 자신감도 생겼다. 탈출할 수 있는 마지막 단 한 번의 기회, 축복받은 기회가 주어진 것 같았다. 나는 그것을 몸에 남은 온 힘을 동원해 움켜잡고 있었다. 강한 자신감과 자부심이 스쳐 지나갔다. 그 얼음 테라스에서 내려오길 너무 잘했어. 최악의 두려움에 맞서 올바른 결정을 내렸고 그것을 해냈잖아. 이제는 그 테라스에서 괴로워하며 지낸 시간보다 더한 순간은 오지 않을 거야.

부츠가 눈에 닿아 하강을 멈췄다. 나는 조금 위에서 로프에 매달려 바닥을 조심스레 살펴봤다. 눈은 가루처럼 부드러워 보였다. 하지만 바로 그 점이 의심스러웠다. 바닥의 눈과 크레바스의 벽이 만나는 가장자리를 살펴보니, 아니나 다를까 몇 군데 검은 틈이 있었다. 그곳은 크레바스의 제일 밑바닥이 아니고 중간에서 깊은 심연을 둘로 나누는 다리에 지나지 않았다. 햇빛이 들어오는 사면은 12미터쯤 떨어진 곳에 있었다. 내가 있는 곳에서 그 사면이 시작되는 곳까지 이어진 양탄자 같은 바닥이 나에게 뛰어서 건너라고 유혹했다. 그 생각에 웃음이 나왔다. 하지만 나는 내 오른쪽 다리가 쓸모없는 상태라는 것을 깜빡하고 있었다. 좋아, 그럼 기어서 건너가지 뭐. 그런데 어느 쪽으로? 똑바로 가로질러서? 아니면 검은 벽 쪽으로 가까이 붙어서?

어려운 결정이었다. 발이 닿자마자 부서지기 쉬운 바닥이 받을 충격이 걱정되었다. 가장 두려운 것은 바닥이 부서진 후 건널 수 없는 간격을 두고 오도가도 못 하게 되는 것이었다. 그럼 어떻게 하지? 용기를 얻으려고 햇빛을 한 번 바라보고 나서 바로 마음을 정했다. 가운데로 지나가자! 그곳이 가장 짧으면서도 가장자리보다 덜 위험한 것 같았다. 나는 몸을 살짝 낮춰 눈 위에 앉았다. 체중의 대부분은 여전히 로프에 걸린 채였다. 조금씩 로프를 풀어주며 체중을 점차 바닥으로 내리자니 무척 고민스러웠다. 호흡이 저절로 멎고 근육이 긴장되었다. 바닥이 조금 움직이는 것이 감지되었다. 이러다 전체가 가라앉는 건 아닐까? 로프를 약간 놓자 바닥이 버텼다. 나는 숨을 깊이 들이마시고 로프를 아프도록 꽉 붙잡고 있던 손을 완전히 놓았다.

잠시 가만히 앉아 있었다. 그러면서 깊은 심연 위에 살짝 놓인, 부서지기 쉬운 한 장의 얇은 눈 위에서 균형을 잡아야 하는 위태롭기 짝이 없는 분위기에 익숙해지려고 노력했다. 하지만 이것은 익숙해질 수 없는 상황이어서, 사면을 향해 건너는 것밖에는 달리 선택의 여지가 없다는 사실을 뒤늦게 깨달았다. 12미터를 내려온 터라 나머지 10미터 정도 여분의 로프를 안전벨트에 묶었다. 그런 다음 엎드린 채 살금살금 기어서 그 원추형 눈 기둥의 사면을 향해 움직이기 시작했고, 그쪽이 가까워질수록 불안이 누그러졌다. 가끔씩 들리는 둔탁한 소리는 눈이 부서져 심연의 바닥으로 떨어지고 있다는 것을 말해줬다. 소리가 조금만 들려도 숨을 멈추고 가만히 있었는데, 그러면 심장이 쿵쿵거리는 소리가 더 크게 들렸다. 반쯤 가자 이제 바닥의 검은 구멍이 전부 내 뒤에 있었다. 나는 어느새 두껍고 튼튼한 눈 위를 지나가고 있었다.

10분쯤 후 나는 천장의 황금빛을 향해 솟아 있는 사면에 털썩 기대고 누웠다. 로프는 위의 얼음 테라스에서부터 급경사의 벽과 그 아래 수직의 벽을 지나 커브를 그리며 걸려 있었다. 아래에 이렇게 바닥이 있는 줄 알았더라면 훨씬 덜 비통했을 텐데…. 위의 얼음 테라스에서 계속 기다렸다면 어떻게 되었을까? 몸이 덜덜 떨렸다. 아마 광란과 추위의 날들이 며칠이고 이어졌을 것이다. 그렇게 며칠을 애타는 절망 속에서 보낸 후 결국은 탈진해 의식을 잃고 떨어져 최후를 마쳤겠지.

사면을 올려다봤다. 잠시 동안 내가 저 위의 햇빛에 도달할 수 있다고 나 자신을 속이고 있는 것은 아닌가 하는 생각이 들었다. 높고 가팔랐다. 로프를 몸에 묶으면 기어서는 올라갈 수 있을 것 같았다. 그러다 떨어지면 허공에서 빙벽에 부딪힌 다음 대롱대롱 매달리게 될 것 같았다. 로프를 묶지 않고 올라가는 것도 생각해봤다. 그럼, 고맙게도 최후는 순식간이겠지? 그 생각은 버렸다. 나는 로프가 필요했다.

가벼운 산들바람이 크레바스 속으로 불어와 뺨에 스쳤다. 크레바스 아래 어디선가 죽음같이 차가운 바람이 올라왔다. 이곳 크레바스는 청회색의 그림자와 주위의 빙벽에서 하늘거리며 반사되는 빛이 합쳐져 이상한 기운이 감돌았다. 빙벽에 박힌 돌들이 축축한 반투명 얼음에서 확연히 드러났다. 나는 사면 아래에서 크레바스의 이런 풍경을 바라보며 오랫동안 쉬었다. 크레바스는 은밀하고 차갑고 위협적인 분위기에도 불구하고 신성한 느낌이 들었다. 웅장한 아치형 수정 천장, 무수한 돌들이 박혀 반짝이는 벽면, 천장을 가리는 얼음 테라스 옆으로 어리는 어두운 그림자. 비록 위협은 상상 속에 있었지만 수세기에 걸친 비인간적 인내로 희생자를 기다려온 그것이 마음속에서 날뛰는 것을 막을 수가 없었다. 나는 먹이가 되었다. 만약 햇빛이 없었다면 나는 그 무자비한 고요에 마비된 채 쓰러져 그곳에 앉아 있었을 것이다. 으스스했다. 공기는 아주 차가웠다. 바깥에서 불어온 바람에 눈가루가 천장의 구멍을 통해 흩뿌려져 햇빛에 떠다니는 것을 넋 놓고 바라봤다. 이제 올라갈 시간이었다.

다친 다리는 덜렁거리도록 놔두고 왼쪽 다리로 조심스럽게 일어섰다. 밤사이에 많이 뻣뻣해져서인지 그 다리가 이제는 많이 짧아 보였다. 40미터 정도 되는 사면을 어떻게 올라가야 할지 막막했다. 두 다리가 멀쩡하면 10분이면 되는 높이였다. 45도 경사의 초반부는 올라갈 자신이 있었으나 갈수록 경사가 심해졌다. 마지막 6미터는 거의 수직으로 보였는데 내가 사면을 똑바로 올려다보고 있어 착시현상 같기도 했다. 그곳은 65도쯤이라고 판정을 내렸으나 용기가 나지 않았다. 부상을 당하지 않았더라도 푸석 눈이라 무척 힘들 것 같았다. 그래도 운이 좋아서 이 사면을 발견한 것이라고 자위하며 비관적인 생각을 억눌렀다.

처음엔 서툴렀다. 아이스액스를 눈에 깊이 박고 몸을 끌어올렸다. 경사가 심한 위에서는 이것도 잘 되지 않을 텐데…. 정말 위험한 방식이었다. 아이스액스가 빠지면? 무릎이 고통스럽게 욱신거리자 탈출이 아직도 멀었다는 생각이 들었다.

기본 동작! 사이먼과 안부로 이동한 방법을 기억해냈다. 그것도 벌써 오래전의 일이었다. 맞아, 그 방법이 있었지! 패턴을 기억해서 그 방법을 활용하자. 다친 다리를 성한 다리와 나란히 놓으려고 올리려니 무릎이 삐거덕거리며 잘 구부려지지 않았다. 나는 신음소리를 내며 다친 다리를 15센티미터 정도 아래에 놓았다. 구부려서 눈 위에 디딜 곳을 파려니 고통이 밀려왔다. 그곳을 가능하면 많이 다지고 그 밑에 조그만 자리를 하나 더 팠다. 그 작업을 끝내고 양손의 아이스액스를 위쪽에 박았다. 그리고 이를 악물고 타는 듯이 아픈 다리를 내 아래쪽 자리로 들어 올린 다음, 아이스액스를 팔로 세게 눌러 몸을 버티고 죽을힘을 다해 성한 다리로 폴짝 뛰어올랐다. 체중이 다친 다리에 잠깐 얹히자 얼얼할 정도로 통증이 전해졌으나 성한 다리가 자리를 잡자 통증이 사그라졌다. 아, 씨팔! 그러자 나도 모르게 튀어나온 욕이 크레바스 안에서 우스꽝스럽게 메아리쳤다. 나는 그 동작을 반복했다. 구부리고 뛰고 쉬고, 구부리고 뛰고 쉬고…. 고통이 반복적인 동작 속으로 스며들었지만 동작에만 신경을 집중하자 덜 거슬렸다. 추운데도 땀이 많이 났다. 고통과 노력이 뒤섞여 하나가 되었다. 그러다 보니 어느새 시간이 흘러갔다. 위나 아래를 보고 싶은 욕망을 꾹 눌렀다. 내 속도가 절망적으로 느리다는 것을 알고 있었기에 햇빛이 들어오는 곳이 한참 위에 있다는 사실을 돌이키고 싶지 않았다.

2시간 반 정도가 지나자 경사가 상당히 가팔라 뛸 때 특히 조심해야 했다. 급경사에서 푸석한 눈에 박은 아이스액스에 온 체중을 의지해 정확히 뛰면서 균형을 잡는 일은 아슬아슬했다. 두 번이나 거의 떨어질 뻔했다. 한 번은 발이 벗어나는 바람에 아래의 작은 턱으로 미끄러졌고, 부상당한 무릎에 체중이 실려 비틀렸다. 속이 메스꺼워지고 눈앞이 희미해지는 것을 똑바로 서서 이겨내려고 무진 애를 썼다. 또 한 번은 잘 뛰어올랐는데 너무 세게 뛰는 바람에 균형을 잃었다. 떨어지지 않으려고 눈에 얼굴을 박으니 무릎 뼈가 또다시 움직이면서 서로 삐거덕거렸다. 욕을 하며 흐느끼자 그 소리가 아래의 크레바스 공간에서 기묘하게 변해 다시 올라왔다. 그보다 더 이상했던 것은 그런 불평을 했을 때 느낀 극도의 당혹감이었다. 들을 수 있는 사람은 아무도 없었으나 내 뒤의 어렴풋이 텅 빈 공간은 마치 그것이 내 약점을 인정하지 않는 무언의 목격자인 것처럼 나를 억제하고 있다는 느낌이 들었다.

머리를 눈에 대고 쉬었다. 땀으로 흠뻑 젖어 휴식을 취하니 금방 추웠다. 몸이 떨렸다. 위를 올려다보니 햇빛에 거의 닿을 정도로 가까워서 기뻤다. 높은 자리에서 보니 공간이 꼭 동굴처럼 보였다. 나는 대략 얼음 테라스 높이에 있었다. 내가 타고 내려간 로프가 초승달처럼 길게 늘어져 있었다. 테라스를 보니 그곳에서 보낸 시간이 떠올랐다. 밤을 지새울 때와 로프 하강을 할 때 얼마나 절망적이었는지. 이제 곧 햇빛에 닿으려 한다니 도저히 믿기지 않았다. 그때는 내 인생에서 가장 힘든 시간이었다. 그 생각을 하자 힘이 솟았다. 하지만 아직도 싸워 이겨내야 할 것들이 많이 남아 있었다. 몸을 돌려 자리를 다시 만들기 시작했다.

다시 2시간 반 후 나는 천장 구멍으로부터 3미터 아래에 있었다. 이제는 올라가기가 거의 불가능할 정도로 경사가 심했다. 따라서 균형을 잃느냐 아니면 발을 제대로 놓느냐 하는 신중한 도박을 벌여야만 했다. 그러나 다행히도 원뿔 모양이 좁아지면서 눈의 상태가 좋아 아이스액스를 단단히 박을 수 있었다. 구멍이 눈앞인데도 진이 빠졌다. 어떤 한계에 도달하자 통증이 일정하게 지속되었다. 아무리 조심해도 일시적으로 무릎에 체중이 실리는 것은 막을 수가 없었다. 다친 부분이 자꾸 비틀리며 경련이 일어났고 속이 울렁거렸다. 다시 몸을 구부리고 얼음에 꽂은 아이스액스를 당기며 뛰어올랐다. 이번엔 모든 것을 제대로 할 수 있었다. 헬멧이 천장에 스쳤다. 나는 천장에 뚫린 머리 크기만 한 구멍 바로 밑에 있었다. 햇빛에 눈이 부셨다. 아래를 내려다보니 크레바스 공간이 칠흑 같은 어둠에 잠겨 있었다. 나는 이미 파놓은 자리에 다리를 올려놓고 다시 한번 뛰어오를 준비를 했다.

내가 크레바스를 빠져나오는 것을 만약 누군가가 봤다면 웃음을 참지 못했을 것이다. 머리가 눈 위로 쑥 올라오더니 두더지처럼 바깥을 두리번거리며 훑어본 모습이었을 테니까. 나는 아이스액스를 크레바스 속의 얼음에 그대로 박아놓은 채 한쪽 다리로 서서 머리를 바깥으로 내밀었다. 경치가 너무나 멋졌다. 빙하를 둘러싸고 있는 봉우리들이 환상적이어서 내가 무엇을 보고 있는지 알 수도 없을 정도였다. 낯익은 봉우리들이 이전엔 결코 알아채지 못한 아름다움을 뽐내고 있었다. 빙벽과 날카로운 능선으로 이어진 홈통, 그리고 빙하의 맨 아래에서부터 굽이져 시야에서 점점 사라지는 검은 바다 같은 모레인지대가 보였다. 구름 한 점 없이 짙푸른 하늘은 지독한 열기를 뿜어냈다. 나는 마침내 다시 자유로워졌다는 사실을 실감하지 못하고 조용하고 멍하니 서 있었다. 그동안 너무나 큰 충격을 받아온 내 감각기관은 탈출한 순간에 무엇을 느껴야 할지 모르고 있었다.

크레바스에서 해머를 끌어올려 바깥의 눈에 박았다. 나는 아가리를 벌리고 있던 그 심연에서 굴러 나와 안도감에 휩싸인 채 눈 위에 엎어졌다. 마치 아주 오랫동안 너무나 강한 상대와 싸워온 기분이었다. 태양이 등을 따뜻하게 비췄으나 나는 여전히 떨고 있었다. 얼음으로 된 공간 속에서 오랜 시간 함께 있었던 무거운 절망과 두려움도 태양 아래에선 녹아내리는 것 같았다. 나는 머리를 빙하 쪽으로 돌리고 아무 생각 없이 눈 위에 그저 힘없이 누웠다. 내 안에 마지막으로 남은 에너지를 다 써버린 것처럼, 안도감이 들자 머리가 띵했다. 움직이고 싶지 않았다. 그냥 이대로의 만족과 평화를 방해받고 싶지 않았다. 긴장과 어둠과 악몽에서 벗어난 이미지는 총체적이었다. 지난 12시간 동안 매순간이 미칠 지경이었기 때문에 나는 그냥 쉬고 싶었다. 햇볕을 쬐니 졸렸다. 모든 것을 잊고 잠들고 싶었다. 나는 악몽을 이겨내고 성공했다. 탈출할 수 있으리라곤 생각하지 못했는데 해내고 만 것이다. 그것이면 충분했다.

잠에 빠지진 않았으나 의식이 반쯤 없는 상태로 가만히 누워, 고개를 움직이지 않고 눈만 껌뻑거리면서 마치 처음인 양 주변의 경치를 익히며 새로운 세계에 천천히 적응했다. 혓바닥 같은 빙하는 북쪽으로 굽이지며 빙하 끝에 있는 모레인 위의 미로 같은 크레바스지대로 뻗어 내리고 있었다. 그 모레인은 바위들이 널린 넓은 계곡 사이로 뒤범벅이 되면서 가늘어지다 멀리 떨어진 원형의 호수 기슭에 닿아 진흙과 모레인지대의 둑으로 변했다. 두 번째 호수가 첫 번째 호수 바로 아래에서 햇빛을 반사했다. 세로 사라포가 시야를 가리고 있었지만, 두 번째 호수는 모레인 둑으로 막혀 있을 것이고, 그 아래에 텐트가 있을 터였다.

새로운 세계가 눈에 들어오고 주위가 따뜻하고 아름다웠는데도 크레바스 속보다 별로 나을 것이 없었다. 아래에 있는 빙하까진 여전히 60미터나 남았고, 베이스캠프까진 10킬로미터를 더 가야 했다. 평온한 마음이 증발되어버리자 익숙한 긴장이 다시 돌아왔다. 크레바스는 단지 시작에 불과했다. 이제 어려움은 다 지나가고 안전하다고 생각했으니 얼마나 멍청한가! 멀리 떨어진 모레인과 호수에서 비치는 희미한 빛을 바라보니 짓밟힌 느낌이 들었다. 그곳까진 너무 멀었고, 너무 많은 장애물들이 있었다. 체력도 거의 다 고갈되었고 먹을 것도 마실 것도 없었다. 나는 다시 위협을 느꼈다. 결국 탈출을 못 하게 되는 걸까? 내가 아무리 발버둥 쳐도 또 다른 장애물이 나타나고 있었다. 나는 악의에 찬 곳에 있었다. 마치 공기가 정전기로 충전된 것처럼 눈에 보이는 적개심이 나를 감쌌다. 이곳은 우리가 오래전에 걸어 들어왔던 곳이 더 이상 아니었다.

자리에서 일어나 크레바스 속에서부터 내가 끌고 온 로프 끝을 쓰디쓰게 쳐다봤다.

"이건 말도 안 돼." 누군가 내 소리를 듣고 내가 지쳐버린 것을 눈치채기라도 할까 봐 나는 일부러 크게 말했다.

멀리 모레인이 보이자 그래도 시도는 해봐야 하지 않겠느냐는 생각이 들었다. 저 바위들 사이에서 죽을지라도. 그런 생각이 들어도 두렵지 않았다. 사실 그렇게 죽는 것이 당연한 것 같았다. 그렇게 죽도록 되어 있었으니까. 하지만 나는 마냥 기다리진 않을 작정이었다. 이제 죽음의 공포는 크레바스에서처럼 나에게 더 이상 영향을 주지 않았다. 나에겐 공포에 맞서 싸울 기회가 주어졌다. 다친 다리와 동상에 걸린 손가락처럼 암울한 어둠의 공포가 더 이상 아니었다. 그런 것을 두려워할 수는 없었다. 넘어지면 다리가 아팠고 일어나지 못해 죽을 뻔했다. 독특한 방식으로 단순한 선택에 마주하는 것이 상쾌했다. 그것은 나를 바싹 경계하게 만들었다. 나는 아지랑이 속에 멀리 뻗은 나의 길을 내다봤고, 그 어느 때보다도 더 명확하고 정직하게 그 안에서 내 역할을 수행했다.

이토록 온전히 혼자였던 적이 없었다. 그래서 두렵기도 했으나 힘도 났다. 이제는 일어나야 했다. 게임이 시작되었으니까. 포기하고 도망칠 수는 없잖아? 모험을 한답시고 찾아와서 내가 찾던 것보다 더 힘든 모험에 갇혀버린 것은 웃기는 일이었다. 아드레날린이 솟구쳐 전율을 느꼈으나, 그렇다고 그것이 고독을 몰아내거나 호수를 향해 뻗어 있는 모레인의 거리를 좁혀주는 것은 아니었다. 눈앞에 펼쳐진 광경은 흥분을 곧 가라앉혔다. 나는 아름답지만 외로운 곳에 버려진 사람이었다. 그런 생각이 들자 정신이 번쩍 들면서 현실이 날카롭게 직시되었다. 의식이 있는 채로 살아나서 내가 원하는 일을 할 수 있는 것이 얼마나 중요한가? 이곳에는 눈과 고요와 생명이 없는 맑은 하늘, 그리고 내가 하고자 하는 것을 받아들이는 나 자신이 있었다. 나에게 대항하려는 어둠의 세력은 이제 없었다. 머릿속의 목소리는 혼란스러운 마음을 뚫고 냉정하고 이성적인 목소리로 그것이 사실이라고 말했다.

내 안에는 마치 주사위를 놓고 다투는 듯한 두 마음이 있었다. 그 **목소리**는 분명하고 날카로우며 명령적이었다. 그것은 언제나 옳았다. 나는 귀를 기울였고, **목소리**의 결정에 따라 행동했다. 우선 빙하로 내려가는 것이 첫 번째 목표였다. 또 다른 마음은 서로 연결되지 않는 일련의 이미지와 기억과 희망을 횡설수설 지껄였다. 그리고 **목소리**의 명령에 순종하려 하자 나를 몽상의 상태로 몰고 갔다. 나는 빙하로 내려가야 했다. 빙하 위를 기어가고 싶었지만 그렇게 먼 미래까진 생각하지 못했다. 내 관점이 날카로워졌다면 시야도 좁아져 미리 정해진 목표를 달성하는 것만 생각하고, 그 이상은 생각하지 않을 것 같았다. 일단 빙하에 도착하는 것이 내 목표였다. 목소리가 어떻게 가야 할지 정확히 알려줬다. 다른 마음이 이 생각에서 저 생각으로 막연하게 널뛰는 동안 나는 그 목소리를 따랐다.

크레바스 아래의 사면을 한 발로 폴싹폴싹 뛰어내리기 시작했다. 그러면서 바로 아래에 있는 가파른 바위를 피하기 위해 오른쪽으로 비스듬히 내려갔다. 그곳을 지나자 사면이 빙하까지 60미터가량 뻗어내려 있었다. 나는 크레바스 위의 빙벽을 한 번 흘깃 돌아봤다. 그러자 과거에 대한 기억이 희미하게 되살아났다. 그때 오른쪽에 걸려 있는 로프가 보였다. 아, 사이먼도 빙벽을 봤구나 하는 생각이 갑작스러운 아픔과 함께 떠올랐다. 그 빙벽에 걸려 있는 로프는 내가 여전히 집착하고 있는지도 모르는 어떤 의구심을 불식시켰다. 그래, 사이먼은 살아나서 크레바스를 분명 봤겠구나. 그는 도움을 요청하러 가지 않았어. 내가 죽었다고 확신했을 테니까. 나는 고개를 돌려 내 발을 보며 한 발로 뛰는 데만 집중했다.

10

마인드 게임

그렇지 않아도 깊은 눈이 햇볕으로 더욱 푹신했다. 나는 아이스액스를 눈에 단단히 박고 한 발로 재빨리 뛰는 동작을 반복했다. 그러면서도 단번에 안전한 자리를 만들어야 했다. 다친 다리는 눈 위에 늘어져 덜렁거렸다. 조심하려 해도 종종 어딘가에 걸렸고, 무릎이 갑자기 아래로 쑥 빠지면 비명이 터져 나왔다. 빙하를 다시 바라보니 거리가 20미터나 줄어들어 기뻤다. 게다가 크레바스나 베르크슈른트(벽과 빙하 사이에 생기는 틈)도 빙하까진 보이지 않았다. 그러나 표면이 점차 바뀌면서 얼음이 눈 위로 드러나 있는 것이 보였다. 결국 어쩔 수 없는 일이 일어났다. 물론 각오는 하고 있었다. 얼음 위로 뛰어오르자 크램폰이 미끄러지면서 옆으로 넘어진 것이다. 오른쪽으로 머리가 먼저 닿았는데, 윈드재킷과 덧바지로 인해 썰매처럼 미끄러졌다. 그러자 부츠가 얼음 위에서 덜컹거리는 소리를 냈다. 다리가 함께 부딪히며 통증이 올라와 눈을 꼭 감고 이를 악물며 참았다. 짧은 시간이었으나 끔찍한 고통이었다.

눈이 쌓인 곳에서 멈추자 다리 위아래로 욱신거리는 통증을 느끼며 가만히 누워 있었다. 뒤로 젖혀진 다친 다리에서 성한 다리를 치우려고 움직이자마자 끔찍한 통증으로 비명을 지르며 다시 가만히 있을 수밖에 없었다. 상반신을 일으켜 다리를 쳐다봤다. 오른발의 크램폰이 성한 다리의 게이터에 걸리는 바람에 무릎이 비틀려서 위로 젖혀져 있었다. 크램폰의 발톱을 게이터에서 빼내려고 앞으로 수그리자 새로운 통증이 무릎에 퍼졌다. 더 구부리지 않으면 빼낼 수 없었지만 다행히 아이스액스를 이용할 수 있었다. 다리를 눈 위에 살짝 놓고 무릎을 펴자 통증이 서서히 사라졌다.

점점이 찍힌 발자국으로부터 3미터 떨어진 곳에 멈췄다. 나는 그 발자국이 있는 데로 가서 일단 쉬었다. 발자국을 발견하니 마음이 놓였다. 발자국은 멀리 둥근 모양의 크레바스를 향해 빙하 위로 꾸불꾸불 이어져 있었다. 눈 덮인 빙하는 파도가 일렁이는 모양으로 뻗어나갔고, 그 사이사이로 발자국이 없어졌다 다시 나타났다. 나에겐 발자국이 필요했다. 눈 위에 낮게 누운 내 자세에서는 시야가 매우 한정되어, 발자국이 없으면 내가 어디로 향하는지 알 도리가 없었다. 사이먼은 내려가는 길을 알고 있었을 것이다. 그리고 로프가 없어 가장 안전한 길을 택했을 것이다. 나는 그 흔적을 따라가야만 했다.

최선의 방법을 찾기 위해선 약간의 실험이 필요했다. 눈이 축축하고 부드러워 미끄러져 내려가는 것은 힘들었다. 엎드려서 한쪽 무릎과 두 팔로 기어가는 것도 너무나 고통스러웠다. 그래서 왼쪽으로 누워 다친 다리를 든 채 아이스액스를 박아 당기고 왼쪽 다리로 밀면서 꾸준히 전진했다. 다친 다리는 귀찮은 망나니처럼 힘없이 따라왔다. 나는 이따금 멈추어 눈을 먹으며 쉬었다. 그럴 때마다 시울라 그란데의 거대한 서벽을 멍하니 쳐다보자 내 머리에 이상한 목소리가 메아리쳤다. 그 **목소리**가 몽상을 쫓아내자 나는 죄를 지은 듯 시계를 보고 나서 다시 출발했다.

목소리와 시계는 빙하의 뜨거운 반사열로 탈진 상태에 빠져 졸음이 올 때마다 계속 움직이라고 재촉했다. 오후 3시였다. 이제 3시간 반이 지나면 어두울 터였다. 나는 계속 움직였으나 곧 엄청나게 느리다는 사실을 깨달았다. 하지만 달팽이처럼 느려도 상관하지 않았다. **목소리**만 따르면 될 테니까. 앞을 내다보니 출렁이는 파도 같은 눈 사이로 어떤 물체가 들어왔다. 시계를 봤다. 그러자 **목소리**가 그 지점까지 30분 만에 도착하라고 명령했다. 나는 순종했다. 때때로 축 늘어져서 내가 무엇을 하고 있는지조차 잊은 채 몽상에 빠져들었다. 죄 지은 것처럼 일어나서 그 시간을 만회하려고 더 빨리 기어갔다. 결코 쉬운 길이 아니었다. 정해진 장소에 정해진 시간 안에 도착하라는 명령을 받았기 때문에 나는 멍한 가운데서도 그저 기계적으로 움직였다.

바다 같은 눈 위를 조금씩 기어가면서, 영국의 셰필드 사람들은 지금쯤 무엇을 하고 있을지 궁금해하는 다른 목소리가 들렸고, 원정을 떠나오기 전에 들른 하롬Harome의 허름한 술집이 기억났다. 어머니가 평소처럼 지금 이 순간에도 나를 위해 기도해주길 바랐다. 어머니 생각이 나자 뜨거운 눈물이 흘러내렸다. 나는 기어가는 속도에 맞춰 쉬지 않고 노래를 불렀다. 무수한 생각과 이미지로 머릿속이 혼란스러워 간신히 일어나 앉으면, **목소리**는 나더러 늦었다고 말했다. 그러면 다시 정신을 차리고 기어가기 시작했다. 나는 둘로 나뉘어져 있었다. 냉정하고 꾸밈없는 쪽은 모든 정보를 취합해 무엇을 할지 결정하고 그렇게 따르도록 만들었다. 다른 쪽은 광기였다. 그것은 너무나 생생하고 사실적인 이미지를 흐릿하게 만들어 나를 자신의 주문에 빠지게 했다. 내가 환각을 느끼고 있는 걸까?

엷은 막 같은 피로가 모든 것을 감쌌다. 사건이 슬로모션처럼 지나갔고 생각이 뒤죽박죽되어 시간 감각을 잃어버렸다. 멈추려면 죄의식을 느끼지 않기 위해 어떤 변명거리가 필요했다. 손가락 동상이 단골로 등장하는 메뉴였다. 동상이 더 악화되지 않았는지 보려면 멈춰서 벙어리장갑 안의 속장갑을 벗어야 했기 때문이다. 10분이 지나면 **목소리**가 어김없이 나를 현실로 되돌려놓았다. 그러면 반만 간신히 벗은 속장갑을 올리고 벙어리장갑을 낀 다음 다시 기어갔다. 기어갈 때면 손이 매번 눈 속 깊이 파묻혀서 감각이 없어졌다. 그러면 멈춰서 다시 쳐다봤다. 원래는 주무르거나 장갑을 벗고 햇볕에 쪼일 생각이었으나 **목소리**가 나를 부를 때까지 그저 멍하니 바라보기만 했다.

2시간 후 둥근 크레바스를 지나 시울라 그란데의 그림자에서 벗어났다. 그리고 예루파하 남벽 아래로 초승달처럼 난 발자국을 따라, 빙하의 눈에서 돌출되어 부서진 크레바스 옆을 통과했다. 그 크레바스는 길이가 15미터에 불과했으나 나는 배가 빙산을 지나듯 멀리 돌아갔다. 속이 훤히 들여다보이는 얼음 위를 천천히 기어가니 마치 빙하의 흐름을 타고 표류하는 것 같았다. 추락한 빙벽 앞을 지나자 이상한 느낌이 들었다. 나는 얼음이 부서진 빙벽의 형상들을 쳐다봤다. 저런 것들을 내가 봤었나? 다른 목소리들이 명령하는 **목소리**와 다투면서 그것을 내가 이미 본 것으로 결정했다. 그 목소리들은 내가 해변에 누워 있을 때 구름 속에서 본 한 노인의 머리를 떠올리게 했다. 내 친구는 그 모습을 볼 수 없었다. 아니, 저기 있잖아? 눈을 돌렸다 다시 봐도 그 노인은 여전히 그곳에 있었다. 따라서 그 노인은 그곳에 있는 것이 틀림없었다. 그 모습은 시스티나 성당의 르네상스 천장화에서 손가락으로 무언가를 가리키는, 신으로 여겨지는 하얀 수염의 노인처럼 보였다.

얼음에서 본 형상들에 대해서는 경건한 마음이 하나도 들지 않았다. 어떤 형상들은 반만 형성되어 있었는데, 대부분이 돋을새김으로 얼어붙어 확연히 눈에 띄었다. 그리고 그림자와 색상으로 인해 견고하게 드러났다. 그들은 모두 짝을 짓고 있었다. 그 모습이 신기했다. 나는 얼음 속의 외설적인 형상들을 멍하니 바라보면서 꾸준히 기어갔다. 전에도 그런 형상들을 본 적이 있었다. 아, 그래. 힌두교 사원 안의 조각들이었지. 난잡한 형상들은 질서가 없었다. 서 있기도 무릎을 꿇기도 누워 있기도 했다. 어떤 것들은 거꾸로 있어서 그들이 무엇을 하고 있는지 보려면 고개를 옆으로 돌려야 했다. 그것들은 열네 살에 나를 매료시켰던 티치아노의 뚱뚱한 누드화처럼 재미있고 감동적이었다.

잠시 후 허벅지 위에 벙어리장갑을 올려놓고 가만히 앉아 이빨로 속장갑을 벗었다. 빙벽은 더 이상 보이지 않았다. 형상들을 보고 손가락을 확인하기 위해 멈춘 사이 내가 무엇을 했는지 전혀 기억이 나지 않았다. 어느 순간 얼음의 형상들을 보고 있었는데, 그다음엔 다시 혼자였다. 빙벽이 신비하게도 내 뒤에 있었다. 얼음의 결정체들이 얼굴을 찔렀다. 바람이 불고 있었다. 고개를 드니 하늘에 양탄자같이 두꺼운 층적운이 말려 올라가며 해를 덮고 있어 깜짝 놀랐다. 아, 폭풍설이 몰려들려고 하네. 어디선지 모르게 불어오는 차가운 바람이 점점 강해져 나를 괴롭혔다. 나는 서둘러 장갑을 끼고 발자국으로 눈을 돌렸다.

이제 멍한 상태에서 좀 벗어난 것 같았다. **목소리**가 내 머릿속에서 미친 생각을 쫓아냈다. 절박한 심정이 나에게 살금살금 다가오더니 **목소리**로 변해 말했다. "계속 가. 계속… 더 빨리. 시간을 너무 많이 낭비했어. 어서. 발자국을 잃어버리기 전에." 나는 서두르려고 애썼다. 바람이 내 앞의 빙하를 가로질러 얇은 구름을 몰고 왔다. 구름이 빙하 표면 위에서 낮게 소용돌이쳤다. 때때로 구름이 나를 둘러싸서 몇 미터 앞도 제대로 볼 수 없었으나, 일어나 앉으면 빙하를 가로질러 빠르게 요동치는 얇은 구름을 볼 수 있어, 빙하가 돌진하는 듯했다. 마치 빙하에서 튀어나온 것 같은 내 머리와 몸통을 보면 사람들은 어떻게 생각할까? 나는 옆으로 누워 빠른 속도로 기어가다 구름의 장막 위로 고개를 들어 앞을 내다봤다. 공중에 눈이 날리고 있었다. 눈이 또 내리네! 공포에 질려 심장이 쿵쾅거렸다. 눈과 바람이 발자국을 지워버릴 텐데…. **목소리**가 길을 잃어버릴 것이라고, 발자국이 없으면 크레바스는 결코 빠져나갈 수 없을 것이니 서두르라고 말했다. 하지만 내가 정말로 두려웠던 것은 나를 둘러싼 텅 빈 산속에서 생명의 흔적을 찾지 못하는 것이었다. 지금까지 나는 사이먼이 바로 앞에 가고 있어서 혼자가 아닌 것처럼 행복한 마음으로 발자국을 쫓아가고 있었다. 그러나 이제 바람과 눈이 나를 홀로 내버려두겠다고 위협했다. 나는 급격히 희미해지는 흔적을 힐끗힐끗 보면서 휘날리는 눈보라 속을 미친 듯이 기어갔다.

빛이 빠르게 사그라졌다. 밤이 다가오자 바람도 더욱 거세졌다. 언 손을 따뜻하게 녹일 시간이 없었다. 눈으로 채워지는 희미한 흔적이 더 이상 보이지 않을 때까지 서둘러 쫓아갔다. 어두웠다. 좌절감에 빠진 나는 눈 위에 엎드려 가만히 있었다. 힘들여 기느라고 몸이 따뜻해져 눈이 내 위에 쌓여도 춥지 않았다. 자고 싶었다. 더 이상 움직이기 싫었다. 눈 위에서 자도 괜찮을 만큼 몸이 따뜻했다. 눈이 시베리안허스키처럼 내 몸을 덮어 따뜻하게 해주겠지. 깜빡깜빡 졸면서 어둡고 안락한 잠 속으로 거의 빠져들 뻔했으나 바람이 나를 계속 흔들어 깨웠다. 어서 움직이라고 재촉하는 **목소리**를 무시하려고 애썼지만 다른 목소리가 어디로 가버리고 없어서 그렇게 할 수도 없었다. 몽롱한 중에도 **목소리**는 나를 쫓아왔다. "자지 마, 자지 마. 여기가 아니야. 계속 가. 사면을 찾아 설동을 파… 자지 마."

어두운 데다 폭풍설까지 몰아쳐서 당황했다. 나는 눈 위에서 얼마나 오랫동안 이동했는지 기억하지 못했다. 그리고 지금 내가 크레바스가 널린 빙하에 있는지조차 알지 못했다. 앞도 제대로 볼 수 없는 상태로 앞으로만 기어갔다. 한번은 바람소리보다 더 큰 우르릉 소리와 함께 얼음조각들이 갑자기 나를 덮쳤다. 예루파하에서 빙하로 눈사태가 났거나 아니면 커니스가 붕괴됐기 때문인 것 같았다. 그것들은 나를 덮치더니 위로 스쳐 지나갔다. 그때 바람소리가 들려와 나는 이전의 일을 잊어버렸다. 내가 위험에 노출되어 있을지 모른다는 생각은 한 번도 들지 않았다.

갑자기 앞으로 굴러떨어졌다. 어두워서 그곳이 어디인지 알 수 없었다. 몸을 돌려 내가 떨어진 곳을 쳐다봤다. 내 위로 눈이 둑같이 쌓인 곳이 보였다. 나는 눈 위로 아이스액스를 질질 끌고 풀썩풀썩 뛰며 그곳을 향해 더듬어 올라갔다. 그리고 너무나 고통스러워 비명을 질렀다.

고통과 탈진의 혼란 속에서 설동을 팠다. 눈을 파들어 가면서 방향을 옆으로 돌려 공간을 넓히려는데 무릎이 좌우로 심하게 비틀렸다.

설동에 들어가 바람을 피하자 다른 목소리들이 돌아왔다. 나는 머릿속에 한가롭게 떠도는 이미지들과 함께 꾸벅꾸벅 졸았다. 퍼뜩 잠에서 깨어나자 머릿속에서 반복되는 노랫소리를 따라 설동을 파기 시작했지만 곧 다시 졸았고, 이어서 내 목소리들 찾아왔다.

감각이 없는 손으로 배낭을 뒤적여 헤드램프를 찾았다. 배낭에서 침낭을 꺼내자 헤드램프가 그 속에 있었다. 희미하게 죽어가는 불빛으로 보니 설동은 다리를 뻗고 누울 만큼 길지 않았으나 너무 피곤해서 더 이상 팔 수 없었다. 허리를 구부려 크램폰을 벗으려니 다친 무릎에 참을 수 없는 압박이 가해졌다. 무감각한 손가락으로 크램폰을 벗기려고 뒤꿈치 바를 젖히려 했으나 제대로 되지 않아, 좌절감에 신음소리를 내며 흐느껴 울었다. 머리가 설동의 천장을 부수지 않게 하려고 뻗은 다리 위로 몸을 심하게 굽힌 탓에 통증과 무력한 분노가 솟아 올라 소리를 질렀다. 아이스액스를 써보면 어떨까? 양쪽 크램폰의 뒤꿈치 바는 아이스액스를 지렛대로 이용해 간신히 벗겨냈다. 나는 그제야 설동에 누워 선잠에 빠져들 수 있었다.

몇 시간이 지나 매트리스를 깔고 침낭 속으로 몸부림치며 기어 들어갔다. 다친 다리를 들어서 침낭 속으로 집어넣자니 불편하고 고통스러웠다. 부츠가 침낭의 젖은 천에 걸리자 무릎 관절에서 불같은 통증이 올라왔다. 다리는 놀라울 정도로 무거웠고 죽은 듯이 둔탁하게 느껴졌다. 그 다리는 성가신 아이처럼 거추장스러워 나를 짜증나게 했고, 마치 내가 지시한 일인 것처럼 순종을 완강하게 거부했다.

바깥에서 폭풍설이 몰아치는 소리는 들리지 않았다. 때때로 설동 입구에서 삐져나간 침낭 끝을 바람이 스치고 지나가는 것을 느꼈으나 그것도 눈이 발을 덮고 입구를 막아버리자 잠잠해졌다. 시계를 봤다. 밤 10시 30분. 잠을 자야 했다. 이제는 잠을 자도 안전하다는 것을 알고 있었지만 정신이 말똥말똥했다. 어두운 크레바스 안에서의 기억이 되살아나 잠을 쫓아버린 것이다. 무릎이 무자비하게 고동쳤다. 발에 동상이 걸릴까 걱정되기도 했고 손가락이 생각나기도 했다. 잠들면 깨어나지 않을 것 같아서 어둠 속을 바라봤다. 지금은 어두워서 더 이상 할 것도 없었다. 그런 생각에 쓸데없이 겁을 먹고 있다는 것을 알았지만 소용이 없었다.

결국 나는 꿈도 없는 어두운 혼미함 속으로 빠져들었다. 밤은 길고 고요했다. 밖에선 눈이 불어와 내 위로 쌓였다. 이따금 고통과 어린아이 같은 두려움이 잠 속으로 몰래 들어왔다.

일어나니 어느덧 오전 한나절이었다. 햇빛이 텐트 천을 뚫고 들어와 침낭은 불편할 정도로 더웠다. 나는 조용히 누워 둥근 텐트 천장을 바라봤다. 어제 이 시간에 내가 빙하 끝의 크레바스지대에서 비틀거리고 있었다는 것이 믿기지 않았다. 조가 죽은 지 36시간이 지났다. 그가 오래전에 죽은 것처럼 느껴졌으나 우리가 산에 올라간 것은 고작 7일 전이었다. 마음속 깊은 곳에서 공허한 아픔이 느껴졌다. 시간이 지나면 나아지겠지. 조의 기억이 어느덧 흐릿해졌고, 이상하게 얼굴도 잘 생각나지 않았다. 그래, 그는 갔어. 그 사실을 바꾸기 위해 내가 할 수 있는 일은 아무것도 없었다. 여전히 감각이 없는 손가락으로 침낭의 끈을 잡아당겨 풀고 햇빛이 비치는 밖으로 나왔다. 배가 고팠다.

리처드는 취사바위 옆에서 스토브에 석유를 채워 넣느라 바빴으나 나를 보더니 미소를 지었다. 향기가 나는 듯 즐겁고 아름다운 날이었다. 나는 강바닥으로 걸어가 바위에 대고 오줌을 눴다. 세로 사라포가 눈앞에 어렴풋이 나타났으나 웅장하던 그 아름다움은 더 이상 내 흥미를 끌지 못했다. 이 장소와 아름다운 풍경이 신물 났다. 여기에 더 있어 봤자 아무런 의미가 없었다. 이곳은 생명이 없는 불모지였다. 나는 이곳의 잔인함이 싫었고, 이곳이 나를 잔인하게 만들었기 때문에 더 싫었다. 내가 조를 죽인 걸까?

리처드가 있는 곳으로 돌아가서 어둡고 절망적인 기분으로 그의 옆에 쪼그려 앉았다. 그는 말없이 나에게 차 한잔과 죽 한 그릇을 건네줬다. 나는 별 맛도 못 느끼며 서둘러 먹고 나서 텐트로 돌아가 세면도구를 챙긴 다음 강에 있는 깊은 물웅덩이로 향했다. 그리고 옷을 벗고 얼음같이 차가운 물속으로 걸어 들어갔다. 급히 몸을 담그느라 숨을 헐떡거렸다. 면도를 하려고 밖으로 나와 앉으니 햇볕이 몸을 말려줘 등이 따뜻했다. 나는 옷을 빨고 얼굴에서 햇볕에 탄 살갗을 벗겨내며 하루 종일 물웅덩이 옆에서 지냈다. 그것은 더러워진 내 마음을 씻어내는 조용한 종교의식 같았다. 지난 며칠을 곰곰이 돌이켜보는 동안 절망감이 점차 사라져 텐트로 돌아올 때쯤엔 정신을 좀 차릴 수 있었다. 이미 지나간 일이었고, 나는 할 수 있는 일을 다했다. 그래, 조는 죽었고 나는 죽지 않았어. 그렇다고 내가 괴로워해야 할 필요가 있을까? 돌아가서 피할 수 없는 비난에 직면하기 전에 우선 마음을 정리해야 했다. 일어난 일 전부를 내가 먼저 받아들이기만 하면 다른 사람들에게 명확히 설명할 수 있지 않을까? 그들은 어떤 상황이었는지 전혀 알지 못할 것이다. 그런 상황을 친한 친구들에게조차 제대로 말할 수 있을지 의문스러웠으나 마음속 깊은 곳에서부터 내가 올바로 행동했다고 믿는 한 두려워할 필요는 없을 것 같았다. 마음의 치유 과정이 시작되자 잠시 나는 만족했다.

돌아와 보니 리처드는 보이지 않았다. 나는 의약품 통을 찾으러 텐트 주위를 헤매고 다녔다. 그것은 조의 옷에 살짝 가려져 있었다. 처음엔 그의 옷을 풀밭으로 던져버렸으나 다시 주섬주섬 챙겼다. 15분이 지나자 조의 물건들과 옷가지가 의약품 통 옆 햇볕 아래 쌓였다. 나는 그 옆에 앉아 기계적으로 내 손을 치료하기 시작했다. 손가락에 혈액순환을 시키면서 동상이 너무 깊이 퍼지지 않도록 로니콜을 삼켰고, 감염을 막기 위해 항생제를 먹고 상처 부위를 소독하는 등 몇 가지 치료를 했다. 놀랍도록 효과가 좋았다. 모든 상처가 정상으로 되돌아오리라는 확신이 들었다. 이틀 전에 비하면 이 모든 것들은 사치였다.

치료를 끝내고 조의 소지품 더미로 몸을 돌려 분류하기 시작했다. 옷은 무더기로 쌓아놓고 개인 물건은 한쪽에 일렬로 늘어놓았다. 나는 차분했고 기계적이었다. 비닐봉지 안에서 조가 찍은 필름과 줌렌즈가 나왔다. 봉지가 커서 그 안에 그의 부모님께 전해드릴 것들을 모아서 넣었다. 양이 그리 많지는 않았다.

일기장도 나왔다. 그는 매일 같이 무언가를 썼다. 심지어는 런던에서 출발하는 비행기 안에서도 무언가를 썼다. 조는 글쓰기를 좋아했다. 대충 넘겨봤으나 읽지는 않았다. 그가 무슨 말을 했는지 알고 싶지 않았다. 그가 남겨놓은 장비도 무시했다. 그것들은 산악인이 아니면 아무 쓸모도 없는 것들이었다. 그래서 나중에 내 장비와 함께 챙겨갈 작정이었다. 조의 옷 더미로 다시 돌아와 들쳐 봤다. 모자가 눈에 들어왔다. 방울이 떨어져나간 흑백 무늬 털모자였다. 조는 그 모자를 정말 좋아했다. 나는 그것도 다른 것들과 함께 봉지에 집어넣었다. 그것은 체코에서 얻은 것으로 미리 스미트Miri Smidt란 이름의 여자가 샤모니에서 그에게 준 것이었다. 그것만은 태울 수가 없었다.

조의 부모님께 전해드릴 것을 다 정리하고 나자 리처드가 돌아왔다. 그가 석유를 들고 와서 우리는 물건들을 강바닥으로 가지고 가서 태워버렸다. 바지는 잘 타지 않아 석유를 많이 부어야 했다. 리처드는 옷가지를 아래 계곡에 사는 소녀와 아이들에게 주라고 했었다. 그들이 다 떨어진 옷을 입고 있었기 때문에 좋아할 것도 같았지만 나는 그냥 태워버렸다.

다 태우고 나서 우리는 취사바위로 돌아와 햇볕 아래 말없이 앉았다. 리처드는 뜨거운 음식을 만들면서 차를 계속 건네줬다. 우리는 카드놀이도 하고 카세트로 음악도 들었다. 리처드의 카세트가 고장 나 봉지에서 조의 것을 꺼내왔다. 하루가 한가롭게 지나갔다. 우리는 고향과 장래의 계획에 대해 조용히 이야기를 나눴다. 공허한 느낌과 영원히 지울 수 없는 죄책감이 여전히 남아 있었으나, 이제는 대처할 수 있을 것 같았다.

11

잔인한 땅

비명을 지르며 잠에서 깨어났다. 설동 안은 밝았으나 추웠다. 악몽은 천천히 사라졌다. 나는 내가 어디에 있는지 기억해낼 수 있었다. 크레바스가 아니었다. 꿈을 잊으려고 애쓰는 동안 안도감이 밀려왔다. 쥐죽은 듯 고요했다. 나는 가만히 누운 채 엉성한 설동의 천장을 바라봤다. 바깥에 폭풍설이 여전히 몰아치고 있는지 궁금했으나 움직이고 싶지 않았다. 길고 추운 밤을 보낸 터라 몸이 아플 것 같았다. 조심스럽게 뒤척이니 무릎에서 심한 통증이 올라왔다. 나는 입김이 천장으로 올라가는 것을 멍하니 바라봤다.

꿈이 너무나 생생해 현실처럼 느껴졌다. 나는 크레바스의 얼음 테라스 위에서 벽에 쓰러져 울고 있었다. 울고 있는 나 자신은 보였으나 울음소리는 들리지 않았다. 목소리는 내 목소리 대신 자꾸만 셰익스피어의 독백(《자에는 자로Measure for

Measure》 3막 1장에 나오는 클로디오의 독백)을 읊고 있었다.

아, 죽어선 어딘지도 모르는 곳으로 가다니!
차디찬 땅속에 누워 썩어가야 한다니,
이 생기 있고 따스한 살아 있는 육체가
한 줌 흙으로 변하고…

이제는 눈을 떠서 내가 어디에 있는지 분명히 알고 있었으나, 그 독백은 머릿속에서 여전히 메아리쳐 울렸다. 어디에서 배웠는지 기억이 났다. 10여 년 전 어느 날 O-레벨(과거 잉글랜드와 웨일스에서 보통 16세 정도의 학생들이 치던 과목별 평가시험) 문학시험에 대비해 단어를 완벽하게 외우려고 노력하며 교실에서 크고 일정한 어조로 몇 번이고 반복해 낭송한 적이 있었다. 나는 깜짝 놀랐다. 그 이후엔 이 문장을 한 번도 읽은 적이 없는데, 지금 모든 단어가 기억났기 때문이다.

즐거움 넘치던 이 영혼은
불바다에 빠지거나, 혹은
두꺼운 얼음 지옥에 갇혀 살게 되거나
눈에 보이지 않는 회오리바람에 휩쓸려
우주에 매달려 있는 지구 둘레를
맴돌거나…

기뻤다. 설동의 괴상한 음향을 들으며 나를 둘러싼 조용한 눈에 대고 단어들을 중얼거렸다. 나는 낄낄 웃었다. 그리고 더 이상 생각이 나지 않으면 처음부터 다시 시작했다. 꿈이 얼마나 무서웠는지도 잊어버리고 침낭에서 코만 밖으로 내놓은 채 내가 가장 좋아하는 로런스 올리비에의 목소리로 더 대담하고 더 큰 소리로 그 대사를 낭송했다.

또는 제멋대로 떠오르는 덧없는 생각이
울부짖고 있다고 상상되는 저 비참한 영혼보다 더 끔찍스런
고초를 겪게 되다니 — 너무도 두렵구나!
늙고 병들고 가난하고 감옥에 갇히는 것같이
육신에 가할 수 있는 가장 진저리 나고 혐오스런
이승에서의 삶도, 죽음에 대해 느끼는 공포에 비하면
천국이나 다름없단다.

이런 것도 마침내 싫증이 나서 입을 다물자 고요가 사방을 압도했다. 그러자 들뜬 기분이 사라지고 절망적으로 쓸쓸하고 한심하다는 생각이 들었다. 꿈과 그 독백이 의미하는 것을 생각하니 눈물이 나오려고 했다.

휘날리는 눈에 발이 묻혀 빼내려고 하자 무릎이 너무 아파 비명을 질렀다. 젖은 침낭을 발밑으로 말다가 실수로 설동 천장에 구멍을 내고 말았다. 밝은 햇살이 설동 안의 어두운 그림

자를 갑자기 발갛게 만들어 폭풍설이 끝났다는 것을 금세 알았다. 나는 아이스액스를 들어 천장을 마저 부쉈다. 뜨거운 하루가 될 것 같았다. 밤의 추위로 언 몸을 태양이 빠르게 녹여줬다. 나는 설동의 왼편에 앉아 주위를 둘러봤다. 발아래 비탈은 눈으로 덮인 오래된 크레바스까지 이어져 있었다. 모레인을 마주하고 있었으나 빙하에선 보이지 않았다. 사방이 하얀색 천국에 놀랄 정도로 평탄했다. 폭풍설은 내가 전날 따라온 발자국을 덮어버렸다. 그리고 시야가 미치는 빙하는 모두 신설로 깨끗이 덮여 파도처럼 물결치는 모습을 연출했다.

침낭을 배낭에 천천히 집어넣고 매트리스를 더듬더듬 말면서 심한 갈증을 느꼈다. 어제도 갈증이 심했는데 오늘은 얼마나 더할까? 물이 흐르는 가장 가까운 곳이 어디였지? 아, 그래 '폭탄통로'였어. 그곳은 한참 떨어져 있었다. 운이 좋으면 오늘 그곳까지 갈 수 있을 것 같았다. 그 생각이 들자, 마치 모든 일이 계획대로 되고 있는 것 같아 깜짝 놀랐다. 캠프까지 가는데 얼마나 걸릴지 의식적으로 계산한 것은 아니었으나, 폭탄통로까지 갈 수 있다는 희망 따위는 이미 버렸는데도 나는 어느새 그렇게 하고 있었다. 머릿속에선 이상한 일이 벌어지고 있었다. 전날의 일이 순서대로 기억이 잘 나지 않았다. 다만 서로 연결되지 않는 몽롱한 단편들만 떠오를 뿐이었다. 크레바스 속의 심연과 햇빛, 폭풍설 속의 눈사태, 내려질 때마다 판 구덩이, 그리고 빙벽의 음란한 형상들. 그런데 나머지는 기억이 나지 않았다. 먹지도 마시지도 못해서였을까? 아, 물 구경을 못 한 게 며칠째지? 사흘? 아니, 이틀 낮과 사흘 밤! 하느님은 전지전능하시기도 해라! 그 생각에 질겁했다. 이 정도의 고소에선 탈수현상을 막기 위해서라도 하루에 최소한 1.5리터의 수분을 섭취해야 한다. 그러나 나는 계속 아무것도 먹지 못한 채 버티고 있었다. 먹는 것 때문에 걱정하진 않았다. 배가 고프지 않았으니까. 엄청난 에너지를 소비하고 있었으나 여전히 힘이 남아 있다고 느꼈다. 반면 혓바닥은 무언가 두껍게 덮여 있는 것 같았고, 입천장에 자꾸 달라붙어 두려웠다. 햇볕에 눈이 녹은 곳에서 물 냄새가 나면 미칠 지경이었다. 배 속을 상관하지 않고 눈을 집어먹으면 잠깐 동안은 입안의 건조가 가라앉았다. 필요한 양을 충족시킬 만큼 눈을 집어먹는다는 것은 애당초 불가능한 일이었다. 무의식적으로 어떤 계획을 세웠든 간에, 머나먼 곳으로 물결치듯 이어지는 눈을 보면 내 계획이 허무맹랑한 짓 같았다. 성공할 수 있을 것 같지 않았다.

젠장! 고작 물 때문에 더 이상 못 움직일 때까지 기어가야 하다니….

비탈을 미끄러져 기어가기 시작했다. 정오까진 모레인에 도착해보자. 그런 다음 상황을 보고 그다음을 생각하는 거야. 걱정만 하면서 빙하에 앉아 있어 봤자 몸이 저절로 앞으로 가는 것은 아니니까. 해내지 못할지 모르지만 해낼 수도 있는 일이었다. 내가 계속 움직이는 한 되든 안 되든 그건 상관할 바가 아니었다. 죽음이 다가오길 기다리는 것은 무섭고 쓸쓸한 일이었다.

조심스럽게 기어갔다 따라갈 발자국이 없어져서 방향을 제대로 유지하는 것이 중요했다. 왼쪽에 넓은 크레바스가 아주 많다는 것을 알고 있었기 때문에 예루파하 밑을 휘돌아가는 빙하의 오른쪽 둑을 끼고 내려갔다. 이따금 성한 다리로 불안정하게 서서 앞을 내다봤다. 시야가 점점 넓어지는 것이 언제나 놀라웠다. 올라올 때 본 특이한 크레바스가 눈에 들어와, 그쪽으로 가려고 해도 예상치 못한 크레바스에 대한 공포가 나를 지치게 했고, 기어가는 동안 내가 얼마나 무방비 상태인지 뚜렷이 자각했다.

1시간 후가 되자 걸을 수 있다는 확신이 생겼다. 뒤에서 질질 끌려오는 다리에 통증이 덜해진 것 같았다. 무릎 근육이 일부만 찢어졌을지도 모른다는 생각이 들었다. 그리고 하룻밤 휴식을 취했고, 이제는 다친 지 오래되었으므로 체중을 지탱할 수 있을 만큼 충분히 좋아졌을지도 모르는 일이었다. 나는 성한 다리로 힘겹게 일어서서 오른발을 눈 위에 살짝 놓고 디뎌봤다. 통증이 약간 있었으나 참지 못할 정도는 아니었다. 아파도 마음만 단단히 먹으면 걸어갈 수 있을 것으로 생각했다. 마음을 다지고 오른쪽 다리를 앞으로 내디뎠다. 무릎 관절 안에서 무언가 비틀리며 구역질나게 삐거덕거렸다.

의식을 잃었는지는 잘 모르겠는데 눈에 엎어졌다. 메스꺼움이 목구멍까지 올라와 숨을 헐떡거렸다. 무릎에서 올라오는 고통에 흐느끼며 어리석은 짓을 한 나 자신에게 저주를 퍼부었다. 그곳을 다 부러뜨린 것 같은 기분이 들었다. 얼굴이 차가운 눈에 닿자 현기증이 사라졌다. 나는 입안의 쓴맛을 가시고 싶어 일어나 앉아 눈을 조금 집어먹었다. 한참 동안 몸을 앞으로 푹 숙이고 있다 다시 일어서니 100미터쯤 전방에 모레인으로 뻗은 첫 번째 크레바스지대가 보였다. 걷지 못해 멀리 내다볼 수 없었기 때문에 크레바스 사이를 기어가는 수밖에 없었다. 이 길이 맞는 걸까? 내 기억으론, 지금 내 위치와 모레인 사이에 있는 150미터 간격의 수평 크레바스를 따라 우리는 복잡하게 구불구불한 길을 갔고, 때로는 크레바스 사이의 좁은 스노브리지를 건너기도 했으며, 뻥 뚫린 구멍을 피하기 위해 짧은 비탈을 올라가기도 했었다. 과연 그런 장애물들을 헤치며 기어갈 수 있을까?

배낭을 멘 채 누워 하늘을 바라봤다. 본능은 건너기를 거부하고 있었으나 내 머리는 다른 대안을 찾지 못하고 있었다. 나는 움직여야 한다는 피할 수 없는 결정을 미룬 채 눈을 기계적으로 집어먹으며 공상에 잠겼다. 하늘에는 구름도 새도 없었다. 눈을 뜬 채 누워 있었으나 아무것도 보지 않았다. 그리고 오직 다른 곳만이 생각났다.

움찔하면서 깨어났다. "움직여… 거기 누워 있지 마… 졸지 마. 움직여!" 그 **목소리**가 팝송 가사와 과거의 기억과 몽상 사이를 어지럽게 방황하던 내 생각을 비집고 들어왔다. 나는 죄책감을 덜기 위해 빠른 속도로 다시 기어가며, 크레바스에 도사리고 있을 위험 따위는 더 이상 생각하지 않았다.

수시로 일어서서 앞을 내다보며 크레바스지대로 서서히 들어갔다. 부드러운 눈에 푹푹 빠질 때마다 걱정스럽게 좌우로 방향을 틀었다. 뒤를 돌아보니 마치 허물을 벗어놓은 것 같은 선이 구불구불 지그재그로 내가 잠든 곳까지 이어져 있었다.

미로 같았다. 처음엔 가는 방향을 알고 있었으나 절망적으로 길을 잃고 말았다. 얼음이 갈라지고 비틀린 것이 더 많아져서 일어나 앞을 내다봤다. 내가 있는 위치를 제대로 파악하는 것은 불가능했다. 크레바스가 눈에 익은 것 같기도 했지만 자세히 보면 아니었다. 혹시나 해서 다시 보면 모양이 달랐다. 나는 집중하려고 노력했다. 크레바스에 빠질 것 같은 공포가 점점 심해지자 미로 사이를 뚫고 가는 최상의 길을 가늠하려고 미친 듯이 두리번거렸다. 노력하면 할수록 더 나쁜 곳으로 가게 되자 히스테리가 올라오는 것 같았다. 어느 쪽이지? 어느 쪽이야? 저기…. 하지만 그곳에서 기어가다 위협적인 또 다른 크레바스에 막히고 말았다.

이리저리 기어 다니다 보니 시간도 느리게 흘러가는 것 같았다. 내 발자국을 건너고, 또 건너고 해도 조금 전에 길을 막아버린 크레바스를 잊어버리고 그것이 조롱하듯 내 앞에 다시 나타나고 나서야 겨우 기억을 해냈다. 보통 때 같으면 그냥 뛰어넘었을 조그만 크레바스와 틈새를 그래도 뛰어넘으라는 유혹과 싸워야 했다. 한쪽 다리로만 뛰어넘는 위험을 감수할 수는 없었다. 성공한다 할지라도 바로 앞에 수평으로 벌어진 그다음 틈새에 균형을 잃고 미끄러져 빠질지도 모를 일이었다.

긴장으로 탈진한 상태에서 두 개의 크레바스 사이에 있는 좁은 스노브리지에 쓰러졌다. 옆으로 누운 나는 앞으로 이어지며 좁아지는 스노브리지를 멍하니 쳐다봤다. 그곳은 낯익은 것 같았으나 기억해낼 수가 없었다. 스노브리지가 좁아지는 것을 보고 다시 돌아가야 한다는 절망적인 생각에 쓰러진 것이다. 전에도 몇 번 기어왔던 곳이었다. 전에는 스노브리지 양옆의 심연이 무서워 그 위로 감히 나서지도 못했는데, 이번엔 특별한 것이 눈에 띄었다. 나는 일어나 앉아 그 위에 무언가 기억나는 지형이 없는지 살펴봤다. 스노브리지는 왼쪽으로 굽어져 그 너머로 떨어지고 있었다. 그 지형은 일어서야만 알 수 있어서 흥분에 휩싸였다. 나는 아이스액스를 이용해 비틀거리며 몸을 일으켜 세웠다.

스노브리지 너머로 평편한 눈 위에 검은 바윗덩어리 하나가 윤곽을 드러냈다. 모레인이 시작되는 곳이었다. 나는 다시 주저앉아 좁아지는 곳을 향해 조심스레 기어갔다. 스노브리지는 왼쪽으로 휘어져 눈 덮인 모레인 쪽으로 향하고 있었다. 이제 크레바스는 더 이상 없었다.

빙하 위에 찍힌 내 발자국들을 보면서 누런색의 큰 바위에 기대어 앉았다. 발자국들은, 마치 큰 새가 눈 위에서 먹이를 쫓아 뛰어다닌 것처럼, 부서진 얼음덩어리 사이를 이리저리 헤집고 있었다. 그것을 보니 더욱 기진맥진했다. 좋은 길이 뚜렷이 보이는데 저토록 어리석게 내려왔다니!

이렇게 기분이 좋아도 히스테리 증세가 있었고, 몸에서는 가벼운 경련이 계속 일어나고 있었다. 그러나 안전하게 건너왔다는 것은 의심할 여지없이 내가 운이 좋았다는 사실을 알려주고 있었다. 햇빛에 반짝이며 일렁이는 빙하의 모습은 바다의 파도와 비슷했다. 나는 눈을 비비고 다시 쳐다봤다. 고개를 돌려 호수와 이어지는 어두운 모레인을 바라봐도 역시 흐릿하고 초점이 맞지 않았다. 눈을 비빌수록 시야가 더욱 흐려졌다. 그리고 뜨거운 바늘로 찌르는 듯한 통증에 눈물이 나와 앞이 뿌옇게 보였다. 설맹(하얀 눈에 반사되는 햇빛의 영향으로 눈이 일시적으로 머는 증상)이었다.

"아, 빌어먹을! 이 지경이 되다니."

절벽에서 떨어져 다리가 부러졌을 때 고글이 부서진 데다 이틀 동안 콘택트렌즈를 빼지 못한 탓이었다. 눈을 가늘게 뜨고 봤다. 빙하의 밝은 빛을 보면 너무 아파 눈물이 뺨으로 흘러내렸다. 어두운 모레인 쪽은 그래도 좀 나아 가늘게 뜬 눈으로도 초점을 꽤 잘 맞출 수 있었다. 모레인으로 향하고 있는 바위 뒤쪽으로 자리를 옮기려고 폴짝거리며 뛰다 보니 빙하가 그래도 쉬운 편이었다는 생각과 함께 걱정이 앞섰다.

나는 바위에 축 늘어져서 햇빛을 사치스럽게 즐기며 쉬었다. 모레인에 도착하기 전에 한 번은 확실히 쉬어야겠다고 마음먹은지라 곧 끄덕끄덕 졸았다. 30분쯤 후 그 **목소리**가 졸졸 흐르는 시냇물소리와 함께 꿈속으로 파고 들어와, 거역할 수 없는 명령을 내리며 내 평화를 무참히 방해했다. "자, 일어나! 할 일이 있잖아…. 갈 길이 멀어… 일어나."

나는 일어나 앉아 멀리 떨어진 어두운 바위들을 혼란스럽게 바라봤다. 그러다 잠시 방향감각을 잃었다. 여기가 어디지?

저 바위들 좀 봐! 눈에서 며칠을 보낸 후라 그런지 이상하게 보였다. 저렇게 많은 바위들은 정상에 오른 이후 본 적이 없었다. 얼마나 지났지? 나는 몇 번이고 멍청하게 손을 꼽아보고 나서야 알 수 있었다. 나흘! 하지만 나에겐 아무 의미가 없었다. 나흘 전이든 엿새 전이든 무슨 상관인가. 아무것도 바뀐 것이 없기는 마찬가지였다. 너무나 오랫동안 산속에 있었기 때문에 반쯤 잠든 상태로 여기에 남아 있어야 할 것 같았다. 나는 가끔 깨어나 현실로 완전히 돌아와선 내가 여기에 왜 있는지 기억했다가 다시 안락한 환상으로 돌아가길 반복했다. 바위에 등을 기대고 눈을 감았다. 그러나 그 **목소리**가 내 이름을 계속 불렀다. 내가 해야 할 일을 지시하는 명령이 계속 들려왔다. 나는 누운 채 그 명령을 들으며 복종하지 않으려고 저항했다. 조금만 더 자고 싶었다. 하지만 그 싸움에서 패배한 나는 결국 복종하고 말았다.

출발하려고 준비하는 동안에도 어떤 멜로디가 머릿속에서 계속 맴돌았다. 옛날에는 분명히 후렴만 기억하던 노래였는데 가사를 전부 웅얼거릴 수 있었다. 젖은 침낭을 바위에 널며 가사를 따라 불렀다. 나는 그것이 좋은 징조라고 생각하며 흐뭇해했다. 기억력이 잘 돌아가고 있었다. 배낭을 눈에 뒤집어 내용물을 하나씩 선별했다. 작은 코펠과 스토브는 옆으로 치워놓았다. 가스가 없어 스토브는 침낭 주머니에 넣었다. 헬멧과 크램폰은 벗어서 빨간 주머니 안에 넣었다. 해머와 안전벨트도 그곳에 집어넣었다. 이제 헤드램프와 카메라, 침낭, 아이스액스 그리고 코펠만 남았다. 카메라를 집어 들고 그것도 주머니 안에 넣을까 말까 망설였다. 정상에서 내려올 때 필름을 이미 꺼냈으나, 그 카메라를 사려고 중고품 가게를 얼마나 헤매고 다녔는지를 생각하곤 배낭 안에 넣었다. 침낭과 헤드램프도 마저 넣고 뚜껑을 닫았다. 알루미늄 코펠은 큰 바위 위에 조그만 돌 두 개를 올려놓고 그 사이에 끼워 햇빛에 반짝이도록 해놓았다. 이어 빨간 주머니를 그 바위 밑에 놓고 잠시 등을 기대어 앉았다. 정리정돈을 잘한 것 같아 기분이 좋았다.

그 일을 끝내자 머릿속 노래가 내가 평소 싫어하던 노래로 바뀌었다. 무슨 까닭인지 그 노래를 머릿속에서 지워내려 해도 줄기차게 계속되었다. 짜증이 난 나는 매트리스 위에서 작업을 시작하며 그 가사를 잊으려고 애썼다. "브라운 걸 인 더 링Brown girl in the ring… 트라 라 라 라 라Tra la la la la…." 마음 한

편은 작업 지시를 받은 것처럼 무의식적으로 일했고, 다른 한 편은 모든 기억을 총동원해 재미없고 뜻도 없는 그 가사를 계속 웅얼거렸다.

옆에 있는 노란 매트리스를 펼쳤다. 생각했던 것보다도 길었다. 반으로 찢으려 했으나 구조가 너무 촘촘해 생각대로 되지 않았다. 아이스액스 피크로 거칠게 구멍을 냈다. 매트리스는 들쭉날쭉하긴 했지만 구멍을 따라 쉽게 찢어졌다. 매트리스를 다리에 두 번 감고 힘껏 잡아당겼다. 그러자 찌르는 듯한 통증이 올라와 움찔했다. 나는 크램폰의 끈으로 허벅지 위쪽을 단단히 조였다. 다른 끈으로는 종아리 둘레를 조였다. 다리를 들어 보니 무릎이 구부러지지 않고 뻣뻣해 기분이 좋았으나, 무릎 부분에서 매트리스가 벌어졌다. 나는 배낭에서 끈을 두 개 더 빼내 관절에 아주 가깝게 위아래로 한 번씩 더 묶어 부목을 완성했다. 그러고는 기진맥진해 뒤로 벌러덩 누웠다. 끈을 조이자 비명이 터져 나왔지만 압박이 계속 가해지니 통증이 맥박에 맞춰 고동치며 점차 수그러들었다.

일어나서 바위에 기대자 현기증으로 머리가 빙빙 돌았다. 나는 넘어지지 않으려고 바위를 꽉 붙들었다. 그 순간이 지난 후 배낭을 메고 아이스액스를 집어 들었다. 모레인은 바위가 널린 넓은 지역으로 이어져 있었다. 모레인의 윗부분은 폭이 넓어도 아래의 호수 근처에 이르러서는 자갈과 퇴석들만 남은 채 좁아진다는 것은 알고 있었다. 기어갈 수는 없었다. 걸어가는 것도 불가능했다. 결국 한 발로 뛰는 수밖에 없었다.

첫 번째 시도에선 날카로운 바위 모서리에 이마를 찧고 다친 다리를 심하게 비틀렸다. 비명을 질렀으나 통증이 수그러든 후 다시 시도했다. 오른손으로 아이스액스를 잡았다. 아이스액스는 길이가 겨우 60센티미터라 지팡이로는 부적당했다. 그래도 마치 관절염에 걸린 노인처럼 허리를 조심스럽게 구부렸다. 그리고 체중을 아이스액스에 실으며 쓸모없는 오른쪽 다리를 앞으로 들어 올려 왼쪽 다리와 평행으로 매달리게 한 다음 그에 의지해 힘차게 뛰었다. 그러면서도 너무 힘껏 뛰어 비틀거리며 넘어지지 않게 하려고 애썼다. 나는 무려 15센티미터나 전진했다! 그다음 시도에선 넘어지고 말았다. 통증이 가라앉는데 시간이 오래 걸렸고, 다시 일어섰을 때는 부목 속의 무릎이 뜨겁게 타는 듯했다.

10미터를 전진한 다음에야 절름거리며 뛰는 기술을 완전히 터득했다. 그러나 별로 능률적이지 못해 땀을 무척 많이 흘렸다. 다친 다리를 성한 다리 앞에 놓지 않는 것이 좋다는 것을 알게 되었고, 한 발로 힘껏 뛰는 것보다 아이스액스로 균형을 유지하며 걷는 것이 비록 비틀거리긴 해도 더 낫다는 것을 알게 되었다. 처음 10미터에선 한 번 걸러 한 번씩 넘어졌으나 나중엔 더 멀리 뛰고도 똑바로 서 있을 수 있었다. 나는 능선을 내려올 때와 크레바스에서 기어 올라올 때 적용하던 기본 동작을 상기했고, 그 기술을 익히는 데 신경을 집중했다. 그리고 나름대로 독특하게 뛰는 동작을 터득해 충실하게 반복했다. 아이스액스를 놓고 다리를 올리고 체중을 싣고 폴짝 뛰고, 아이스액스를 놓고 다리를 올리고 체중을 싣고 폴짝 뛰고, 아이스액스를 놓고 다리를 올리고 체중을 싣고 폴짝 뛰고….

모레인을 출발한 것이 오후 1시. 5시간 반 후면 어두워질 터였다. 아이스액스를 놓고 다리를 올리고 체중을 싣고 폴짝 뛰고. 갈증이 났다. 폭탄통로까진 못 갈 것 같았다. 아이스액스를 놓고 다리를 올리고…. 자동적으로 절룩거리다 끝내는 쓰러질 때까지 계속 갔다. 나는 매번 넘어졌지만 어찌할 도리가 없었다. 아이스액스가 바닥의 돌에 미끄러지면 뛰어오르는 도중에 넘어지기도 했고, 돌조각 위로 발이 떨어지면 바위 옆으로 넘어지기도 했다. 무릎을 보호하려고 애썼으나 소용이 없었다. 다리를 한쪽으로 안전하게 치울 힘이 없었다. 언제나 다친 다리 위로 넘어졌고, 바닥에 세게 부딪히곤 했다. 매번 부딪힐 때마다 고통이 줄어들진 않았어도 어쩐 일인지 고통에서 벗어나는 속도가 빨라졌다. 넘어질 때 비명을 질러 봤자 통증에 별 차이가 없다는 것을 알고 비명은 그만 지르기로 했다. 비명이란 남이 들으라고 지르는 것이지 아무 반응이 없는 모레인에서는 소용없는 일이었다. 나는 때때로 고통과 좌절에 어린아이처럼 울기도 했다. 속이 자주 메스꺼웠으나 올라올 것이 없어서 토하지는 않았다. 2시간이 지나 돌아보니, 빙하가 멀리 떨어진 하얀 절벽처럼 보였다. 내려온 거리를 나타내는 그 증거에 힘이 솟았다.

목소리가 계속 재촉했다. "아이스액스를 놓고 다리를 올리고 체중을 싣고 폴짝 뛰어…. 계속 가. 얼마나 멀리 왔나 봐. 그렇게만 해. 깊이 생각하지 말고…."

시키는 대로 했다. 돌부리에 발이 채여 비틀거리기도 하고, 때로는 뛰어넘기도 하고, 넘어지기도 하고, 울기도 하고, 폴짝 뛰는 패턴과 박자에 맞춰 욕을 하기도 했다. 내가 왜 이런 짓을 하고 있는지도 잊어버렸고, 끝까지 해내지 못할지도 모른다는 걱정도 잊어버렸다. 내 안에 있다고 생각해본 적도 없는 본능에 따라 움직이고, 갈증과 고통과 폴짝 뛰는 것으로 인한 정신착란 속에 모레인의 바다를 표류하면서, 나는 시간을 엄격하게 쟀다. 앞의 목표물을 보고 30분이라는 시간을 나 자신에게 부여했다. 그 목표물에 가까워지면 시계를 보는 것도 패턴에 포함시켰다. 아이스액스를 놓고 다리를 올리고 체중을 싣고 폴짝 뛰고 시계를 보고…. 늦었다고 생각되면 마지막 10분은 쉬지 않고 서둘렀다. 서두르면 훨씬 더 많이 넘어졌으나 시계와 싸워 이기는 것이 더욱 중요했다. 딱 한 번 이기지 못한 적이 있었는데 서러워서 흐느껴 울기까지 했다. 시계는 성한 다리만큼이나 결정적으로 중요한 것이 되었다. 시간 가는 줄 몰랐다. 그리고 한 번씩 넘어져 반쯤 혼미한 상태로 누워 고통을 참노라면 시간감각이 없어져 얼마나 오래 누워 있었는지 분간이 되지 않았다. 그러다 시계를 보고 30초라고 느꼈는데

5분이나 지난 것을 알게 되면 화들짝 놀라 움직였다.

바위덩어리들은 나를 위축시켰다. 모레인도 빙하만큼이나 생명이 없었다. 주위는 온통 우중충한 바위 색깔뿐이었다. 진흙과 바위와 더러운 모레인지대. 곤충이라도 찾아보려 했으나 하나도 보이지 않았고, 하늘에는 새 한 마리 날지 않았다. 사방이 고요했다. 패턴과 그 목소리 밖에서 내 상상력은 미친 생각에서 또 다른 미친 생각으로 열광적으로 방황했다. 노래가 머리를 스쳐 지나갔고, 내가 누운 바위 위에 그림이 그려졌다. 바위 사이에 조그만 눈 조각이 있었다. 더럽고 모래가 끼어 있었으나 나는 눈을 계속 먹었다. 물은 집착이 되었다. 물과 고통. 그것만이 나의 세계였다.

바위틈으로 물이 떨어지는 소리가 들렸다. 얼마나 많이 들어온 소리였던가? 넘어 엎드렸는데 물 흐르는 소리가 들린 것이다. 내가 옆으로 조금씩 기어가자 그 소리가 조금 더 크게 들렸다. 거의 울부짖을 듯한 미소가 입가에 저절로 번졌다. "이번엔 큰 거겠지." 매번 그렇게 말했으나 진흙 사이로 흘러가는 아주 가느다란 물이 있을 뿐이었다. 오른쪽의 푸석 바위로 몸을 다시 옮겼다. 저기! 하하하! 내가 말했잖아! 바위 옆에서 가느다란 은빛이 흘러내리고 있었다. 부츠 끈같이 가늘었지만 이전 것들보다는 컸다. 나는 배를 붙인 채 옆으로 기어가서 물을 유심히 바라봤다. 우선 생각을 가다듬어야 했다.

'손대지 마. 또 없어질지 몰라.'

모래 진흙을 손가락으로 살짝 파냈다. 그러자 물이 그 구멍으로 흘러들어와 고였다.

'아, 됐네!'

구멍을 조심스럽게 넓혀 컵 받침만 하게 만들었다. 그런 다음 진흙이 코끝을 간지럽힐 정도로 고개를 숙이고 입술을 오므려 게걸스럽게 빨아들였다. 모래가 섞인 물 반 모금. 간에 기별도 안 갔다. 한 번에 꿀꺽 넘기지 않고 입안에서 살살 돌리면 더 좋을 것 같았다. 그것은 터무니없는 생각이었으나 그럼에도 나는 그렇게 했다. 구멍이 서서히 채워졌다. 반만 차면 빨아 먹다 보니 진흙과 모래가 너무 많이 따라 들어왔다. 그것들이 목에 걸리는 바람에 나도 모르게 기침이 나와 소중한 물을 다시 뱉어내고 구멍을 망가뜨렸다.

다시 만들었지만 물이 고이지 않았다. 더 깊게 팠는데도 여전히 물이 고이지 않았다. 물줄기가 사라져버린 것이다. 어떻게 된 일인지 궁금하지도 않았다. 확실한 것은 다음 물줄기가 나타날 때까지 물을 먹지 못한다는 것이었다. 그때 **목소리**가 끼어들어 나는 몸을 떨며 일어났다.

오후에도 날씨는 맑았다. 밤이 되어도 폭풍설은 불어오지 않을 것 같았다. 하늘도 청명하고 별도 많겠지만 구름이 없어 추울 터였다. 목표물을 정하려고 앞을 내다봤다. 급경사를 이룬 15미터 정도의 모레인이 보였다. 그래, 바로 저기야! 리처드와 헤어진 곳. 바위들이 덜 복잡하게 널린 모레인의 오른쪽 둑을 끼고 내려가던 나는 물기가 번들거리는 절벽을 만났다. 진흙에 덮인 25미터의 얼음 절벽! 이제 생각이 났다. 그때 우리는 햇볕에 녹고 있는 얼음 위에서 아슬아슬하게 균형을 잡으며 얼음에 붙어 있던 바위덩어리들 사이로 꼬불꼬불 조심스럽게 올라왔었지. 그 절벽에 도착하니 이상하게 흥분되었다. 여기서 죽을지도 몰라. 마지막 난관이었다. 그 절벽을 지나 계속 기어가기만 하면 되었다. 위협적인 크레바스나 절벽은 더 이상 없을 터였다. 나는 시간을 재고 나서 절벽 꼭대기를 향해 절뚝절뚝 걸어갔다.

절벽 아래로 내려가는 길에 앉았다. 어떻게 내려가야 가장 좋을까? 바깥쪽을 보고 엉덩이로 미끄러져 내려가? 아니면, 배를 대고 엎드려서 미끄러져 내려가? 크램폰을 두고 온 것을 후회했다. 한쪽만 있어도 사정은 완전히 달라졌을 텐데. 바깥쪽을 보고 엉덩이로 미끄러져 내려가는 방법을 선택했다. 그래야 적어도 내가 어디로 가고 있는지 볼 수 있을 테니까.

절반쯤 내려오자 좀 건방진 생각이 들었다. 너무 쉬웠다. 왜 그렇게 무서워했지? 그에 대한 대답은 잡고 있던 돌이 빠지면서 느닷없이 찾아왔다. 미끄러지기 시작했다. 몸을 옆으로 돌려 다른 돌을 잡으려고 버둥거리며 얼음 위의 진흙을 손톱으로 할퀴었다. 몸이 구르고 턱과 머리가 얼음에 부딪치면서도 속도를 줄이려고 필사적으로 노력했다. 몸이 갑자기 멈췄다. 왼쪽 부츠가 바위 모서리에 걸린 것이다. 큰일 날 뻔했다.

바위 아래로 비틀비틀 걸어가며 얼음 절벽을 두어 번 돌아봤다. 그때마다 그것이 작아 보였다. 그러자 무형이지만 오랫동안 나와 함께했던 위험의 문이 닫히고 있다는 느낌이 들었다. 그 얼음 절벽은 산으로 향해 나 있던 문이었다. 그것을 바라보며 씩 웃었다. 그래, 나는 결국 이 싸움에서 이기고 말았어. 이제 남은 것은 패턴과 고통과 물뿐이었다. 오늘 밤 내로 폭탄통로에 도달할 수 있을까? 즐거운 상상이었다. 길어야 20분? 그게 그렇게 힘든 일은 아니겠지!

그것이 내 실수였다. 나는 목표를 정해 시간을 재는 것을 그만두고, 얼음 녹은 물이 흐르고 있는 폭탄통로 쪽으로만 시선을 고정시켰다. 어두워지자 폭탄통로가 얼마나 남았고 내가 얼마나 기어왔는지 알 수가 없었다. 나는 넘어질 때마다 시간을 재지 않고, 그저 멍하게 누워 있기만 했다. 누운 채 고통을 끝없이 호소하는 소리를 들어주기도 하고, 현실 세계의 인생을 짧은 꿈속에서 보기도 하고, 심장박동에 맞춰 노래를 불러보기도 하고, 물을 찾아 진흙을 핥기도 하면서 공허한 꿈속에서 무수한 시간을 허비했다. 나는 폭탄통로에 사로잡힌 채 어둠 속에서 비틀거리며, 이제 그 통로는 잊어버리라는 **목소리**를 무시했다. 배낭에서 헤드램프를 꺼내 켜고 그 빛이 꺼질 때까지 더듬거렸다. 달도 없는 밤이었다. 다만 밤하늘에 반짝이는 별들만이 희미한 빛을 모레인 위로 비추고 있었다.

밤 10시경 돌에 걸려 심하게 넘어졌다. 3시간 전에 헤드램프가 나간 이후로는 뛸 때마다 넘어졌고, 그러는 사이 몇백 미터밖에 전진하지 못했다. 이제는 일어설 수도 없었다. 다시 해봤으나 어쩐 일인지 몸을 일으킬 힘도 없었다. 그때 **목소리**가 들려왔다. 나는 침낭 속으로 서둘러 들어가 깊은 잠에 빠져들었다.

12

촉박한 시간

침낭을 텐트 위에 널어놓고 취사바위 아래 그늘로 갔다. 어제까지 느낀 극심한 피로는 어느덧 사라지고 없었다. 내 시련의 유일한 증거는 까맣게 변해버린 손가락 끝뿐이었다. 손가락이 동상에 걸렸다는 사실을 벌써 잊은 탓에 스패너로 석유스토브를 조립하지 못하자, 나는 깜짝 놀라고 말았다. 그러자 리처드가 스토브를 가져가 조립한 다음 불을 붙였다. 그는 아침식사를 만들면서도 아무 말이 없었다. 나는 그가 속으로 무슨 생각을 하는지 눈치챘으나 이야기를 꺼내지 않기로 했다. 간밤에 리처드는 페루의 수도 리마로 돌아가는 문제를 언급했다. 이곳 캠프에 더 이상 있을 필요가 없는 데다 그는 닷새 안에 비자를 연장해야 했다. 나는 좀 더 쉬면서 기력을 회복해야겠다고 그에게 말했다. 내 말이 어젯밤엔 맞았을지도 모른다. 그러나 지금은 아니었다. 이제 나는 완전히 회복되었다. 왕성한 식욕이 그 사실을 증명했다. 물론 리처드도 확실히 알아차렸을 터였다.

그러나 쓰라린 감정은 줄어들지 않았다. 이곳을 얼른 떠나는 것만이 나를 무자비하게 비난하는 존재에서 벗어날 수 있고, 시끌벅적한 리마는 캠프에 혼자 있을 때 나를 억누르는 적막감을 없애줄 수 있을 것이 분명했다. 속으론 가야 한다는 것을 느끼고 있었으나 기회를 잡을 수 없었다. 산이 나를 붙잡고 있었다. 무언가가 나를 떠나지 못하게 하고 있었다. 돌아가서 큰 소용돌이에 휘말리는 것이 두렵진 않았다. 아무튼 그 상황에서의 나는 정당했다. 조만큼 나도 피해자라는 확신에 이의를 제기할 사람은 아무도 없을 것이다. 살아남은 것은 죄가 아니니까. 그런데 왜 못 가지? 나는 하얀 눈이 덮인 사라포를 바라봤다. 내일이면 떠날 수 있을까?

"좀 어때?" 리처드가 내 생각을 비집고 끼어들었다.

"응. 훨씬 좋아졌어. 손가락만 괜찮아지면 돼…." 그의 시선을 피하고 싶은 마음에 눈길을 거둬 손가락을 쳐다봤다.

"이젠 떠나야 해."

리처드가 그런 말을 꺼내기까진 시간이 좀 걸릴 것으로 생각했기 때문에 그의 갑작스럽고 무뚝뚝한 말에 나는 놀랐다.

"뭐라고? … 그래, 맞는 말이야. 근데… 난 아직 준비가 안 됐어. 난…."

"여기 있어 봐야 도움이 안 돼, 안 그래?"

"맞아. 아마 그럴 거야." 나는 내 손을 더 자세히 들여다봤다.

"그럼, 당나귀를 불러와야 할 거야. 스피노사가 저 아래 오두막에 있어. 내가 내려가서 알아볼게."

나는 아무 말도 하지 않았다. 왜 그렇게 떠나기가 싫었을까? 이곳에 있어 봤자 더 이상 얻을 것도 없었다. 계속 머무는 것은 어리석은 짓이었다. 그런데, 왜…?

"봐, 그는 돌아오지 않아." 리처드가 부드럽게 말했다. "알잖아. 가망이 있었다면 어제 올라갔을 거야. 그렇잖아? 이젠 잊어버려. 할 일도 많아. 대사관에도 그리고 가족에게도 알려야 해. 복잡한 법적 절차도 밟아야 하고. 비행기도 예약해야지…. 이젠 가야 해."

"먼저 가. 뒤따라갈게. 대사관에도 연락하고, 다른 일도 하고, 비자도 연장해. 난 며칠 뒤에 갈게."

"왜? 나랑 함께 내려가. 그게 나아."

나는 대답하지 않았다. 리처드는 일어나서 텐트로 가더니 돈주머니를 가지고 왔다.

"스피노사 만나러 갈게. 그에게 부탁해서 오늘 중으로 당나귀를 끌고 오라고 해볼게. 정오쯤 떠나면 우아이야파Huayllapa에 도착할 수 있을 거야. 안 되면 내일 아침 일찍 올라올게."

리처드는 몸을 돌려 계곡 기슭에 있는 오두막을 향해 출발했다. 그가 강바닥을 건너려고 할 때 내가 일어나 뛰어갔다.

"이봐, 리처드!" 돌아서서 쳐다보는 그에게 나는 계속 소리쳤다.

"네 말이 맞아. 내일 아침에 당나귀를 끌고 오라고 해. 오늘이 아니고. 내일 아침에 일찍 가자. 알았지?"

"그래, 알았어. 이따 봐."

그는 몸을 돌려 마른 강바닥을 빠르게 걸어갔다. 2시간 후 그가 돌아오는 모습을 보고 나는 차를 준비했다. 그는 소녀들로부터 사온 치즈를 나에게 건네줬다. 우리는 햇빛 아래서 치즈를 먹으려고 매트리스에 앉았다.

"스피노사가 6시까진 오겠대. 하지만 이 친구들 시간관념은 잘 알고 있지?"

"잘됐네."

결정을 내리고 나니 홀가분했다. 해야 할 일을 생각하니 무겁게 짓누르던 번민에서 벗어날 수 있었다. 할 일이 많았다. 이틀은 걸어 내려가야 한다. 캠프를 철수해 짐을 각각 비슷한 무게로 싸야 한다. 당나귀 한 마리에 몇 킬로그램을 실을 수 있더라? 한쪽에 20킬로그램씩 두 덩어리? 상관없다. 우리 짐은 이제 반으로 줄었을 테니까. 스피노사에게 돈도 줘야 할 텐데. 물건으로 대신 주면 안 될까? 그가 탐낼 만한 물건은 많이 있다. 로프, 코펠, 주머니칼 등. 그래 이런 것들을 가지고 좀 깎아달라고 해야지. 그리고 카하탐보Cajatambo로 가는 버스도 예약해야겠지. 경찰에게도 우리가 리마로 돌아간다고 말하고. 아, 그게 문제네. 조에 대해 물어보겠지. 그들에겐 이야기하지 말아야지. 괜히 귀찮게 굴 테니까. 모든 일은 리마에서 할 수 있을 거야. 대사관이 우리를 도와줄 것이고. 조의 부모님께도 전화를 해야 하는데. 아, 뭐라고 말씀드리지? 조가 크레바스에 빠져 죽었다고 하고, 돌아가서 사실대로 말씀드려야지. 그래, 그게 좋겠어. 빨리 돌아가는 비행기 편이 있을까? 리마에서 빈둥대기는 싫어. 볼리비아는 이제 못 가겠지. 조는 에콰도르에 가고 싶어 했는데. 둘 다 아무 데도 못 가게 되다니 아이러니네!

"이봐." 텐트 뒤의 바위에 엎드린 리처드를 쳐다봤다.

"왜?"

"시울라에 가기 전에 돈 숨겨놓지 않았어?"

"아참, 그걸 깜빡했네." 나는 일어나서 그가 서 있는 곳으로 서둘러 갔다. "거기가 아냐. 근처에 가스통을 놔둔 어떤 바위 밑이야."

우리는 그 근처를 뒤졌지만 찾을 수가 없었다. 아, 어디에 숨겨놨었지? 그 작은 비닐봉지 안에는 200달러가 들어 있었다.

"저기 같은데." 나는 머리를 갸웃하며 중얼거렸다. 리처드가 웃음을 터뜨렸다.

"큰돈이야. 만약 못 찾으면 리마로 돌아가는 게 골치 아플 거야. 그런데 그 장소가 정말로 기억이 안 나?"

"글쎄 말이야. 분명히 숨겨놓긴 했는데…. 벌써 일주일이 지나서."

나는 처음의 그 바위 뒤로 갔다. 그리고 바위를 들어 올리자 그곳에 돈을 넣어둔 봉지가 온전히 놓여 있었다.

"여기야!" 나는 돈 봉지를 머리 위로 들어 올리며 의기양양하게 외쳤다. 리처드가 바위 뒤에서 튀어나왔다.

"아이고, 하느님 감사합니다. 애들이 가져갔을지도 모른다고 의심했는데…." 돈이 얼마나 남았는지 확인하는 동안 리처드는 식사를 준비하기 시작했다. 195달러. 충분했다. 대사관과 경찰서 일을 마무리하려면 리마에서 얼마나 있어야 하지? 그런 관료적인 일들은 틀림없이 시간이 많이 걸릴 것 같았다.

"조의 돈은?" 내가 갑자기 묻자 리처드는 코펠을 젓다 말고 멈췄다.

"무슨 돈 말이야?"

"그도 돈을 감춰뒀어. 기억 안 나?"

"그런 말 한 적이 없었는데."

"나한텐 분명히 말했어. 그리고 꽁꽁 숨겨놨어. 날 데리고 가서 보여주기도 했다니까."

"그럼 가서 찾아."

"못 찾아. 어딘지 잊어버렸어."

리처드는 껄껄대며 큰소리로 웃었다. 나도 따라 웃었으나 내 자신이 이상하다는 생각이 들었다. 마지막 순간의 무의식적인 유머도, 그의 소유라는 생각 한 번 안 하고 '조의 돈'이라고 표현한 것도 놀라웠다. 나는 조의 환영幻影을 어제 태워버렸다. 돈은 그의 것이 아니라 그냥 돈일 뿐이었다. 그리고 찾기만 한다면 우리 것이었다.

"얼마 정도였는데?"

"상당히 많아. 어쨌든 내 것보단 많았어."

"그럼 찾는 게 좋겠어. 200달러가 넘는 돈을 썩게 놔둘 순 없잖아?"

리처드는 일어나서 처음의 그 바위 쪽으로 가더니 주변을 뒤지기 시작했다. 이번엔 내가 낄낄대며 웃었다.

"도대체 뭘 하는 거야? 조가 어디에 숨겨놓았는지 알지도 못하면서. 여긴 바위가 수천 개나 돼."

"달리 도리가 없잖아? 거길 잊어버린 건 넌데 말이야."

"체계적으로 해보자. 처음의 그 바위 근처는 아냐. 그건 확실해."

나는 큰 바위들이 있는 곳으로 걸어가 기억이 날 만한 바위를 뒤졌다. 바위들은 다 비슷비슷해 보였다. 여긴 아니라는 확신이 들 때까지 이리저리 뛰어다니며 찾았다. 그러고는 다른 지역의 바위로 이동했다. 리처드는 그냥 조용히 서서 그럴 줄 알았다는 듯이 웃었다. 1시간을 허탕 친 끝에 잠시 중단하고 그를 쳐다봤다.

"거기 서 있지만 말고 와서 도와줘."

그로부터 다시 1시간 지난 후 침울해진 우리는 차를 마시기 위해 스토브 옆에 앉았다. 돈은 아무 데도 없었다.

"저기 어디에 분명히 있을 텐데…. 큰 바위 근처의 조그만 돌 밑에 놔둔 것까진 기억이 나. 텐트에서 10미터도 떨어지지 않았어."

"네 말대로 여긴 바위가 수천 개나 돼."

서로 따지면서 차를 마시는 사이에도 찾아봤으나 결과는 마찬가지였다. 오후 4시에 소녀 둘이 아이들 둘을 데리고 나타났다. 우리는 그냥 주변을 정리하는 체했다. 그들은 나에게 불쌍하다는 듯한 미소를 지어 보였다. 그들은 불안해하고 있었다. 리처드가 당나귀 문제로 내려갔을 때 조의 죽음에 대해 말했나? 그들에게서 슬픈 표정을 보자 평온하던 오후 한나절에 갑자기 먹구름이 끼었다. 그들을 보자 화가 났다. 도대체 왜 슬퍼하지? 그 일은 이제 다 끝났고 두 번 다시 기억하기도 싫었는데.

그들은 처음 만났을 때처럼 부끄러워하는 기색도 없이 대놓고 나를 구경했다. 나는 그들이 나에게서 무슨 지친 기색이라도 찾으려는 것같이 느껴졌고, 그들이 아무 말도 하지 않는 것은 나를 동정하는 것으로 이해했다. 두 아이들은 입을 벌리고 나를 쳐다봤다. 나는 그 아이들이 내가 갑자기 무슨 볼만한 일이라도 보여주길 기다리고 있는 건 아닌지 의심했다. 그중 나이든 소녀가 리처드에게 뭐라고 짤막하게 이야기했다. 그 소녀가 뭐라고 이야기했는지 알아들을 수는 없었지만 러처드의 얼굴이 노여움으로 변했다.

"저 애들은 우리가 자기들에게 뭘 줄 건지 알고 싶대." 그가 믿을 수 없다는 듯이 말했다.

"뭐라고?"

"그게 다야. 조에 대해 물어보진 않았어. 조가 어찌됐건 그들은 관심이 없어."

우리가 이야기를 나누는 동안 그들은 가끔 뭔가를 기대하는 눈치로 우리를 번갈아 보며 자기들끼리 재잘거렸다. 노르마가 손을 뻗어 우리의 식기를 주섬주섬 챙기기 시작하자 나는 끝내 폭발하고 말았다. 노르마는 놀라서 프라이팬을 떨어뜨리며 같이 온 글로리아를 쳐다봤다.

"꺼져! 꺼져버려! 바야세Yayase!('가라'라는 뜻의 스페인어) 씨팔!"

그들은 어리둥절한 채 가만히 앉아 있었다. 내가 왜 화를 내는지 이해하지 못하는 것 같았다.

"리처드. 네가 쟤들한테 말해. 한 대 치기 전에."

나는 분을 삭이려고 텐트 주위를 몇 바퀴 돌다 멀리 가버렸다. 잠시 후 소녀들이 아이들을 노새에 태우고 계곡 아래로 허둥지둥 내려가는 모습이 보였다. 나는 텐트로 돌아왔을 때도 화가 안 풀려 부들부들 떨었다.

어둠이 내리자 굵은 빗줄기가 텐트 위로 후드득 떨어졌다. 우리는 텐트로 철수해 입구에서 가스스토브로 저녁식사를 준비했다. 비는 곧 축축한 눈송이로 변했다. 우리는 텐트 문을 닫았다. 내일이면 당나귀들이 올라와 여기를 떠날 수 있겠지?

7시경 구름이 덮인 계곡에서 등골이 오싹해질 정도로 섬뜩한 소리가 들렸다.

"저게 대체 무슨 소리지?"

"개야."

"씨팔, 이상하게도 짖어대네!"

"놀랐지? 너희가 산에 올라갔을 때 저 소리를 듣고 얼마나 기겁했는지 몰라. 간 떨어지는 줄 알았어."

우리는 트럼프 게임을 끝내고 촛불을 끈 다음 자리에 누웠다. 시울라 밑의 빙하에도 눈이 내리고 있겠다는 생각이 들자 복수심으로 텅 빈 고통의 상처가 아프게 느껴졌다.

눈을 뜨자 햇살이 너무 눈부셔 움찔했다. 눈물이 흘러 시야가 흐렸다. 나는 눈을 다시 감고 마음을 가다듬었다. 춥고 힘이 없었다. 아직 이른 아침이어서 햇살에 따뜻한 기운이 없었다. 날카로운 돌이 젖은 침낭을 뚫고 등을 찔렀다. 목이 아팠다. 두 개의 바위 사이에서 머리를 구부리고 잔 탓이었다. 밤이 영원히 계속되는 것 같았다. 나는 잠을 거의 자지 못했다. 낮에 심하게 부딪히며 떨어질 때 다리에 충격이 가해져, 통증으로 인한 경련이 잠에 빠져들려고 할 때마다 계속 방해했다. 한번은 허벅지와 종아리에 경련이 일어나 몸을 세게 틀고 앞으로 구부려 다친 다리를 마사지하느라 고통에 울부짖기도 했다. 잠을 자다가도 심한 통증이 계속될 때는 바위 사이에 누워 떨면서 밤하늘을 바라봤다. 무수한 별들 사이로 별똥별이 반짝거렸다. 나는 그 별들이 빛을 반짝 내다 죽어가는 광경을 무심히 쳐다봤다. 시간이 지날수록 다시는 일어나지 못할 것 같은 불길한 예감이 들었다. 나는, 마치 바위에 고정된 듯한 느낌으로, 등을 대고 꼼짝도 하지 않고 누워 있었다. 별들이 펼쳐진 내 위의 암흑이 나를 땅속으로 가차 없이 짓누르는 것 같았다. 시간이 흘러도 변치 않는 별들의 모습을 바라보며 긴 밤을 보냈더니 시간이 정지된 것 같았다. 그 밤은 나에게 고독과 외로움에 대해 많은 말을 했고, 두 번 다시 움직이지 못할 거라는 생각이 들게 했다. 나는 다시는 떠오르지 않을 태양을 기다리며 그곳에 아주 오랫동안 그렇게 누워 있을지도 모른다는 공상에 빠졌다. 아주 잠깐 잠이 들었다 깨어나선 같은 별을 보면서 어쩔 수 없이 똑같은 생각을 했다. 그 생각은 내 동의도 없이 말을 계속 걸었고, 환청인 줄은 알고 있었으나 무시할 수 없는 공포가 속삭였다. 그때 **목소리**가 나에게 말했다. 너무 늦었어. 시간이 없어.

이제 머리가 햇살에 노출되었고 몸이 왼쪽의 큰 바위 그림자에 가려졌다. 나는 이빨로 침낭 끈을 당겨서 풀고 나서 밖으로 기어 나와 햇살 쪽으로 기어가려 꿈틀댔다. 그러자 무릎 통증이 재발했다. 나는 겨우 2미터를 움직이고 나서 탈진이 되어 모레인지대 위로 쓰러졌다. 하룻밤 사이에 상태가 그토록 악화되었다는 사실이 믿기지 않았다. 팔로 몸을 당겨 일으키는 데도 한계를 느낄 정도였다. 잠에서 깨어 무기력을 몰아내려고 머리를 좌우로 흔들었으나 효과가 없었다. 바위에 드러눕자 어떤 벽 같은 것에 부딪쳤다. 정신적인 것인지 혹은 육체적인 것인지 확실치 않았으나, 그것은 나를 연약함과 무관심으로 덮어버렸다. 움직이려 했으나 그럴 수 없었다. 팔을 들어 햇살을 가리는 데도 신중한 동작이 필요했다. 나는 약해졌다는 사실이 두려워 움직이지 않고 누워 있었다. 물을 마시면 한 번 더 힘을 낼 수 있을 텐데…. 마지막 기회야. 오늘 중으로 캠프에 도착하지 못하면 기회는 두 번 다시 없을 거야.

캠프는 아직도 거기에 있을까?

처음으로 그런 의문이 들었다. 그와 동시에 밤에 경험한 두려운 감정이 떠올랐다. 아마 가버렸을지도 몰라. 사이먼이 캠프로 돌아간 지 사흘째 되는 날 아침이니까. 기력을 회복했다면 더 있을 이유가 없을 거야.

나도 모르게 일어나 앉았다. 혼자 남겨질지도 모른다는 생각에 갑자기 무기력함이 사라졌다. 오늘 안으로 캠프에 도착해야만 해. 시계를 봤다. 오전 8시. 10시간 후면 어두워지네.

나는 죽을힘을 다해 바위를 잡아당기며 일어섰고, 모레인 지대 위로 다시 쓰러지기 직전에 불안정하게 일어섰다. 자세가 갑자기 바뀌자 머리가 핑 돌았다. 순간 기절할 것 같았다. 관자놀이에 피가 몰렸고, 다리가 녹아내리는 것 같았다. 거친 바윗덩어리를 꽉 껴안았다. 균형 감각이 돌아오고 쿵쾅거리는 것이 없어지자 똑바로 서서 어제 지나온 곳을 돌아볼 수 있었다. 멀리 그 얼음 절벽의 꼭대기가 보여 실망했다. 호수 쪽으로 몸을 돌려 보니 폭탄통로까진 아직도 먼 거리였다. 밤새 힘들게 기어온 것은 아무런 성과도 없었다. 어제 시간 재는 것을 잊어버린 게 얼마나 멍청한 일이었으며, 또 얼마나 빨리 시간 감각을 잃었던가! 매 단계마다 시간을 재지 않아서 그저 목적 없이 떠돌게 되었던 것이다. 오늘은 달라져야 할 텐데…. 4시간 안에 폭탄통로에 도착하겠다고 마음먹었다. 정오를 최종시한으로 잡고 매 단계마다 조심스레 시간을 측정하며 그 시간을 단축시킬 작정이었다. 첫 번째 목표를 찾았다. 넓은 모레인지대에 우뚝 솟아 있는 붉은 바위기둥. 그곳에 30분 안에 도착해 다음 목표를 찾기로 했다. 배낭을 메고 그날의 첫 번째 뛰기를 하려고 몸을 움츠렸다. 뛰어오르는 순간 넘어지게 될 것이라는 사실을 이미 알아차렸다. 팔이 구부러지며 앞으로 고꾸라졌다. 다시 뛰려고 일어나려니까 아이스액스를 짚은 손 위로 몸을 끌어올릴 수가 없었다. 그리하여 다시 한번 바위를 잡고 기어서 일어섰다. 그 뒤 15분이 지났는데도 나는 여전히 내가 잔 장소가 훤히 바라다보이는 위치에 있었다. 뛸 때마다 넘어졌으나 나를 의기소침하게 만든 것은 일어서려는 시도였다. 처음 넘어졌을 때는 너무나 고통스러웠다. 자갈밭에 얼굴을 댄 채 어금니를 꽉 깨물고 통증이 가라앉길 기다렸다. 전에는 그런 적이 없었던 것처럼, 통증을 참을 수 없을 정도로 무릎이 화끈거렸다.

"그만, 그만, 제발 그만해…."

그러나 통증은 계속되었다. 너무나 괴로운데도 통증을 떨쳐버리려고 몸을 일으켜 세웠다. 안면 근육이 뒤틀리고 혀가 말려 들어가는 것 같았다. 나는 다시 넘어졌고 통증은 계속되었다. 무릎 속이 형편없이 망가져 통상적인 통증 범위를 넘어선 것 같았다. 머릿속 어딘가가 고장 나서 그런가?

처음 15분 만에 남아 있던 투지를 다 소모했다. 만성적으로 화끈거리는 통증에 시달리면서도 넘어질 때마다 통증이 추가되었고, 투지가 조금씩 사그라졌다. 일어서고 넘어지고, 넘어진 채로 몸부림치며 괴로워하고, 울고 욕하면서 마음속으론 이것이 내가 꼼짝 못 하고 영원히 누워 있기 전의 마지막 발악이구나 하는 생각이 들었다. 바위를 놓고 뛰어봤다. 발이 땅에서 떨어지지 않았다. 팔로도 나를 보호하지 못한 채 그냥 옆으로 쓰러졌다.

그 충격으로 머리가 멍해졌다. 현기증으로 머리가 의식과 무의식 사이를 헤매는 동안 고통이 잠시 사라졌다. 바위에 부딪히는 바람에 입술이 찢어져서 피가 입안으로 흘러 들어왔다. 나는 두 개의 큰 바위에 끼인 채 옆으로 누워 있었다. 붉은 바위기둥이 바로 내 앞에 보였다. 10분 남았네. 가망이 없어. 눈을 감고 뺨을 차가운 바위에 댔다. 아지랑이같이 몽롱한 가운데 얼마를 가야 하고 얼마를 왔는지 생각했다. 마음 한구석에선 그만 포기하고 여기서 자자, 죽어도 캠프에 도착하진 못해, 이런 대화가 오갔다. 그때 **목소리**가 반박하고 나섰다. 나는 가만히 누워 그 논쟁을 들었다. 캠프나 내려가는 것 따위에는 관심이 없었다. 거기까진 멀어도 너무 멀었다. 그러나 모든 난관을 극복하고 내려와 여기 모레인에서 무너진다는 아이러니에 갑자기 화가 치밀었다. **목소리**가 이긴 것이다. 나는 마음을 다졌다. 사실 크레바스에서 나온 순간부터 그랬었다.

다음의 목표들을 향해 계속 움직이고 계속 노력하기로 했다. 폭탄통로를 지난 후에는 위쪽 호수를 목표로 삼고, 다음에는 그 사이의 모레인을 지나 아래쪽 호수를 목표로 하고, 그 끝에 있는 모레인을 통해 호수를 돌아가고, 다시 그다음에는 언덕을 기어오르고 캠프로 내려갈 작정이었다. 나는 적어도 거기까진 할 거라고 다짐했다. 실제로 되든 안 되든 그런 건 상관 없었다.

땅이 움푹 파인 곳의 가장자리를 향해 뛰다 넘어져 굴러떨어졌다. 어디선가 바위를 따라 물이 졸졸 흐르는 소리가 들려왔다. 얼굴이 젖어 있었다. 내가 엎어진 곳의 자갈과 진흙은 차갑고 축축했다. 물소리가 나는 곳으로 얼굴을 돌렸다. 누런 바위에서 물이 반짝거리며 흘러내리고 있었다. 폭탄통로였다. 오후 1시. 결국 1시간 늦은 셈이었다.

내가 누워 있는 곳 위에는 크고 둥근 바위벽이 곡선을 이루고 있었다. 바닥은 젖어 있었고, 진흙이 묻은 퇴석들이 물이 흐르는 방향으로 둥글게 쌓여 있었다. 태양이 위쪽에 있는 눈을 녹이며 햇볕을 쏟아냈다. 나는 몇 분 전만 해도 없었던 힘으로 퇴석들을 기어올라 아이스액스를 이용해 그것들을 옆으로 쓸어버렸다. 그리고 졸졸 흐르는 물에 입술을 가져다 댔다. 물은 얼음장같이 차가웠다. 젖은 바위를 미친 듯이 빨아대는 사이사이에 헐떡거리며 거친 숨을 몰아쉬었다. 물은 이마를 타고 감은 눈을 지나서 코끝을 거쳐 입속으로 흘러 들어갔다. 공기를 들이마시려다 콧구멍 속으로 물이 들어가면 코로 돼지 같은 소리를 내며 바위에 얼굴을 다시 처박았다.

한참이 지나서야 물에 대한 공격적인 마음을 진정시켰다. 그제야 타는 듯했던 목구멍의 건조함이 가라앉았으나 갈증은 여전했다. 그래도 한 모금을 마실 때마다 힘이 돌아오는 것을 느낄 수 있었다. 바위 옆으로 비켜 앉았다. 방한 바지가 퇴석의 물기로 젖었다. 마침내 정신이 들자 퇴석을 움푹하게 파서 물이 고이는 것을 지켜봤다. 5센티미터 깊이의 구멍에 얼음 녹은 물이 가득 고였다. 한입에 다 마실 수도 없는 양이었다. 한 번 들이마시고 다시 마시려고 몸을 구부리기도 전에 물이 가득 고였다. 나는 차가운 물로 배가 아플 때까지 마셨고, 마시고 또 마셨다. 고개를 숙여 침을 흘리면서도, 모래가 목구멍에 걸려 재채기를 하면서도 마셨다. 나는 기쁨과 불편이 뒤섞인 힘없는 울음소리를 내고 있었다.

그만 되었다고 멈출 때마다 다시 마시고야 말겠다는 압도적 욕망이 일어났다. 얼굴이 진흙과 모래투성이가 되었으나, 감각이 없는 더러운 손으로 바닥을 파서 자꾸만 넓혔다. 그것이 갑자기 말라 사라질지 모른다는 두려움에, 마시고 쉬고 또 마셨다. 물 한 모금 마시지 못하고 사흘 밤낮을 보냈기 때문에 나는 환장했다. 바위에서 몸을 뗄 수가 없었다. 갑작스레 나타난 물을 믿을 수 없다는 듯이 눈을 꼭 감고 긴장된 얼굴로 마셨다. 나는 내가 평생 마신 물보다도 더 많을지 모르는 양의 물을 마셨다. 몸속에 있는 흡수지가 완전히 축축해진 것 같았을 때야 몸을 돌린 다음 뒤로 물러나 쓰러지듯 주저앉았다.

물에 완전히 미쳐 있던 나는 이제 나 자신을 수습하고 주위를 둘러봤다. 가까운 곳에서 물소리가 들려오니 커다란 위안이 되었다. 눈에 익은 곳이었다. 그래, 사이먼과 리처드와 함께 왔었지. 두 번째는 사이먼과 둘이서. 얼마 전이었지? 8일! 믿을 수 없었다. 나는 이곳을 너무나 잘 기억하고 있었다. 여기서 배낭을 깔고 앉아 있었던 게 바로 엊그제 같은데. 그때 우리는 등반에 대한 기대와 흥분으로 들떠 있었다. 돌멩이 몇 개가 달그락거리며 떨어져 내렸다. 그 돌멩이들이 저쪽 끝에 있는 퇴석 위로 떨어지는데도 나는 본능적으로 몸을 피했다. 물은 나에게 놀라운 변화를 가져다줬다. 기운이 솟는 것을 느꼈다. 바로 1시간 전의 절망감도 잊었고, 아침에 잠에서 깨어난 이후 느꼈던 공허한 나약함도 사라졌다. 투지가 되살아나는 것 같왔다. 아침에 부딪혔던 벽은 이제 더 이상 없었다.

폭탄통로에서 위쪽 호수까진 걸어서 30분이 걸리므로 기어서는 3시간 정도라는 계산이 나왔다. 그럼 4시까지로 목표를 잡자. 일어서서 바위로 폴짝폴짝 뛰어가 마지막으로 물 한 모금을 더 마셨다. 그리고 몸을 돌려 그곳을 출발했다. 움푹 파진 그곳을 나가자 진흙 속에 사이먼의 발자국이 보였다. 크기가 작은 것은 리처드의 운동화 자국이었다. 기운이 샘솟았다. 그들은 이제 나와 함께 있었다. 나는 뛰다시피 했다.

그 앞의 모레인지대는 덜 복잡했다. 커다란 바윗덩어리가 간혹 솟아 있는 사이로 작은 돌멩이들이 양탄자처럼 깔려 있었다. 아이스액스 밑의 돌이 움직인 탓에 넘어졌으나 이번엔 바위에 부딪히지 않아 고통을 덜 받고 일어설 수 있었다. 물은 나를 다시 살려놓았으나 파란 하늘에서 이글거리는 태양은 집중력을 약화시켰다. 나는 비몽사몽간에 계속 뛰었다. 넘어졌을 때는 앉아서 머리를 흔들어 잠을 쫓아내기도 했다.

패턴이 자동적으로 반복되었다. 깊이 생각할 필요도 없었다. 마치 걷는 것처럼 자연스러웠다. **목소리**는 나를 여전히 재촉했으나 전날처럼 강압적인 명령조는 아니었다. 목소리는 이제 내가 다른 방식을 원하면 그에 따라도 된다고 말하는 것 같았다. 나는 이제 **목소리**를 무시해도 된다고 생각하고 바닥에 주저앉아 졸린 환상 속으로 빠져들었다. 그래, 물론 움직일 거야. 하지만 우선 조금만 더 쉬고 나서…. 그러자 **목소리**가 몽롱한 꿈의 뒤편으로 사라졌다. 내가 즉시 알아차릴 수 있는 목소리로 나누는 과거로부터의 대화는 기억에 남는 장소에 대한 끊임없는 선율을 비롯한 정신적 묘사와 경쟁하면서, 마치 정신 나간 60년대 영화처럼 내 머릿속을 맴돌았다. 나는 기댈 수 있을 만큼 큰 바위만 나타나면 그때마다 기대어 취한 듯 비틀거리며 선 채 끊임없이 단조롭고 더러운 바위만이 가득 찬 풍경으로부터, 잠이 나를 끌고 가도록 내버려뒀다.

시계만이 나를 바깥세상과 연결해주는 유일한 도구였다. 시간이 훌쩍 지나갔다. 매번 몇 분씩의 꿈결 같은 휴식을 취했다는 기억만 날 뿐이었다. 넘어져서 다친 다리가 몸에 깔렸을 때 고통이 퍼져 올라오면 비명을 지르며 고통이 사라질 때까지 신음을 내면서도 나는 꿈속으로 빠져들었다. 아픈 것은 너무나 일상적이고 당연한 것이어서 넘어질 때마다 고통이 숨어 있다 나타나도 더 이상 놀라지 않았다. 때때로 심하게 넘어져도 아프지 않으면 시시하다는 생각이 들 정도였다. 나는 스스로에게 끊임없이 질문을 던졌다. 어느 것 하나 쉽게 대답할 수 없었다. 그러나 나는 한 번도 내가 무엇을 하고 있는지 묻지는 않았다. 나는 중얼거리다 깨어났다. 내가 도대체 누구와 이야기를 하고 있었는지 알 수 없었다. 누가 있는지 돌아다봤다. 물론 그곳엔 아무도 없었다. 본능적으로 아는 길을 따라 절뚝거리며 내려갔다. 주위 풍경에는 아무 관심도 없었다. 한 번 지나온 곳은 금방 잊어버렸다. 나는 넘어졌던 어렴풋한 기억을 남겨두고 앞으로 나아갔고, 뒤로 사라지는 바윗덩어리들은 내가 뒤에 남겨놓은 무수한 기억들과 한데 뒤섞여 머릿속에 아무런 특징도 남기지 못했다. 내 앞으로 다가오는 바위들도 마찬가지였다.

바윗길이 깔때기같이 좁은 통로로 이어지며 경사진 협곡으로 변하는 곳에 다다랐다. 오후 3시였다. 협곡은 깊이 깎여 누런 진흙으로 덮여 있었다. 그리고 바닥을 따라 물이 꼬불꼬불 흐르고 있었다. 이곳이 드디어 모레인이 끝나는 지점이었다. 협곡이 점점 넓어지면서 진흙이 덮인 바닥을 파고들며 호수까지 죽 연결되어 있는 곳이었다. 여기선 뛸 수가 없어 다리를 앞으로 들고 앉아 진흙이 덮인 길을 질질 끌며 내려갔다. 협곡의 양쪽 벽은 수직에 돌덩어리들이 위험스럽게 박혀 있었다. 협곡 안은 그늘이 져 선선했다. 나는 가끔 등을 대고 누워 하늘을 배경으로 솟아 있는 협곡의 벽을 바라보며 기억나는 노래가사들을 흥얼거렸다. 바닥을 흐르는 물이 옷을 적셨고, 일어나 앉자 물이 등을 타고 내려가 젖은 바지에 스며들었다. 목이 마르면 몸을 옆으로 뉘어서 바닥에 흐르는 더러운 물을 소리 나게 빨아 마셨다. 전혀 다른 세계에 들어선 나는 길을 잃고 자주 헤맸다.

점점 넓어지는 누런 협곡을 쳐다보면서 마치 새로운 방식으로 움직이는 동물처럼 바닥을 질질 끌며 내려갔다. 나는 '바다로 향하는 누런 길을 가는 앉은뱅이의 탈출'이란 말을 만들었고, 먹을 것도 생각했다. 그러다 환상이 사라졌다. 가끔 부츠 자국들이 보였는데, 그게 누구의 것인가 태평스럽게 생각하다 폭탄통로에서 본 사이먼과 리처드의 발자국을 기억해내곤 그들이 앞장서 가고 있다는 확신을 가졌다. 나에겐 동행이 있고, 내가 원하면 도움을 받을 수 있다는 생각에 행복한 미소를 지었다. 그들은 부르기만 하면 나에게 올 것 같았다. 그러나 나는 부르지 않기로 했다. 그들이 시야에 들어올 만큼 가까이 있진 않지만 그렇게 멀리 있는 것도 아니야. 내 상태를 보면 당황하겠지. 나는 혼잣말을 하면서도 부끄러움을 느꼈다. 물을 많이 마셔 오줌이 마려웠으나 바지를 재빨리 내리지 못해 그대로 싸고 말았다. 나는 그들이 나를 이해해주리라고 확신하면서 계속 내려갔는데, 나에게 위안을 주던 그들의 환영이 느닷없이 사라졌다.

현실로 돌아온 나는 두려움을 느끼며 마치 죽은 듯이 멈췄다. 곧 또 하나의 노래가 두려움을 뚫고 흘러나왔다. 햇빛에 반짝이는 호수의 수면이 앞에 보이자 나는 방긋 웃으며 속도를 냈다.

"4시면 됐어." 호수를 향해 소리치며 바보같이 웃었다.

자갈투성이의 평편한 협곡이 호숫가에 초승달 모양의 모래밭을 형성하며 이어져 있었다. 이제 평지가 되어 내려가는 힘이 없어졌기 때문에 일어서려고 해봤다. 한 발로 간신히 일어서니 호수가 눈앞에서 떠다니고, 머리에 몰려 있던 피가 고동치는 맥박에 따라 아래로 내려왔다. 나는 자갈에 머리를 부딪히며 구토감을 느꼈고 먼 곳에서부터 공포의 비명소리 같은 것을 들었다. 다시 해봤으나 이번엔 일어서기도 전에 넘어졌다. 다리가 후들거렸다.

처음엔 너무 오랫동안 기어서 그런가 했는데 더 이상 뛸 수 없을 정도로 약해져서 그렇다는 사실을 깨달았다. 허벅지를 타고 흘러내리는 세찬 오줌에 얼굴을 찌푸렸다. 오줌을 다 누고 바지가 차가워지자 다시 한번 일어서려고 시도했다. 내가 그래도 제일 잘할 수 있는 방법은 체중을 아이스액스에 의지한 채 관절염 환자같이 구부리고 걷는 것이었다. 다친 다리를 앞에 놓았더니 이유도 없이 비틀거렸다. 나에겐 가만히 서 있을 힘조차 없었다. 결국 나는 배를 바닥에 붙이고 기어가는 방법을 선택했다.

호수의 물은 놀란 만큼 깨끗했다. 짙은 초록색 그림자가 물 속 깊은 곳에서 어른거렸다. 먼 곳의 얼음 절벽에 물이 찰랑거려 크고 더러운 파도가 일었다. 얼음 위로 폭포가 시끄럽게 떨어져 내렸고, 이따금 미풍이 물을 흩날려 은색과 녹색이 얼룩덜룩 반사되며 나를 향해 춤추는 듯한 모습을 연출했다. 나는 앞에 있는 호숫가의 작은 바위에 머리를 걸치고 엎드렸다. 그리고 잠이 들었다가 깨어나 호수를 바라보다 다시 잠이 들었다. 태양이 협곡에서 젖은 바지를 말려줬다. 바람이 가볍게 불자 내 주위로 따뜻한 지린내가 풍겨 올라왔다. 1시간을 자고

난 나는 이제 다시 일어서볼까 생각하며 호수 건너편을 바라봤다.

호수는 베이스캠프 쪽을 향해 길고 가는 리본처럼 뻗어 있었다. 멀리 모레인이 호수를 반으로 가르고 있는 곳이 보였다. 그 모레인 뒤에 동그랗고 조그만 호수가 하나 더 있고, 그 호수의 둑 아래에 우리의 텐트가 있을 터였다. 모레인 위로 난 짧은 구간을 제외하면 길은 대체로 평탄했다. 해변 같은 자갈밭이 모레인의 둑까지 이어져 있고, 그 둑 아래는 계속 내리막길이었다. 내가 일어설 수만 있다면 뛰기에 적당한 곳이었다. 어두워지기 전에 둑에 도착하면 텐트도 보일 것 같았다. 그들이 아직 그곳에 있다면 내 소리를 듣고 달려오겠지. 그런데 만약 가버렸다면?

나는 호수로 눈을 돌렸다. 그들이 가버렸다면? 그러면? 그 생각을 하니 무서웠다. 대답은 너무나 뻔했다. 그들이 떠난다는 것은 있을 수 없었다. 온갖 고생을 다했는데, 그런 일이 일어나다니 상상도 할 수 없었다. 이보다 더 잔인한 일이 있을 수 있을까? 얼음 절벽을 내려와 산으로 난 문을 빠져나왔을 때 이런 불길한 생각은 아예 하지도 않았었다. 마음 한구석은 망설이며, 움직여야 한다는 어떤 생각도 막아냈다. 어둡기 전에 도착해 봐야 무슨 소용이 있지? 텐트가 없는 걸 보면 그대로 무너지고 말 텐데.

목소리가 말했다. "바보같이 굴지 마. 서둘러. 2시간 후면 어두워져."

호수를 바라보니 너무나 두려워 움직일 수가 없었다. 그리고 마침내 일어섰을 때는 어깨가 한없이 짓눌리는 느낌이 들었다. 거의 확실한 공포심이 나를 스치고 지나갔고, 더 이상 나아갈 수 없다는 절망감이 엄습했다. 두 번을 뛰고 나서 심하게 넘어졌다. 나는 배를 깔고 기어갔다. 발이 자갈 위로 질질 끌리며 무릎을 흔들었다. 나는 뒤를 보고 일어나 앉아 빙하에서 했듯이 뒤부터 질질 끌며 아래쪽 호수를 향해 움직였다. 절망적으로 느린 속도였으나 결코 멈추지 않았다. 이제 둑이 가까워지고 있었다. 나는 호숫가를 따라 가고 있었는데 찰싹거리며 밀려오는 잔잔한 물소리가 꿈속에서 표류하는 의식 사이사이로 들려왔다. 빙벽 아래로 떨어져 눈에 처박혔을 때가 생각났다. 그때도 조약돌이 깔린 해변으로 밀려오는 것 같은 잔잔한 파도소리가 들렸었다. 나는 죽어가고 있다고 생각했었다. 그때와 같은 찰싹거리는 멜로디가 질질 끌며 움직이는 나를 계속 쫓아왔다.

호수는 실제보다 훨씬 더 길어 보였다. 1시간 후 나는 두 호수 사이의 모레인지대를 건너 아래쪽 호수의 둑을 따라가기 시작했다. 전에 송어를 잡던 곳을 지나자 멈춰서 모레인의 둑을 쳐다봤다. 캠프까진 15분 거리였다. 기어서는 얼마나 걸릴지 추측해보려 했으나, 캠프에서 폭탄통로까지 빠른 걸음으로 1시간이 걸렸던 것이 기억나자 추측이 온통 뒤죽박죽 되어버렸다. 아래쪽 호수까지 내려오는 데 5시간이 걸렸다. 내가 얼마나 느리게 움직이고 있는지 납득하기 힘들 지경이었다. 그러나 둑을 바라보니 어둡기 전에는 도착할 수 있다는 확신이 들었다. 이제 1시간이 남아 있었다.

동쪽에서 뭉게뭉게 부풀어 오르는 층적운이 태양을 가렸다. 계곡 양옆의 절벽으로 시커먼 구름이 한데 뒤엉켰다. 폭풍설이 다가오고 있었다. 모레인의 둑에 닿자 빗방울이 후두두 떨어지기 시작했다. 호수를 건너오는 바람이 얼음같이 차가웠다. 나는 덜덜 떨었다.

둑의 비탈은 진흙과 자갈로 덮여 있었다. 전에 이곳을 기어오르다 미끄러져 떨어진 기억이 났다. 45도로 기울어진 경사의 진흙 위로 바위 몇 개가 삐져나와 있었고, 꼭대기에는 삐죽삐죽한 바위가 폭풍 구름을 배경으로 서 있었다. 비가 뒤섞인 눈발이 날리면서 기온이 급격히 떨어졌다.

얼음에서 사용하듯 아이스액스를 써서 진흙을 올라갔다. 팔을 위로 뻗어 진흙에 피크를 박고 몸을 끌어올렸다. 그러자 발에 힘을 크게 들이지 않아도 되었다. 갑자기 미끄러져 발이 작은 돌 모서리에 걸렸다. 아이스액스를 위에 찍고 다친 다리를 매달려 있도록 놔둔 채 조심스럽게 동작을 다시 시작했다. 높이 올라갈수록 신경이 더욱 곤두섰다. 떨어져서 처음부터 다시 시작하는 것이 두렵기 때문이겠지. 그러나 그게 아니었다. 두려움은 그것보다 더 컸다. 꼭대기에 올라서면 알게 될지도 모를 어두운 두려움을 참을 수가 없었다. 그 두려움은 처음부터 나를 따라다니던 것이었다. 크레바스에서는 공포로, 빙하에서는 고독으로 가려져 있었으나, 일단 모든 위험을 벗어나자 그 두려움이 텅 빈 공허로 독버섯처럼 피어올랐다. 어떤 커다란 덩어리가 가슴속으로 파고들어 목을 조르고 속을 쥐어뜯었다. 그러자 섬뜩한 기분이 들며 신경이 뒤틀렸고, 머릿속은 내가 다시 영원히 내버려지는 것은 아닐까 하는 생각으로 가득 찼다.

마침내 진흙으로 된 비탈길을 올라선 다음 바위가 뒤섞인 사이를 기어가 모레인 꼭대기에 도달했다. 몸을 일으켜 큰 바위에 기댔다. 아래쪽 계곡에는 구름이 덮여 아무것도 보이지 않았고, 눈보라가 바람을 타고 소용돌이치고 있었다. 텐트가 보이지 않았다. 사방은 어둑어둑했다. 나는 손을 입에 대고 소리쳤다.

"사이이머어언!"

그 소리는 구름에 메아리쳐 바람을 타고 흩어졌다. 다시 더 크게 소리치자 이번엔 점점 짙어가는 어둠 속에서 섬뜩한 메아리가 되어 돌아왔다. 그들이 내 말을 들었을까? 그들이 올라올까?

바람을 피해 바위 옆에 주저앉아 기다렸다. 어둠은 구름을 뚫고 빠르게 내려왔고, 추위는 나를 서서히 잠식했다. 대답이 없을 것을 뻔히 알면서도 혹시나 어떤 소리가 들려올까 귀를 열심히 기울였다. 추워서 더 이상 가만히 있기가 어려워 바위에서 몸을 이리저리 움직였다. 선인장과 풀로 뒤덮인 긴 내리막길이 앞에 있었다. 침낭을 꺼내 모레인에서 하룻밤을 더 보내볼까도 생각했지만 **목소리**가 "안 돼!"라고 말해서 그 말을 듣기로 했다. 너무 추웠다. 지금 잠이 들면 영원히 깨어나지 못할 것 같았다. 나는 앞을 보며 바람에 몸을 움츠리고 몸을 질질 끌며 내려가기 시작했다.

몇 시간을 어둠속에서 헤맸더니 방향과 시간 감각을 모두 잃어버리고 말았다. 나는 조금씩 기면서 혼란 속에서 주위의 어둠을 두리번거렸다. 캠프를 향해 기어 내려가고 있다는 생각은 오래전에 사라지고 없었다. 내가 하고 있는 일에 대한 개념이 없어지면서 계속 움직여야 한다는 생각만 들었다. 바람을 타고 오는 눈이 얼굴에 부딪치면 시간을 초월한 깊은 잠에서 깨어나 다시 가기를 반복했다. 때때로 시계를 들여다봤다. 9시. 11시. 밤은 계속 연장되고 있었다. 모레인 언덕에서 5시간이나 계속 기었던 것은 아무 의미가 없었다. 캠프까지 10분이면 될 거라고 막연히 생각했는데 10분이 5시간이 되다니….
이제는 더 이상 이해할 수가 없었다.

날카로운 선인장 가시가 허벅지를 찔러 무엇인지 보려고 밑을 살폈다. 밤은 모든 것을 시야에서 가렸다. 내가 어디에서 무엇을 하고 있는지에 대한 왜곡된 생각으로 정신착란에 빠졌다. 아직도 빙하에 있는 건가? 그럼, 조심하는 게 좋아. 빙하 끝에 있는 크레바스는 위험해. 그런데 바위들이 다 어디로 갔지? 목이 안 마르니까 좋기는 한데 여기가 도대체 어디지?

13

한밤중에 흘린 눈물

거의 알아차리지 못한 가운데 바위들이 널린 넓은 지역으로 들어와 있었다. 또다시 모레인인가? 확실치 않았다. 선인장과 풀로 뒤덮인 가파른 내리막길로 인해 방향감각을 상실했다. 뒤를 돌아보니 하얀 눈으로 덮인 비탈 위에 꾸불꾸불한 검은 선이 어렴풋이 보였다. 주변의 바위들에는 눈이 없었다. 무슨 바위들이지? 배낭을 뒤적여 헤드램프를 꺼냈다. 스위치를 켜자 희미한 불빛이 금방 들어왔다. 주위를 비춰보니 굴러떨어진 회색 바위들이 보였다. 나는 어느 쪽으로 기어가야 할지 확실히 알 수 없는 거대한 불모지에 있었다. 잡념을 떨쳐버리고 현실을 정확히 직시하려고 노력했다. 강바닥! 나는 바로 강바닥 위에 있었다. 그런 사실을 알아차렸어도 잠이 들었다 깨어나면 금방 잊어버려 별로 도움이 되지 않았다. 강바닥에 있다는 생각이 맴돌아도 머리는 알아채지 못하고 엉뚱한 생각으로 돌아가야 한다고 고집을 부렸다.

1킬로미터 너비의 강바닥은 바위로 뒤덮여 있었고, 얼음이 녹은 물웅덩이가 군데군데 있었다. 폭풍설 소리 때문에 들리진 않았지만 어둠속 어딘가에는 강이 흐르고 있을 터였다. 텐트는 강바닥의 한쪽 둑에 바싹 붙어 있었다. 그런데 여기가 어디지? 내가 강바닥의 중앙을 향해 움직이고 있었나? 아니면 모레인의 둑 쪽으로 곡선을 그리며 움직이고 있었나? 혹시 누구라도 없나? 바위에 부딪쳐 발작적인 통증에 신음하면서도 어둠에 대고 뭐라고 물어보고 대답 대신 그저 쉬익 하고 지나가는 폭풍소리만 들으며 계속 기어갔다. 그 **목소리**는 이미 몇 시간 전부터 더 이상 들리지 않았다. 이제는 **목소리**가 나를 자꾸 방해하지 않아서 살 것 같았다.

뒤죽박죽 섞여 있는 바위들을 알아보고 어둠 속에서 눈에 익은 지형을 발견하기라도 한 것처럼 나는 본능에 따라 좌우로 방향을 틀었고 잠재의식 속의 나침반을 따라 계속 움직였다. 텐트는 얼마나 멀리 있을까? 그들은 아마 가버렸을 거야! 주위를 식별할 수 있는 아침까지 기다리려고 나는 바람을 맞으며 앉아 있었다. 그러나 그것도 잠시뿐이었다. 기다리기만 하면 텐트는 영원히 찾지 못할 것 같았다. 지켜보기만 한다고 해서 주전자가 끓나? 그 무슨 어리석은 말이야! 나는 내가 생각해낸 그 말이 우스워 낄낄 웃었다. 웃어본 지가 하도 오래돼서 일부러 한참 동안 웃었다.

시계를 보니 어느덧 새벽이었다. 또 하루가 다가오고 있었다. 새벽 0시 45분. 어깨에 거칠고 큰 바위가 닿는 느낌이 들어 그 위로 건들거리며 앉았다. 이제 다 왔다는 느낌이 들었다. 어둠 속을 뚫어지게 쳐다봤다. 그래, 바로 여기야. 나는 느낄 수 있었다. 주위에서 똥냄새가 심하게 났다. 킁킁거리며 벙어리장갑의 냄새를 맡아보곤 악취에 움찔했다. 한참이 지나자 코가 마비되었는지 더 이상 냄새가 나지 않았다.

'똥? … 내가 왜 똥 위에 앉아 있지?'

바위에 다시 주저앉았다. 내가 어디에 있는지 알았지만 몸이 움직여지지 않았다. 나는 어둠 속을 멍하니 쳐다봤다. 취사 바위가 내 앞 어딘가에 있을 텐데…. 그런데 어디지? 눈보라가 갑자기 얼굴로 몰아쳐 나도 모르게 손을 들어올렸다. 그때 심한 악취가 코를 다시 자극하자 머리가 갑자기 맑아졌다. 그래, 소리를 질러야 해. 나는 일어나서 쉰 목소리로 어둠을 향해 소리를 질렀다. 소리가 옥조이고 뒤틀려 나왔다. 나는 그저 앞만 보고 기다렸다.

그들은 이미 갔을지 몰라. 추위가 다시 파고들었다. 이 밤이 지나면 살아남지 못하겠지. 그것은 확실했다. 그러나 더 이상 상관이 없었다. 삶과 죽음의 경계선은 이미 오래전에 서로 뒤엉켜 있었다. 삶과 죽음이 그렇게 큰 차이가 있을까? 고개를 들어 어둠 속으로 크게 소리쳤다.

"사이이머어언…!"

바위를 잡은 채 비틀거리며 어둠을 뚫어지게 쳐다봤다. 머릿속 애원이 히스테리처럼 변했다. 마치 다른 사람의 말을 듣고 있는 것처럼, 갈라진 내 말이 신음하는 것이 들렸다.

"제발 거기에 있어줘… 거기에 있어야 해… 오, 하느님… 제발! 네가 거기 있다는 걸 알아… 야, 인마, 날 좀 도와줘…."

눈송이가 얼굴에 부딪혔고 바람에 옷이 펄럭였다. 밤은 여전히 검은색이었다. 얼굴에 붙어 있던 눈이 녹은 차가운 물과 뜨거운 눈물이 뒤섞였다. 이제는 끝내고 싶었다. 며칠 만에 처음으로 내 힘이 한계에 부딪혔다는 것을 깨달았다. 나에겐 누군가가 필요했다. 아무라도. 어두운 밤의 폭풍이 나를 데려가려 하고 있었다. 하지만 더 이상 버틸 수가 없었다. 나는 많은 일로 울었다. 그러나 대부분은 나와 함께할 사람이 없어서 울었다. 고개를 가슴에 떨구고 어둠을 무시한 채 분노와 고통이 울도록 내버려뒀다. 나에겐 너무나 가혹했다. 나는 계속할 수가 없었다. 이 모든 것이 너무나….

"도와줘어어어."

비통하게 울부짖는 소리가 어둠 속으로 퍼지는 순간 바람과 눈에 파묻혀버렸다.

처음에는 그 빛이 내 머릿속에서 번쩍이는 것인 줄 알았다. 크레바스에 떨어진 순간 번쩍인 눈부신 그 섬광처럼. 그러나 그것은 번쩍거리지 않았다. 계속 빛나고 있었다. 검은 밤 속에서 흔들거리는 알록달록한 색으로. 나는 멍하니 쳐다봤다. 무언가 불쑥 나타나더니 내 앞을 비췄다. 어둠에 매달려 있는 알록달록한 반원이었다.

"우주선인가? 허벅지를 꼬집어볼까? 드디어 미쳤구나. 하다 하다 저런 게 다 보이다니…."

그때 희미한 소리와 잠에서 갑자기 깨 놀란 듯한 소리가 들렸고, 그 색상들로부터 더 밝은 빛이 깜박거렸다. 그러더니 노란 불빛 줄기가 넓은 원뿔 모양의 그 색상들을 순식간에 압도했다. 그리고 더 많은 소리와 목소리, 내 목소리가 아닌 다른 사람의 목소리가 들렸다.

"텐트야!! 그들이 아직 있구나…."

충격을 받은 나는 온몸이 얼어붙어 강바닥의 바위더미로 쓰러졌다. 통증이 허벅지까지 올라왔다. 순간 모든 힘이 빠져나가 도저히 움직일 수가 없었다. 나를 지탱해주며 깜빡이는 힘을 계속 불어넣던 무언가가 이제는 폭풍 속으로 사라져버렸다는 느낌이 들었다. 그 빛을 보기 위해 머리를 들어 올리려 했으나 소용이 없었다.

"조! 너야? 조!"

놀라움으로 사이먼의 목소리는 갈라져 있었다. 나는 대답을 했으나 아무 소리도 나오지 않았다. 가슴이 발작적으로 들썩거리고 속이 메스꺼워진 나는 격렬하게 흐느껴 울었다. 두서없이 웅얼거리는 소리가 어둠 속에서 들려오며 급히 달려오는 불빛이 보였다. 발밑의 돌이 달그락거리는 소리가 들렸다. 그리고 누군가 고성을 질렀다.

"저기야, 저기!"

곧바로 빛이 내 위로 쏟아졌다. 내 눈에 보이는 것은 눈부신 불빛뿐이었다.

"도와줘… 제발 도와줘!"

억센 팔이 어깨를 잡고 나를 끌어올리는 것이 느껴졌다. 그리고 갑자기 사이먼의 얼굴이 보였다.

"조! 하느님! 오, 하느님! 이런 씨팔. 씨팔 이게 누구야. 오, 씨팔. 리처드, 잡아. 들어 올려. 들어 올리란 말이야! 이 개새끼! 하느님, 조, 어떻게, 어떻게…?"

너무나 놀란 사이먼은 뭐라고 지껄이는지도 알지 못하면서 쌍소리와 뜻 모를 감탄사를 마구 쏟아냈다. 리처드는 어찌할 바를 모르고 우왕좌왕했다.

"난 죽어. 더 이상 견딜 수가 없어. 너무 힘들었어… 너무… 끝난 줄 알았어… 도와줘. 제발 날 좀 도와줘…."

"그래, 이젠 괜찮아. 내가 있잖아. 널 찾았으니 이젠 안전해…."

사이먼은 나를 팔로 감싸 안고 들어 올려 끌고 갔다. 발뒤꿈치가 바위에 부딪쳤다. 그는 은은한 촛불 빛이 새어나오는 텐트 문 앞에 나를 앉혔다. 걱정스러운 마음에 눈을 크게 뜨고 나를 내려다보는 리처드의 모습이 보였다. 나는 요란스럽게 낄낄거리며 웃고 싶었으나 눈물이 계속 흘러나와 한 마디도 할 수 없었다. 사이먼은 나를 텐트 안으로 끌어들여 구석에 뭉쳐 있던 따뜻한 침낭에 기대게 했다. 그는 내 옆에 무릎을 꿇고 앉아 나를 쳐다봤다. 그의 눈에는 연민과 공포와 경계의 눈빛이 뒤엉켜 있었다. 나는 그에게 미소를 지었고, 그도 머리를 좌우로 천천히 흔들며 씩 웃었다.

"고마워, 사이먼." 내가 말했다. "넌 잘한 거야." 그는 눈길을 거두며 얼른 고개를 돌렸다. "어쨌든 고마워."

사이먼은 말없이 고개를 끄덕였다.

텐트 안은 양초에서 나오는 따뜻한 빛으로 가득했다. 그들은 나를 두고 허둥댔다. 그림자가 텐트 천에서 춤을 추고 있었다. 엄청난 피로가 몰려오더니 힘이 쭉 빠졌다. 나는 부드러운 침낭의 촉감을 느끼며 가만히 누워 있었다. 나를 뚫어지게 내려다보는 두 개의 얼굴이 위에서 어른거려 어리둥절했다. 리처드가 내 손에 플라스틱 컵을 쥐여 줬다.

차! 뜨거운 차! 하지만 나는 잡을 수가 없었다.

사이먼이 컵을 낚아채 나를 일으켜 앉히더니 차를 먹여줬다. 리처드는 가스스토브 앞에서 설탕을 넣고 뿌연 색의 진한 죽을 젓고 있었다. 차가 더 왔고 이어 죽이 왔다. 하지만 죽은 먹을 수가 없었다. 사이먼의 수척한 얼굴에는 긴장감이, 그의 눈에는 충격이 서려 있었다. 잠시 동안 우리는 아무 말도 하지 않았다. 사이먼은 전에도 나를 이런 눈길로 본 적이 있었다. 8미터의 그 얼음 절벽 위에서 나를 내려다봤을 때 아주 오랫동안 그랬는데, 순간 나는 눈치챘다. 내가 죽을지 모른다고 그가 생각하고 있다는 사실을. 잠시 동안의 침묵이 끝나자 우리는 궁금한 것을 마구 물어보기 시작했다. 모두 동시에 불쑥불쑥 말이 튀어나왔으나 대부분은 대답이 없었다. 나는 크레바스와 그 바깥에서부터 기어 내려온 일을 이야기했다. 사이먼은 로프를 자르고 난 후의 악몽 같았던 하강과 내가 죽었다고 생각하게 된 이유를 말했다. 그는 내가 살아 돌아온 것을 이해할 수 없다는 표정으로 쳐다봤다. 나는 조용히 웃으며 그의 손을 잡았다.

"고마워." 내가 느끼는 고마움을 어떻게 해도 다 설명할 수 없을 것 같아 나는 다시 말했다. 그는 당황한 듯 화제를 재빨리 다른 데로 돌렸다.

"네 옷 다 태웠어."

"뭐라고?"

"응, 그게 말이야, 내 생각으론 네가 안…."

사이먼은 내 표정을 보더니 웃음을 터뜨렸고, 나도 같이 웃었다. 너무 오랫동안 웃지 않아서 그랬는지 거의 미친 사람들의 웃음소리처럼 귀에 거슬렸다. 시간이 얼마나 지났는지 모를 정도로 텐트 안은 쏟아져 나오는 이야기로 가득 찼다. 돈을 찾아 헤맨 이야기와 내 옷을 다 태워버린 이야기에 우리는 오랫동안 함께 웃었다. 나는 쉴 새 없이 차를 마셨는데, 그 차에는 걱정과 함께 깊고 변함없는 동료애가 들어 있었다. 그리고 팔을 건드려보고 바라보고 하는 행동에 전에는 결코 표현한 적 없고 앞으로도 없을 친밀감이 묻어 있었다. 그러자 마치 진부한 삼류 전쟁영화에 잠깐 출연한 것 같았던, 서벽에서 폭풍설에 휘말린 시간이 생각났다.

리처드가 달걀프라이 샌드위치를 준비하는 동안 사이먼이 나에게 죽을 억지로 먹였다. 차를 한 모금 마실 때마다 여러 가지 다른 약을 삼키는 것 같았다. 진통제, 로니콜, 항생제…. 하지만 샌드위치에서 중단되었다. 마른 빵은 넘길 수가 없었다.

"먹어!" 사이먼이 단호하게 말했다. 나는 빵이 목에 걸려 재채기를 하면서도 별 수 없이 입에 쑤셔 넣었다. 하지만 입안에 침이 생기지 않아 그가 명령하는데도 도로 뱉어냈다.

"아참, 네 다리 한번 보자."

그가 갑자기 엄격하고 능숙하게 변했다. 나는 반항했으나 그는 다 떨어진 내 덧바지를 주머니칼로 벌써 찢기 시작했다. 칼날이 별 힘을 들이지 않고 얇은 나일론 천을 찢어나가는 것이 보였다. 빨간 손잡이의 주머니칼, 내 칼, 그것이 나에게 쓰인 것은 사흘 반나절 전이었다. 공포의 경련이 스쳐 지나갔다. 더 이상은 통증을 겪고 싶지 않았다. 최소한 오늘만이라도. 내가 갈망하는 것은 오직 잠뿐이었다. 따뜻하고 포근한 잠. 그가 덧바지를 잡아당기려고 내 다리를 들어 나는 움찔했다.

"됐어. 최대한 조심할게."

토할 것 같은 표정을 짓고 있는 리처드에게 시선을 돌렸다.

나는 씩 웃어 보였다. 그러나 리처드는 가스스토브 쪽으로 돌아앉더니 부지런히 움직였다. 내 다리를 본다는 것이 흥분되기도 했고 염려되기도 했다. 도대체 왜 그렇게 아팠는지 알고 싶기도 했지만 감염이 되어 썩어가는 다리를 본다는 것이 겁이 나기도 했다. 사이먼이 게이터의 지퍼를 내리더니 끈과 벨크로를 조심스럽게 잡아당겼다.

"리처드, 다리 좀 잡아. 단단히 잡아야 부츠를 벗길 수 있어."

그는 스토브 옆에서 머뭇거렸다. "잘라내면 되잖아?"

"그래, 하지만 그럴 필요까진 없어. 자, 잠깐이면 돼."

리처드가 내 옆으로 와 무릎 아래쪽 다리를 조심스럽게 잡았다. 사이먼이 부츠를 잡아당기기 시작하자 나는 비명을 질렀다.

"꽉 잡아. 제발!"

사이먼이 다시 잡아당기자 통증이 무릎에서 부풀어 오르는 것 같았다. 나는 눈을 꼭 감은 채 통증이 어서 멈춰주길 빌면서 무릎에서 번져오는 불같은 통증에 훌쩍거리며 웃었다.

"됐어."

통증은 금세 사라졌다. 사이먼은 부츠를 텐트 밖으로 집어 던졌고, 리처드는 내 다리를 황급히 내려놨다. 아마 그는 눈을 꼭 감고 있었는지도 모른다. 다음엔 방한 바지가 부드럽게 벗겨졌다. 나는 호기심에 일어나 앉았다. 사이먼이 내 보온 내의를 벗기자 우리는 놀라서 입을 쩍 하고 벌렸다.

"젠장."

"씨팔, 엄청나네."

나무토막 같은 다리에는 검푸른 자주색 줄이 무릎 아래로 이어져 있었고, 노란색과 갈색 반점이 나타나 있었다. 허벅지부터 발목까지는 어디가 어딘지 구분이 안 될 정도로 부어 있었다. 그리고 중간쯤에 괴상하게 오른쪽으로 비틀리고 엄청나게 부풀어 오른 부분이 전에 무릎이 있었던 자리라는 것을 말해주고 있었다.

"이런, 생각보다 심하네." 그 모습을 보자 힘이 쭉 빠졌다. 나는 무릎 주위의 피부를 쓰다듬기 위해 무의식적으로 손을 뻗었다. 하지만 심각한 염증이나 명백한 감염의 징후 같은 것은 없었다.

"안 좋아." 사이먼이 중얼거렸다. 그는 내 발도 검사했다. "뒤꿈치도 나갔는데!"

"그래?" 하지만 그건 그리 중요한 문제 같지 않았다. 발, 무릎, 다리 전체, 그게 뭐가 문제지? 나는 내려왔다. 이제는 쉬고 먹고 잠잘 수 있었다. 치료하면 되잖아?

"음, 저 검푸른 자주색 줄 있지? 내출혈 징후야. 뒤꿈치는 물론이고 발목 주위에도 돌아가면서 있어."

"리처드, 여기 좀 봐." 내가 말했다.

그는 어깨 너머로 힐끗 보더니 고개를 황급히 돌렸다. "아! 안 볼 걸 그랬어."

나는 내가 얼마나 빨리 변했는지 알아차리고 행복하게 웃었다. 전처럼 미친 듯한 신경질적인 웃음이 아니었다. 사이먼은 얼굴 가득 걱정의 빛을 띠며 보온 내의를 다리 위로 올려 다시 입혀줬다.

"널 빨리 후송해야 해. 당나귀가 내일 아침에 올라오기로 했어. 스피노사에게 노새와 안장도 달라고 해야겠어."

"내가 내려갈게." 리처드가 자청했다. "지금이 4시 반이야. 이 차만 마시고 일어날게. 내 침낭 써, 그럼 조는 네 것을 쓰면 되니까. 6시까진 돌아올게."

"잠깐만." 내가 끼어들었다. "난 좀 쉬면서 먹어야 해. 이대론 이틀 동안 노새를 타고 갈 수 없을 것 같아."

"가야 해." 사이먼이 날카롭게 대꾸했다. "달리 도리가 없어. 병원에 가려면 사흘이 걸려. 다리 부상뿐만 아니라 동상도 걸렸고, 몹시 약해져 있어. 이대로 놔두면 감염돼."

"그렇지만…."

"잊어버려. 내일 아침에 가는 거야. 리마에 도착할 때쯤이면 부러진 지 일주일이 넘어. 너무 위험해."

나는 실랑이를 벌일 수도 없을 만큼 너무 약해져 있어서 그들의 마음이 바뀌길 애원하는 눈빛으로 쳐다봤다. 사이먼은 아랑곳하지 않고 내 다리를 침낭 속으로 집어넣었다. 리처드는 나를 안심시키려는 듯 미소를 지으며 차를 건네준 뒤 어둠 속으로 나섰다. "금방 돌아올게." 그가 외쳤지만 나는 어느새 잠

속으로 빠져들고 있었다. 잠이 들기 전에 무언가 해야 할 중요한 일이 남은 것 같았다. 그러나 눈을 뜰 힘이 없었다. 그때 기억이 났다.

"사이먼…."

"왜?"

"네가 날 살린 거야, 알아? 너한텐 그날 밤이 끔찍했을 거야. 널 욕하지 않아. 달리 방법이 없었을 테니까. 난 이해해. 왜 내가 죽었을 거라고 생각했는지도 알고 있어. 넌 할 수 있는 걸 다했어. 능선에서 날 내려 보내줘서 고마워."

그는 아무 말도 하지 않았다. 리처드의 침낭 속에 누워 있는 그를 넘겨다보니 눈물이 주르륵 흘러내리고 있었다. 내가 시선을 돌리자 그가 말했다.

"솔직히 난 네가 죽었다고 생각했어. 그렇게 확신했어…. 네가 살아남았을 거라는 생각은 꿈에도 못 했어."

"괜찮아. 난 알아…."

"어떻게! 혼자 내려와… 혼자서, 믿을 수가 없어. 난… 네 부모님께 뭐라고 말씀드려야 하지? 뭐라고? 어머님, 로프를 자르지 않을 수 없었어요…. 어머님은 결코 이해하시지 못할 거야. 날 절대 못 믿으실 거야."

"됐어. 이젠 그럴 필요가 없잖아."

"거기에 더 있었더라면… 네가 살아 있다고 믿었을 거고, 그럼 널 구했을 텐데."

"상관없어. 우린 여기 있잖아. 이젠 다 끝났어."

"그래." 그가 목이 멘 목소리로 나직이 속삭였다. 내 눈에는 뜨거운 눈물이 주체할 수 없을 정도로 가득 고였다. 마음이 얼마나 많이 아팠을까? 잠시 후 나는 잠이 들었다.

시끄러운 목소리와 웃음소리에 잠이 깼다. 텐트 가까이에서 소녀들이 스페인어로 왁자지껄 떠드는 가운데 사이먼이 리처드에게 당나귀에 대해 이야기하는 것이 들렸다. 나는 텐트 천을 통해 들어오는 익숙하지 않은 빛에 천천히 눈을 떴다. 태양이 알록달록한 돔 텐트 천을 물들였고, 그림자가 몇 초마다 한 번씩 지나갔다. 텐트 밖에는 마치 장터가 열린 것 같았다. 몇 시간 전의 충격적인 일이 떠올랐다. 하지만 나는 안전해. 정말이야. 나는 나른한 미소를 지으며 집에 돌아온 듯한 호사스러운 기분에 잠겨 침낭의 우모가 두둑이 들어 있는 쪽으로 팔을 뻗었다. 상황은 아주 나빴지, 반쯤 잠든 상태에서 나는 태평스럽게 생각했다. 너무 안 좋았어.

1시간 뒤 멀리서 내 이름을 부르는 소리에 잠에서 깨어났다. 혼란스러웠다. 누가 나를 부르지? 잠이 따뜻한 침낭 속으로 나를 살며시 잡아끌었다. 그러나 그 소리는 멈추지 않았다.

"조, 일어나."

고개를 옆으로 돌리니 텐트 문 앞에 몰려든 몇몇 사람의 머리가 보였다. 사이먼이 김이 모락모락 나는 머그컵을 들고 그곳에 무릎을 꿇고 앉아 있었고, 그의 어깨 너머로 소녀 둘이 호기심 어린 시선으로 두리번거리고 있었다. 일어나 앉으려 했으나 움직일 수가 없었다. 엄청난 무게가 가슴을 짓누르며 나를 옴짝달싹할 수 없게 만들었다. 몸을 일으켜 세우려고 양팔을 힘없이 들어 허우적거리다 털썩 바닥에 떨어뜨렸다. 그러자 두 팔이 내 어깨를 잡아 일으켜 세웠다.

"이거 마셔. 그리고 뭘 좀 먹어. 그래야 해."

나는 김이 얼굴에 닿는 것을 느끼며 장갑 낀 손으로 머그컵을 감싸 들고 몸을 앞으로 구부렸다. 사이먼은 다른 곳으로 갔지만 소녀들은 텐트 문 근처에 쪼그려 앉아 나를 보고 웃고 있었다. 그들이 햇빛 아래에 앉아 내가 차를 마시고 있는 모습을 바라보는 것이 어쩐지 비현실적으로 느껴졌다. 그들의 전통적인 농부 치마와 꽃을 꽂은 모자가 아주 이상하게 느껴졌다. 저 애들이 여기서 뭘 하고 있는 거지? 잠시도 마음을 한곳에 집중할 수 없어, 지금 무슨 일이 벌어지고 있는지 이해할 수가 없었다. 나는 이곳에 안전하게 내려왔다. 텐트와 사이먼과 리처드는 이해가 되었으나 이상하게 차려입은 저 페루인들은 도대체 알 수가 없었다. 나는 그들을 무시하고 차 마시는 것에 집중하는 것이 최선이라고 결론 냈다. 첫 모금에 입안을 뎄다. 언 손가락을 보호하기 위해 장갑을 낀 데다 손에 감각도 없어 차가 얼마나 뜨거운지 모르고 있었던 것이다. 혀끝을 식히려고 재빨리 숨을 들이마셨다가 불어냈다. 그러자 소녀들이 킥킥거리며 웃었다.

그다음 30분 동안은 먹을 것과 마실 것이 끊임없이 들어왔고, 간간이 용기를 북돋아주는 말과 함께 바깥이 어떻게 돌아가는지에 대한 정보가 이어졌다. 스피노사가 노새를 빌려주는 대가로 터무니없는 금액을 요구해 출발이 지연되고 있었다. 시간이 지날수록 점점 더 커지는 사이먼의 목소리가 들려왔다. 리처드가 스피노사에게 차분하게 통역을 해주고 있었다. 소녀들은 이따금 사이먼을 쳐다보며 인상을 찌푸렸다. 그런데 갑자기 그들이 가버려 더 이상 깨어 있을 필요가 없었다. 영어와 스페인어의 혼란스러운 소동이 뒤로 사라지자 나는 앞으로 몸을 웅크리고 잠에 빠져들었다.

손 하나가 나를 흔들어 깨웠다. 사이먼이었다.

"이제 텐트에서 나와. 짐 꾸리고 있어. 스피노사가 드디어 합의를 했는데, 또 말을 바꾸면 그땐 그놈 대갈통을 날려버릴 거야!"

몸을 질질 끌어 텐트 밖으로 나오려다 내가 얼마나 쇠약해졌는지 알고 기겁했다. 텐트 밖으로 반쯤 나왔을 때 팔이 아래로 꺾여 옆으로 쓰러졌다. 그러나 몸을 다시 일으켜 세울 수가 없었다. 사이먼이 나를 조심스럽게 들어 햇빛이 있는 곳으로 끌어다 놓았다.

"사이먼, 노새를 타곤 절대 못 가. 내가 얼마나 약해졌는지 넌 몰라."

"괜찮아. 우리가 도와줄게."

"도와준다고? 난 혼자 앉아 있기는커녕 계속 깨어 있기도 힘들어. 노새 타는 걸 네가 어떻게 도와준단 말이야? 난 쉬어야 해. 정말이야. 나는 자고 먹어야 해. 내려온 뒤로 3시간밖에 못 잤어… 난…."

"선택의 여지가 없어. 넌 오늘 가야 해. 그게 다야."

나는 항의하려 했으나 사이먼은 꼼짝도 하지 않았다. 그는 텐트로 걸어가더니 의약품 통을 갖고 돌아왔다. 사이먼이 나에게 약을 주는 동안 리처드가 차를 또 갖고 왔다. 그러고 나서 그들은 캠프를 철수하기 시작했다. 나는 옆으로 누워 그들을 쳐다보고 있었으나 졸음과의 싸움을 더 이상 이겨내지 못했다. 그런 상태에 너무나 놀라 내가 다 타버린 건 아닌지 걱정스러운 의구심이 들었다. 나는 혼자였을 때보다도 죽음에 더 가까이 있었다. 도움을 받을 수 있다는 것을 알게 된 순간 내 안의 무언가가 무너져 내렸다. 나를 붙잡아주던 모든 것이 한꺼번에 빠져나간 것이다. 이제는 기기는커녕 나 자신에 대해 생각할 수도 없었다. 싸워야 할 대상도, 따라야 할 패턴이나 목소리도 없었다. 이런 것들이 없으면 생명이 고갈될지 모른다는 생각에 두려움을 느꼈다. 깨어 있으려고 눈을 뜨려 애썼지만 결국 잠이 이겼다. 나는 정신없이 졸다 여러 언어가 재잘거리는 소리에 깨어났는데, 다시 꾸벅꾸벅 졸아 혼수상태에 빠진 다음 마침내 깊은 잠에 떨어졌다.

한참이 지나서야 사이먼이 나에게 다시 왔다. 나는 그가 리처드와 나누는 이야기를 듣고 깨어나 그를 쳐다봤다. 그는 내 옆에서 걱정스러운 표정으로 나를 살펴보고 있었다.

"어이. 괜찮아?"

"응, 난 괜찮아." 나는 출발 계획에 항의하려던 생각을 포기했다.

"안 그래 보이는데. 우린 이제 출발할 거야. 일어나 앉아 기운을 조금 차리는 게 좋겠어. 차 갖다 줄게."

기운을 차려보라는 말에 웃었지만, 혼자 힘으로 겨우 일어나 앉았다. 마침내 스피노사가 늙은 노새 한 마리를 끌고 올라왔다. 나는 사이먼의 도움을 받아 일어나 그의 어깨에 기댄 채 참을성 있게 기다리고 있는 노새로 폴짝거리며 뛰어갔다. 그 노새는 천성이 명랑하고 차분한 늙은 동물이어서 용기가 났다. 내가 안장에 올라가려 할 때 리처드가 갑자기 소리쳤다.

"잠깐, 사이먼! 우리 조의 돈을 깜빡했잖아?"

그러자 리처드와 사이먼이 나를 양쪽에서 붙들고 내가 가리키는 대로 이 바위 저 바위를 뒤지는 수색이 시작되었다. 하지만 아무리 머리를 쥐어짜도 돈을 넣어놓은 주머니를 어디에 두었는지 기억이 나지 않았다. 스피노사와 소녀들은 어리둥절한 표정을 지었다. 그 모습에 우리는 행복하게 웃었는데 끝내는 그것을 찾아낸 다음 머리 위로 들어 올려 그들에게 보여줬다. 그들은 정중하게 미소를 지었지만 튜브 모양의 너덜너덜한

주머니가 왜 그리 중요한지 확실히 이해하지는 못한 눈치였다.

커다란 컵 모양의 안장은 등자용으로 짜인 가죽과 그 둘레에 화려한 은색 상감이 장식되어 있는 고풍스러운 서양식이었다. 쿠션으로 매트리스를 접어 안장 위에 놓고 다친 다리가 노새의 옆구리에서 흔들리지 않도록 했다. 사이먼과 리처드가 양옆에서 내 상태를 주의 깊게 살피면서 우리는 강바닥을 따라 꾸준히 내려가기 시작했다.

그로부터 이틀간은 탈진과 고통으로 기억이 희미했다. 허벅지를 바싹 조이지 못해 노새의 방향을 제대로 조종할 수 없었는데, 노새는 카하탐보까지 가는 24시간 동안 나무나 돌을 지나칠 때마다 들이받곤 했다. 사이먼이 뾰족한 스노바로 찔러도 그놈은 여전히 우물쭈물했고, 그럴 때마다 나는 통증이 사라질 때까지 그저 무기력하게 비명을 내지를 수밖에 없었다. 하지만 운 좋게도 노새에서 떨어진 적은 한 번도 없었다. 낯익은 풍경들이 통증과 탈진으로 몽롱한 가운데 스쳐 지나갔다. 하루의 행군이 끝날 때쯤이면 유치한 짜증이 생기기도 했다. 연장된 이 고통에 대처할 힘이 나에게는 더 이상 남아 있지 않았다. 이제는 그만 끝내고 싶었고 집에 가고 싶었다. 사이먼은 앞뒤로 왔다 갔다 하며 내가 힘든 기색을 보일 때마다 나를 돌봐줬고, 노새 몰이꾼에게 속도를 높이라든가 또는 조심하라든가 등의 지시를 내렸다. 그리고 허약해진 내가 졸음으로 안장에서 떨어질 듯 위태롭게 건들거리면 내 옆에 바싹 붙어 따라오곤 했다. 그는 내 시계를 받아 차고 투약 시간이 될 때마다 행군을 정지시켰다. 진통제, 로니콜, 항생제, 그리고 결코 빠질 수 없는 차까지. 노새는 높은 고개도 가파른 계곡도 풀이 우거진 초원도 끈덕지게 잘 걸어갔고, 나는 잠에 빠졌다 깼다 표류하면서 점차 무감각해졌다. 하지만 사이먼은 내 옆에 바싹 붙어 내가 쉬자고 애원할 때마다 용기를 북돋아줬다.

카하탐보는 혼란스러운 마을이었다. 사이먼은 픽업트럭을 빌리기 위해 경찰과 싸워야 했고, 그다음엔 리마까지 공짜로 트럭에 올라타려는 마을 사람들을 리처드와 함께 저지해야 했다. 트럭이 출발하기 전 한 젊은이가 다가왔다. 나는 덮개가 없는 트럭 뒤 칸에 매트리스를 깔고 다리를 뻗은 채 누워 있었다. 그는 내 다리에 댄 조잡한 부목을 보더니 슬픈 듯이 나를 쳐다봤다. 그때 경기관총을 가슴에 두른 경찰이 앞으로 나서서, 그 마지막 사람을 트럭에서 떼어내려 하는 리처드를 가로막았다.

"세뇨르Señor, 이 사람을 좀 도와주시오. 그의 다리는 나쁩니다. 6일 동안 기다렸습니다. 그를 병원에 데려다주시오… 예스?"

트럭 뒤 칸 내 옆에 푹 쓰러진 노인을 살펴본 우리 모두에게 충격적인 침묵이 흘렀다. 노인은 나를 애타게 쳐다보더니 고통스러운 표정을 지으며 엉덩이를 옆으로 움직였는데, 그 바람에 다리를 감싸고 있던 낡은 담요가 흘러내렸다. 사람들이 갑자기기 쥐 죽은 듯 조용해졌다. 그리고 내 옆의 사이먼이 짧게 내지르는 탄식이 들렸다. 노인의 다리는 심하게 으깨져 있었다. 뒤틀린 두 다리와 찢어진 상처 그리고 그 속에서 핏자국같이 진한 자주색의 감염 흔적이 언뜻 보였다. 노인이 담요로 자신의 다리를 조심스럽게 다시 덮자 지독한 악취가 풍겨 나왔다.

"아!" 속이 울렁거렸다.

"그는 나쁩니다. 예스?"

"나빠요! 가망이 없어요."

"미안합니다. 내 영어가 좋지 않아서…."

"괜찮습니다. 우리가 이 노인과 저 젊은이를 데려가지요." 내가 끼어들었다.

"고맙습니다, 세뇨르. 당신들은 친절합니다."

운전사는 우리에게 넉넉한 양의 맥주를 가져다줄 정도로 알코올 중독자였다. 리마까지 가는 사흘간은 맥주와 담배와 진통제로 인해 기억이 흐릿했다. 사흘째 되는 날 밤늦게 우리는 병원에 도착했다. 하지만 노인은 그런 좋은 병원에는 입원할 형편이 아니었다. 우리는 노인을 다른 병원에 데려다주라며 트럭운전사에게 돈을 더 줬다. 리처드는 내가 트럭에서 내리는 것을 도와줬고, 사이먼은 노인의 아들에게 마지막 남은 진통제와 항생제를 줬다. 트럭이 리마의 무더운 밤 속으로 사라질 때 휠체어에 앉아서 보니 모퉁이를 돌기 전 그 노인은 트럭에서 감사의 손을 힘없이 흔들고 있었다.

우리 기준으로 병원은 아주 구식이었으나, 깨끗하고 하얀 시트와 병동 스피커에서 은은하게 흘러나오는 음악과 더불어, 영어는 한 마디도 못하지만 예쁜 간호사들이 있었다. 그들은 초록색과 하얀색의 복도로 나를 힘차게 밀고 갔다. 사이먼은 자신의 보호에서 나를 떼어놓을 수 없다는 듯 내 옆에 서둘러 따라붙었다. 우리가 겪은 엄청난 일들이 이제 막 가라앉기 시작했다.

1시간 뒤 사이먼과 리처드는 나가달라는 퉁명스러운 말을 들었다. 나는 엑스레이를 찍고, 세탁을 위해 냄새나는 등산복을 벗었다. 발가벗은 채 의자로 된 저울에 앉아 있으니 예쁜 간호사가 맥박과 체중을 재고 팔에서 피를 뽑아갔다. 저울을 보고 깜짝 놀랐다. 46킬로그램. 체중이 19킬로그램이나 줄어들다니! 간호사는 유쾌하게 웃어 보이더니 나를 들어 올려 소독된 뜨거운 물이 들어 있는 욕조 안으로 조심스럽게 내려놓았다. 그 치료가 끝나자 나는 침대에 눕혀졌고 곧 잠이 들었다. 1시간 뒤 간호사는 매우 걱정스러운 표정을 짓는 의사와 함께 돌아왔다. 그녀가 내 팔목의 정맥에 주삿바늘을 찔러 포도당이 흘러 들어가도록 하는 동안 의사는 내 피검사 결과에 대해 무언가 무섭고 복잡한 설명을 했다. 밤에는 크레바스에 빠지는 무서운 악몽을 꾸었다. 나는 땀에 흠뻑 젖은 채 비명을 지르며 깨어났는데, 놀라서 달려온 간호사는 알아듣지도 못하는 말로 친절하게 위로해주더니 돌아갔다.

텔렉스(팩스 이전에 쓰인 통신장비)로 내 보험이 확인되어 수술을 결정하기 전까지 나는 먹지도 못하고 항생제와 진통제 주사도 맞지 못한 채 이틀 동안 형언할 수 없이 괴로운 시간을 보냈다. 그들은 아침 일찍 나를 찾아왔다. 팔에 주사를 맞고 나서 1시간이 지나자 몸이 나른해지며 의식이 가물가물했다. 익숙한 느낌이었다. 녹색 가운을 입고 마스크를 쓴 사람 둘이 나타나더니 뭐라고 알아들을 수 없는 말을 하고 나서 나를 타일이 깔린 긴 복도로 밀고 갔다. 수술실이 가까워지자 나는 공포에 휩싸였다. 여기 들어가선 안 돼! 집에 갈 때까지 기다려야 해. 제발, 수술을 못 하게 해줘.

"나는 수술을 원치 않습니다."

분명하게 말했다고 생각했으나 그들은 대답하지 않았다. 약 때문에 내 말이 어눌해졌나? 나는 다시 같은 말을 반복했다. 그들 중 하나가 고개를 끄덕였으나 수술 준비를 중단하지는 않았다. 그때 갑자기 생각이 떠올랐다. 아, 그들은 영어를 모르지? 일어나 앉으려 했으나 누군가 나를 다시 밀어 눕혔다. 공포에 질린 나는 그만두라고 소리쳤다. 카트가 달그락거리며 수술실 안으로 들어왔다. 한 사람이 나에게 스페인어로 뭐라고 이야기했다. 그의 목소리는 아름다웠다. 그는 나를 진정시키려 했으나 그가 주사기를 확인하는 모습을 보고 나는 기를 쓰며 반쯤 일어나 앉았다.

"제발, 나는…."

억센 손이 나를 뒤로 누르더니 다른 손이 내 팔을 꽉 붙잡았다. 이어 주삿바늘에 찔리는 따끔한 통증이 느껴졌다. 머리를 들어 올리려 했으나 내 머리는 이미 두 배로 무거워져 있었다. 고개를 옆으로 돌리자 수술도구가 담긴 트레이가 보였다. 내 위에서 조명이 환하게 켜지고, 수술실이 눈앞에서 어지럽게 흔들리기 시작했다. 아, 뭐라고 말을 해야 하는데…. 그들을 멈추게 해야 해. 그러나 어둠이 빛을 접수하더니 모든 소리가 고요 속으로 천천히 사그라졌다.

후기

1987년 6월 파키스탄 카라코람 훈자계곡

두 개의 작은 점이 황량한 산 위에서 점점 작아지며 사라지는 모습을 지켜봤다. 앤디와 존이 6,000미터 높이인 미등의 투포담Tupodam 정상을 향해 올라가고 있었다. 나는 다시 산에 혼자 남겨졌다. 그러나 이번엔 내가 스스로 선택한 것이었다.

몸을 돌려 조그만 가스스토브를 켜고 두 번째 커피를 데웠다. 움직이니 무릎이 아팠다. 나는 신경질적으로 욕을 내뱉고 몸을 구부려 통증이 사라지도록 무릎을 주물렀다. 관절염. 여섯 번에 걸친 수술 자국이 뒤틀린 관절 부위에 검푸른 색으로 남아 있었다. 그러나 적어도 마음의 상처는 이보다는 더 잘 치유되었다.

의사들이 관절염에 시달릴 것이라고 말했다. 그들은 앞으로 10년 내에 무릎관절 전체를 들어내야 할 것이라면서 많은 이야기를 했으나 맞는 것은 별로 없었다. "심슨 씨… 무릎을 다신 구부리지 못할 겁니다. 평생 절뚝거릴 겁니다. 그리고 등산은 두 번 다시 못 할 겁니다….”

스토브를 끄고 산을 걱정스레 바라보면서, 관절염에 대해 그들이 한 말이 옳았다고 생각하니 씁쓸했다. 산을 올라가고 있는 두 친구에 대한 두려움의 날카로운 칼날이 가슴을 찔렀다. 안전하게 내려와. 적어도 그래야만 해. 나는 말없는 산을 바라보며 그렇게 중얼거렸다. 날씨만 좋으면 사흘 안에 내려올 수 있을 것 같았다. 오래 기다리리라는 것은 각오하고 있었다.

정상 공격에서 빠지게 되자 슬펐다. 다리는 잘 움직였으나 통증이 시작되었다. 마지막 수술을 받고 고작 10주 만에 그런 등반을 하면 새로운 부상을 당할 수 있다는 것을 알고 있었지만 등반을 다시 시도한다는 것이 기뻤다. 물론 앞으로도 계속 그러겠지만.

엿새 전 우리는 이 산의 어깨처럼 튀어나온 곳 아래에 있는 안부에 도착해 설동을 팠다. 우리는 설동 밖에 앉아 카라코람 산맥이 멀리 뻗어나간 모습을 조용히 바라봤다. 태양은 끝없이 푸른 하늘에서 불타고 있었고, 하얀 눈이 덮인 봉우리들의 바다는 수정같이 맑은 하늘을 배경으로 날카롭게 솟아 있었다. 이런 광경이야말로 내가 보고 싶었던 것이었다. 원시적이고 만질 수 없고 뾰족뾰족하고 완벽하게 아름다운…. 햇빛이 얼어붙은 눈에 반사되어 수정처럼 반짝였다. 카룬-코Karun-Koh가 불과 8킬로미터 떨어진 곳에서 어렴풋이 모습을 드러냈다. 앞에 펼쳐진 봉우리들의 무한한 지평선에서 지구가 둥글다는 사실을 발견해낸 나는 기분이 좋았다. 에베레스트는 이곳에서부터 1,600킬로미터나 떨어져 있었지만 나는 그 봉우리가 보인다고 믿고 싶었다. 산맥의 이름들이 하나둘 떠올랐다. 힌두쿠시, 파미르, 티베트, 카라코람. 그리고 봉우리들의 이름이. 눈의 여신 에베레스트, 난다데비, K2, 낭가파르바트, 칸첸중가. 그 이름들에 새겨진 수많은 역사들과 그곳을 오른 사람들. 갑자기 이런 모든 것들이 생생하게 떠올랐다. 아마도 내가 돌아오지 않았다면 결코 일어날 수 없는 일이었을 것이다. 저기 빽빽이 늘어선 봉우리 어딘가에는 친구 둘의 시신이 놓여 있다. 홀로, 서로 다른 산에서 눈에 덮인 채. 그것만이 지금 이 순간의 아름다움을 내 마음이 흠뻑 받아들이지 못하게 만드는 어두운 면이다.

나는 배낭을 꾸려 어깨에 메고, 그들이 사라진 곳을 마지막으로 한 번 더 본 다음 몸을 돌려 캠프로 내려가기 시작했다.

그로부터 10년 후

안데스에서의 또 다른 등반에 관한《벽에 맞서다Against the Wall》(1997)에서 사이먼 예이츠는《터칭 더 보이드Touching the Void》의 시울라 그란데 이야기 중 자신의 입장을 '충실하고 진실하게' 다뤘다고 너그럽게 인정해줬다.

사이먼은 그 사건 이후 10년이 지나도록 양심의 문제에 대해 곱씹어봤다고 말했다. 그는 내가 그의 입장이었더라도 그렇게 했을 것이고, 그것이 나를 구하려던 영웅적 노력 끝에 닿은 단 하나의 현명한 길이었기에 자신의 양심은 거리낄 것이 없다고 말했다. 나는 그 말을 듣고 마음이 한결 놓였다. 그는 이렇게 썼다.

어떤 사람들은 심각한 고민 같은 건 없었다고, 로프를 자르느냐 마느냐 하는 것이 상징하는 강력한 신뢰와 우정이 내 마음속에 전혀 없었다고 주장할 것이다. 또 어떤 사람들은 그것은 단지 생사의 문제로 그렇게 할 수밖에 없었을 것이라고 말할 것이다.

그 일이 일어났을 때 조가 어서 로프에서 체중을 빼내 내 자세를 안전하게 다시 고쳐 잡을 수 있기만을 기다리며 나는 오랫동안 버틸 수밖에 없었다. 조의 체중을 더 이상 감당할 수 없는 한계에 거의 도달했을 때 배낭에 든 칼 생각이 떠올랐다. 그리고 나는 조를 위해 마땅히 해야 할 일을 모두 했고, 이제 우리 둘의 목숨이 위태롭게 된 상황에서 나 자신의 목숨을 구해야 하는 시점에 이르렀다고 생각했다. 내가 취할 행동이 조를 죽일 수 있다는 것도 인지했지만, 나는 아주 짧은 시간 안에 직관적으로 결정을 내려야 했다. 그것은 등반 중에 내렸던 다른 모든 중요한 결정과 마찬가지로 그냥 옳은 일처럼 느껴졌다. 주저 없이, 나는 배낭에서 칼을 꺼내 로프를 잘랐다.

이런 직관의 순간은 언제나 같은 느낌이다. 마치 내 마음속에서 나오지 않은 것처럼 비인간적이다. 일이 벌어지고 나서야, 그런 순간을 미리 대비했어야 하지 않았나 하는 생각이 든다. 그날 이전에도 우리는 잘못된 판단을 여러 번 내렸었다. 충분히 먹지도 마시지도 못한 채 어두워지고 나서도 한참 동안 등반했다. 그 결과 스스로를 추위와 탈진과 탈수로 몰아넣은 셈이었다. 어느 날 저녁에는 조가 설동을 다 팔 때까지 밖에서 기다리다 혹독한 추위에 손가락 몇 개에 동상이 걸리기도 했다. 간단히 말해, 우리는 우리 자신을 제대로 돌보지 않았던 것이다….

사건을 이런 식으로, 즉 준비 부족의 문제로 여긴 적은 없었는데 이제는 사이먼이 옳다고 느낀다.

등반이 끝난 후 잘한 것과 못한 것을 분석하는 일은 그 등반을 할 만큼 체력이 되느냐, 혹은 재능이 있느냐 하는 문제만큼 중요하다. 그래서 당연히 나 역시 일어난 일들에 대해 몇 년 동안이나 심사숙고하며 어디서 잘못되었는지, 가장 치명적인 실수는 무엇이었는지 알아내려고 노력했다. 처음엔 우리가 잘못한 것이 없다고 확신했었다. 물론 얼음 상태에 대해서는 조금 더 신경을 쓰겠지만, 나는 여전히 능선 위의 그 절벽을 내가 한 방식대로, 즉 다운 클라이밍으로 내려올 것이다. 텐트보다는 설동을 이용할 것이며, 알파인 스타일(다른 사람의 도움을 받지 않고 한 번에 오르는 방식)로, 같은 장비와 식량을 가지고 갈 것이다. 결국 우리가 어디에서 결정적인 실수를 범했는지 알아낸 사람은 사이먼이었다. 하지만 그 실수는 우리가 베이스캠프를 떠나기 전에 일어났다.

가스.

우리는 물을 충분히 만들 수 있을 정도의 가스를 가져가지 않았다. 두 사람에게 하루에 작은 가스통 하나는 정말 부족한 양이었다. 무게를 줄이는 것에 대해서도 마찬가지로 우리는 모든 것을 극도로 줄였다. 이런 결정은 상황이 급변하여 잘못되기 시작했을 때 대책을 세울 수 있는 여지를 없애버렸다. 사이먼이 나를 산타 로사Santa Rosa 안부로 내렸을 때, 우리는 폭풍설이 몰려오고 금방이라도 깜깜해질 듯한 가운데 서벽으로 하강하느니 설동을 파고 폭풍설을 피해볼까도 생각했었다. 만약 그랬더라면 우리는 밝은 대낮에 내려왔을지도 모른다. 그러면 우리는 그 빙벽을 보고 피할 수 있었을 것이고, 상황을 통제할 수 있었을 것이다.

대신, 구름을 동반한 폭풍설이 안부 위로 밀려오자 우리는 식량과 가스가 전날 밤에 다 떨어졌다는 사실을 깨닫고 고통스러워 할 수밖에 없었다. 탈수현상이 이미 위험수위에 도달했기 때문에 물을 만들 수 없는 상황에서 언제 끝날지 모를 폭풍설에 갇히는 위험을 감수할 수는 없었다. 나는 이미 탈수현상에 시달리고, 정강이뼈의 외상성 골절과 내출혈로 쇠약해져 있었다. 우리에겐 달리 선택의 여지가 없었다. 눈이나 얼음을 녹여 따뜻한 물을 만들어 마실 단 하나의 가스통만 가진 채 계속 내려가야만 했다. 그러다 통제 불능 상태에 빠졌고, 둘 다 목숨을 잃을 뻔했다.

그의 책에서 사이먼은 이렇게 분석을 이어갔다.

로프를 자른 후 아무리 괴로워해도 달라지는 건 없었다. 내 결정은 옳았다. 우리 둘 다 살아남았으니까. 그 후 몇 년간 내 판단의 윤리에 대한 뜨거운 논쟁을, 그리고 이렇게 했더라면 저렇게 했더라면 하는 가정을 많이 들어왔다. 내 행동을 이해하는 사람도 있었고, 대놓고 반감을 보이는 사람도 있었다. 이런 사람들의 간접적인 의견은 그날 밤 페루의 텐트 안에서 조가 해준 말에 비하면 아무 의미도 없었다. 지금의 나는 그때보다 등반 기술과 경험을 더 많이 쌓았다. 그런 상황에 다시 직면하리라고 믿지는 않지만 어떻게 되도 내 결정은 똑같을 것이다. 그러나 단 하나 내가 소홀히 했다고 느끼는 것이 있다. 곤경에 처한 극도의 긴장 상태여서 그랬는지, 자세히 살펴보지도 않고 그를 크레바스에서 구조하는 게 불가능한 시도라고 성급한 결론을 내린 것이다. 지금 돌이켜보니 구조 시도가 일을 더 망쳤을지도 모르지만, 그때는 가장자리까지 가서 크레바스 속을 자세히 살펴보자는 생각이 전혀 들지 않았다.

결국, 산에서든 일상생활에서든 우리는 스스로를 돌봐야 한다. 내 말은 우리가 이기적이어도 된다는 것이 아니라, 스스로를 잘 돌봐야 남도 도울 수 있다는 의미다. 산을 떠나 복잡한 일상생활에서 이런 책임을 소홀히 한 결과는 결혼 파탄이나 문제아, 사업 실패, 부동산 차압 등으로 이어지지만, 산에서는 죽음으로 이어지는 경우가 많다.

사이먼이 자신의 책에서 밝힌 것처럼, 그 사고에 대한 '간접적인 의견'에 대해선 나도 별로 신경 쓰지 않았다. 우리 사이에서 일어난 일을 우리는 정확히 이해하고 있었고 그에 대해 상당히 만족했다. 그 이야기를 '솔직하게' 털어놓아, 사이먼이 받을지 모르는 부당하고 가혹한 비난을 미연에 방지하고자 나는 이 책을 썼다. 로프를 자르는 것은 분명 민감한 문제이고 불문율을 깨는 행위여서 사람들이 이야기의 그런 부분에 끌리는 것 같았다. 그래서 나는 내가 할 수 있는 한 정직하게 썼다.

그렇다 해도, 안락의자에 앉아 이러쿵저러쿵 하는 사람들의 오해에서 비롯된 의견에 대해 나나 사이먼은 오랫동안 전혀 걱정하지 않았다. 내 우선순위는 부상에서 회복해 산으로 돌아가는 것이었지, 우리가 '이랬어야 했어, 저랬어야 했어'라고 하는 다른 사람들의 헛된 공상에 대꾸하는 것이 아니었다. 사고의 90퍼센트는 인간의 실수 때문에 일어난다. 우리는 실수하게 되어 있고, 사고는 일어나게 되어 있다. 따라서 어떤 일을 시작하기 전에 그 일이 잘못되더라도 상황을 통제할 수 있도록 가능한 모든 결과를 미리 예측해보는 것이 좋다.

독자들이 우리의 경험을 고통스러운 것으로 여길지라도, 혼자서 이겨낸 그 며칠이 얼마나 끔찍했는지를 표현하기에 이 책은 너무나 부족하다는 말을 덧붙이고 싶다. 정말, 절대 고독의 경험을 표현할 적절한 말을 찾을 수가 없다.

1997년 8월

조 심슨

에필로그

끔찍한 기억

2002년 7월 중순, 17년 전 눈보라가 치던 어느 어두운 날 밤 사이먼 예이츠가 나를 발견해낸 페루 안데스의 바로 그곳에 나는 섰다. 당시 나는 정신적·육체적으로 난파선이 된 한 인간에 불과했다. 체중은 50킬로그램도 안 되었고, 케토산증(keto-acidosis, 혈중에 강한 산인 케톤체가 존재하는 상태)으로 고통 받고 있었으며, 혼수상태에 빠지기 직전이었다. 내 몸은 거의 완전 탈진 상태여서 죽음 바로 전 단계에 이르러 있었다. 그 후, 몇몇 의사의 이야기로는 사이먼이 나를 발견했을 때 나는 이미 죽어가고 있었다.

세월이 흐른 지금, 영화감독, 촬영기사, 음향기사 등이 긴 털이 덮인 마이크와 렌즈를 들이대고 기대에 차 나를 주시하고 있는 모습에 불편한 마음이 들었다. 사이먼은 옆에 서서 나를 발견했을 때 내 상태가 어땠는지, 바위 위에 어떻게 누워 있었는지 카메라 앞에서 설명하고 있었다.

이 모든 소리가 아주 먼 곳에서 들려오는 것 같았다. 심장박동이 점점 빨라지고 주위의 산들이 내 의식 속으로 뚜렷이 들어오는 것을 느꼈다. 산이 나를 짓누르는 것 같았다. 숨을 쉴 수가 없었다. 얼굴이 뜨겁게 달아올랐고 땀이 엄청 흘러내렸다. 나는 카메라에 이런 모습이 찍히지 않길 바라며 어색하게 자세를 바꿨다.

마치 공격받기 직전에 놓인 것처럼 나 자신은 이상하게 약해져 있었다. 사실 그런 생각을 하면 할수록 더욱 초조해졌다. 질문을 하나 받았는데 멀리서 들려오는 소리 같았다. 관자놀이에서 피가 솟구치는 소리가 들렸다. 나는 대답을 하면서 울지 않으려고 안간힘을 썼다. 인터뷰할 때 눈물을 비치지 말아야지 결심했는데 갑자기 눈물이 흘러내렸다. 나는 사이먼과 리처드가 어둠속에서 나를 찾으러 나오던 순간, 그들의 헤드램프 불빛, 이제 악몽이 끝나고 '나는 살았구나' 하고 생각한 그 격렬한 순간에 대해 이야기했다.

나는 얼굴을 바위에 대고 누운 채 발견된 곳을 내려다봤고, 바위덩어리들이 무질서하게 널린 먼 강바닥을 힐끗 건너다봤다. '세상에, 저런 곳을 한밤중에 어떻게 내려왔지?'

그 생각은 공황상태의 감정을 더욱 강하게 몰고 갔다. 그때 말을 머뭇거렸는지는 분명치 않지만, 땅을 내려다보던 그 긴 순간 나는 마치 그곳에 누워 있는 것 같은 착각이 들었다. 사이먼의 손이 섬뜩한 촉감으로 다가와 하마터면 누가 내 어깨를 잡았는지 돌아볼 뻔하기도 했다.

마치 내 머릿속에 환각작용이 일어난 것 같았다. 신경이 서로 교차되고, 오랫동안 깊숙이 감춰져 있던 기억으로부터 색깔과 느낌과 감정의 조각들이 무서운 힘으로 폭발하며 돌아오고 있었다. 찰나의 순간에 일어난 일이었겠으나 몇 분이나 지속된 것 같았다. 이윽고 그 순간이 지나가자 나는 완전히 맥이 빠져버렸다.

사이먼과 나는 촬영팀이 당시 우리 베이스캠프를 재연해놓은 곳으로 걸어갔다. 낯익은 모습이었다. 사이먼이 무언가 눈치를 챘는지 괜찮으냐고 물었다.

"별로." 그렇게 대답했지만 그 정도가 아니었다. 멀리 가버리고 싶었다. 앉아서 진정하려고 노력했다. 겉으론 정상적으로 보였을지 모르지만 속으론 히스테리를 느끼고 있었다.

계곡 아래쪽으로 20분 거리에 있는 촬영팀의 거대한 베이스캠프로 돌아와서야 기분이 조금 나아지기 시작했다. 나는 내 텐트로 돌아와 위스키를 한잔 따르고 담배에 불을 붙였다. 그리고 나 자신에게 이렇게 말했다.

"조, 그건 공포라는 감정의 공격이었어. 걱정 마. 그게 정상이니까."

사실, 그때는 그게 뭔지 잘 몰랐으나 그 증상은 그 후 3주 동안 반복적으로 나타났다. 그런 감정의 공격에 미리 긴장해서 그랬는지는 몰라도 처음만큼 강하진 않았다. 그런 증상이 나타날 때면 그것은 단지 내 마음이 속임수를 쓰는 것이라서 곧 사라질 거라고 스스로를 위안하면 조금 도움이 되었다.

무척 이상한 일이었으나 사이먼과 나는 개인적인 감정에 대해선 거의 말을 하지 않았다. 그 경험에 대해 많은 것들을 쓰고 말해서인지 더 할 말도 남아 있지 않았고, 말하는 것도 의미가 없는 것 같았다. 그렇다고 바뀌는 것은 아무것도 없을 테니까. 우리는 어느 누구보다도 이곳에서 일어난 일을 마음속에서부터 잘 이해하고 있었다. 그것은 다 지나간 일이었다.

14명의 촬영요원, 안전요원, 짐꾼들과 76마리의 당나귀로 이뤄진 팀과 함께 나흘에 걸쳐 베이스캠프로 천천히 걸어 들어올 때, 눈에 익은 풍경 속으로 들어간다는 반가운 감정은 조금도 일지 않았다. 사실 터무니없어 보였다. 1980년대 스타일로 장비를 갖추고, 고집스러운 4마리의 당나귀를 끌고, 팀 닥터는 리처드로 분장하는 등의 모든 일이 코미디였고 지루한 반복이었다. 카메라 삼각대 앞을 쿵쾅거리며 지나서 한 장면을 더 찍기 위해 우왕좌왕하는 당나귀들을 방금 지나온 그 길로 서둘러 다시 몰고 갔다.

"저 커다란 루핀lupin(커다란 화초) 무리에 도착하면 카메라를 향해 걷기 시작하세요." 이런 암호 같은 지시가 무전기에서 지지직거리며 들려왔다. 나는 600밀리 렌즈 카메라가 설치되어 있는 먼 능선을 슬쩍 바라봤다. 그러곤 우리가 건너기로 되어 있는 V자형 계곡 양옆의 가파른 벽을 살펴봤다. 그 벽은 톱니 바위로 된 능선으로부터 우리 아래에서 반짝이고 있는 얕고 구불구불한 강까지 30킬로미터도 넘게 뻗어 있었다.

우아이이야파Huayllapa 마을 위 계곡을 돌아 올라오면서 눈 덮인 봉우리들을 바라봤을 때는 마치 옛 친구를 만난 것처럼 유쾌하게 놀라기도 했다. 얼음으로 무장한 라삭Rasac과 예루파하Yerupaja의 봉우리들은 여전히 계곡 위로 우뚝 솟아올라 있었다. 내 반응은 무서움보다는 흥미로움이었다. 그동안 나는 이 산들이 얼마나 아름다운지 까맣게 잊고 있었다. 지난 20년 동안 세계의 여러 산들을 올랐으나 눈앞에 펼쳐진 와이와시 산군이 가장 아름답다는 사실을 불현듯 깨달았다. 그러자 미소가 떠올랐다.

그리고 시울라 그란데Siula Grande의 서벽을 바라보니 공포로 몸이 떨렸다. 서벽은 내 기억보다도 더 크고 위협적이었다. 그 모습을 보니 그때의 내가 경이롭게 여겨졌다. 나는 그런 도전에 나설 만큼 용감하고 야심만만하고 약간은 미쳐 있었다. 우리가 오른 루트를 눈으로 훑어가자 북쪽 능선에서 강한 바람에 눈이 깃털처럼 날리는 모습이 보였다. 그러자 무섭다는 생각이 들었다. 그때의 박력과 열정은 모두 어디로 갔을까? 테스토스테론은 넘치고 상상력은 빈약했던 한 젊은이의 타고난 자신감, 거칠 것이 없었던 그 감각들은 모두 어디에서 잃어버렸을까?

서벽에서 눈길을 돌린 다음, 빙하의 모레인지대로 터벅터벅 걸어 올라가면서 적어도 나는 여기에 존재하고 있다는 생각으로 스스로를 위로했다. 관자놀이 주변이 회색으로 조금 변했고 아주 조금 현명해졌지만 적어도 나는 여기에 존재하고 있다고.

빙하와 모레인 위를 기어가는 모습을 재연해 카메라에 담았던 날들은 이상하면서도 어색하게 지나갔다. 물론 이 사람들이 필름을 자르면 내 얼굴은 보이지 않고, 배우들과 알프스에서 촬영한 장면들로 재구성하기 위해 이 모든 것을 찍고 있다는 사실은 알고 있었다. 그럼에도, 17년 전과 똑같이 그때의 등산복을 입고 매트리스로 오른쪽 다리를 감싸고, 기어가고, 넘어지고, 폴짝 뛰는 시늉을 해야 하는 맥 빠지는 짓을 하려니 짜증이 났다. '이런 장면에서 왜 배우를 쓰지 않는 거야?'

언제라도 공포라는 감정으로부터 공격을 받을지 모른다는 느낌이 들었다. 모레인인가 빙하에 이르러 낯익은 산의 능선들이 시야를 압도하며 나를 빙 둘러쌌을 때 이런 느낌은 최고조에 달했다. 그 모습은 내 의식 속에서 불에 덴 화상처럼 남은 기억이었다. 17년이라는 세월이 흘렀지만 그 기억을 다시 마주하는 것은 가장 끔찍했던 기억과 연상을 끄집어내는 기폭제가 되었다. 여기가 바로 내가 삶과 죽음의 경계선에 있었던 그 장소였다. 능선들을 보지 말았어야 했다. 나는 돌아오지 말았어야 했다. 다시 돌아와서 얻은 것은 카타르시스가 아니라 공포였다.

17년 동안 때때로 나타난 그 기억들이 아주 명료하고 생생하게 떠올랐고, 계곡 아래로 기어 내려가던 1985년의 끔찍한 현실이 되살아났다.

하루는 모레인과 벽 사이에 있는 협곡에 혼자 앉아, 2킬로미터 떨어진 곳에 자리 잡고 있는 촬영요원들에게서 올 무전 연락을 기다리며 등산복을 입고 배낭을 메고 다리를 매트리스로 감싼 채 멀리 떨어져 있는 바위들을 쳐다보고 있었다. 나는 다시 공황상태에 빠졌다. 1985년 나는 사이먼과 리처드가 나와 함께 있다고 믿으며 정확히 이 지점에 있었다. 그것은 환각이었는데, 나는 안락이라는 고치 속으로 너무나 잘 숨어들어서 그 환각을 절대적으로 믿었다. 그런데 그로부터 17년이 지난 후 그 경험을 다시 한다는 것도 정말 괴이했다.

나는 능선 위에 있는 사람들을 보려고 애쓰며 어깨 너머를 초조하게 응시했다. 심장이 뛰기 시작했고 호흡이 깊어지며 불안했다. 그때 카메라 주변에 모여 있는 작은 점들이 눈에 들어와 나 자신을 진정시키려 애썼다. 돌이 절벽에서 덜거덕거리며 굴러떨어지는 소리와 먼지가 바람에 날려 올라가는 모습을 보자 위협에 대한 이런 느낌이 더욱 고조되었다. 나는 능선을 힐끗 돌아봤다. '자, 진정해. 여길 벗어나.' 돌무더기가 나를 향해 우두두 떨어졌다. 몸이 본능적으로 움찔했다. 그 순간 모든 것을 집어삼키는 공황상태가 나를 압도했다. 이곳에서 빠져나가야 해. 도망쳐야 해. 다리를 감싸고 있던 매트리스를 벗기려는데 무전기가 지지직거리며 울렸다.

"조, 여긴 케빈, 들려요?" 나는 윗옷 앞주머니에 들어 있는 무전기를 쳐다봤다. "조, 조, 들려요? 준비됐어요?"

"케빈, 여긴 조. 들려요."

"오케이, 조! 바위들이 있는 좁은 통로를 향해 기어오세요. 준비되면 시작하세요." 나는 웃었다. 마치 조울증 환자 같았다. 페루로 돌아온 게 전혀 즐겁지 않았다.

***

정신적 외상에 의한 감정, 즉 죄의식이나 후회, 슬픔 또는 공포는 뿌리 깊거나 전형적인 두려움을 모방하는 방식으로 신경망을 타고 여기저기 옮겨 다닌다. 이 어두운 기억과 깊숙한 두려움 앞에서 커다란 진전이 있었다. 오늘날의 과학자들은 두려움과 금기사항을 익히지 못한 두뇌를 도울 수 있는 방법을 찾아냈다. 쥐 실험은 그런 기억에 반응하는 뇌의 호르몬 작용이 억제될 수 있고, 그렇게 함으로써 그에 따른 감정을 완화할 수 있다는 것을 보여줬다. 간단히 말해, 과학자들은 마음속의 근원적인 두려움을 차단하는 방법을 자유자재로 구사하게 된 것이다. 악몽의 근원은 편도체amygdala라고 불리는 빽빽한 신경 매듭으로부터 방출된 것이다. 각각 새로운 정신적 외상 경험을 갖게 되거나 과거의 상처가 다시 살아날 때 이 '공포 센터'는 뇌에 공포를 주는 인상을 지져 넣는 호르몬 분비를 촉진시킨다. 견딜 수 없는 것은 잊힐 수 없는 것이 된다. 이 연구는 환자들이 외상후스트레스장애post-traumatic stress disorder, PTSD로 피폐해지지 않게 하는 데 그 목적이 있었다. 미국에서 아드레날린 억제제인 프로프라놀롤propranolol 임상시험을 처음 시도했다. 효과를 보려면 사고가 난 후 가급적 빨리 약을 먹어야 한다.

나는 외상후스트레스장애라는 바로 그 발상에 조금은 회의적이었다. 요즘은 이런 증상이 없는 사람이 없는 것 같았고, 또 과거로부터 변명거리를 제공해주고 보상소송에서 편리한 길을 열어주는 데 두루 이용되는 것은 아닐까 하는 의구심이 들었다. 제1차 세계대전과 제2차 세계대전 후 전대미문이라 할 정도로 소름끼치는 경험을 한 수백만 명의 사람들은, 민간인이든 군인이든 왜 외상후스트레스장애로 무기력해지지 않았을까? 제2차 세계대전 당시엔 확실히 '탄환충격'이란 것이 있긴 했으나 '도덕적 정신력 결핍' 이상으로 여겨지진 않았다. 그 당시의 차이라면 아마도 사람들이 오늘날처럼 엄청난 비난이나 보상 문화 속에 살지 않았다는 점일 것이다.

그래서 페루에서 돌아온 이후 나는 내가 외상후스트레스장애를 겪고 있다는 말을 듣고 조금 놀랐다. 아마도 모레인과 빙하를 둘러싸고 있는 산들에 대한 기억이 너무나 깊이 배어 있어서 1985년의 공포가 놀랄 만큼 명료하게 되돌아온 것일지 모른다. 마치 며칠 전에 일어난 일처럼.

그사이 17년 동안 내가 시울라 그란데에서 입은 외상후스트레스장애를 무척 효과적으로 다뤄왔기 때문에 증상이 금방 없어질 거라는 말을 들었다. 심리치료사의 대기명단에 내 이름을 올려놨는데, 나는 이 일이 굉장히 불편하게 여겨졌다. 나는 특히 미국식 치료나 상담에 의지하는 것을 항상 경멸하고 수치스럽게 생각한 사람이었다. 영국인의 바로 그 '뻣뻣한 입술'로 그런 문제를 언급하는 것 자체가 가장 효과적이고 수준 높은 치료였던 모양이다. 어쨌든 나는 페루에서 겪은 매우 이상한 감정들을 인정해야만 했고, 마지못해 심리치료사와 진료 약속을 잡아야 했다.

그러는 두 달 동안 경미한 공황상태에 빠지곤 했는데, 그것은 예기치 못하게 울거나 상처받기가 너무 쉽다는 생각을 끈질기게 하는 정도였다. 그러고 나서 한 회사의 동기부여를 위한 강연에서 이 책의 이야기를 하자 며칠 뒤 증상이 사라졌다. 심리치료사로부터 시간이 비었다는 전화를 받는 데 6개월이 걸렸다. 치료 센터의 끔찍한 상태에 대해 몇 마디를 하곤 나는 약속 잡는 것을 거절했으며, 심각한 정신질환이 아니었던 것을 다행으로 생각했다.

이 책의 이야기를 하고 또 하는 것이 그런 상태를 극복할 좋은 치료법이라는 것은 우연한 기회에 증명되었다. 경험에서 오는 공포를 될 수 있는 한 생생하게 설명하도록 만드는 것은 심리치료사들에겐 분명 일반적인 치료법일 것이다. 자신의 진짜 이야기를 함으로써 그 경험은 허구가 되고 다른 사람의 이야기가 되어, 외상후스트레스장애로부터 자신을 분리해내게 된다. 즉, 공포 센터인 편도체로 향한 신경망을 막거나, 아니면 최소한 비켜갈 수 있다.

런던의 소호Soho에 있는 극장으로 영화의 첫 시사회를 보러 가는 내 감정은 복잡했다. 모든 것이 끝났고, 책을 영화로 만들기 위한 10년간의 저작권 협상 끝에 결국 무언가가 만들어져 마음이 놓였다. 한번은 샐리 필드와 톰 크루즈가 관여하는 프로덕션 회사에 저작권이 팔린 적이 있었다. 톰 크루즈는 이 이야기가 등반 세계의 일반적인 즐거움을 보여줄 수 있는 '스타 매개물'이었다. 많은 사람들은 니콜 키드먼이 사이먼 역을 맡으면 되겠다고 놀려댔다. 그때 나는 영화가 만들어지기라도 하면 할리우드가 매년 양산해내는 그런 종류의 졸작이 될 거라고 생각했다. 그런 졸작을 만들려고 돈을 엄청나게 퍼붓다니. 하지만 결국 그 협상이 파기되어 권리가 나에게 넘어온 후 이번 영화팀이 관심을 보인다는 이야기를 듣고 무척 기뻤다. 케빈 맥도널드는 오스카상을 받은 다큐멘터리 감독이어서 사실에 충실한 영화를 만들 수 있으리라 기대했다.

극장에 들어서는 순간까지도 영화가 어떨지 전혀 짐작하지 못했다. 개인적으로 겪는 곤란은 차치하고라도, 페루에서 영화를 찍는 일이 엄청 지루하고 무척 혼란스러운 작업이라는 것을 알게 되었다. 책을 영화로 만들 때 엉망이 되기가 얼마나 쉬운지도 뼈아프게 깨달았다.

1시간 40분 후에 영화의 엔딩크레딧이 올라가는 동안 나는 만족스럽고도 불안한 마음으로 자리에 앉아 있었다. 영화는 정말 책에 충실했다. 내 입장에서 그런 평가를 하기는 좀 껄끄럽지만, 영화는 강력하고 감정적으로 풍부한 작품이었다. 나는 사이먼과 내가 카메라 앞에서 전체 이야기의 내레이터로 선 것이 어떻게 받아들여질지 알 수 없어 걱정했다. 우리는 그런 종류의 대중적 노출을 별로 원하지 않았기 때문에 그 연출이 불편하게 느껴졌다. 녹음된 자기 목소리도 이상하게 들리는 법인데, 하물며 대형 스크린에서 자신의 모습을 본다는 것은 무척 불안한 일이다. 널리 알려진 책을 영화로 만드는 것은 언제나 어려운 일이다. 어떤 경우는 성공적인 것 같기도 하지만 판단은 독자와 관객의 몫이다. 내 기억 속에 그토록 강렬하게 남아 있는 실제의 경험은 사이먼과 나를 어떤 책이나 영화와도 영원히 거리감을 느끼게 할 수밖에 없다.

이상한 일이지만, 1985년 페루에서 입은 정신적·신체적 트라우마는 내 삶을 바꿔놓지 못했다. 실제 나를 바꾼 것은《터칭 더 보이드》의 성공과 그 후 작품과 강연자로서의 경험이었다. 영화를 만든 것도 더 이상의 변화나 도전을 맛보게 해주지는 못할 것이다.

나는 종종 시울라 그란데에서 사고를 당하지 않았다면 내 인생이 어떻게 되었을까 자문해보곤 한다. 점점 더 어려운 루트를 등반하면서 그때마다 더 큰 위험에 노출되었을지 모른다는 생각도 들었다. 지난 몇 년간 산에서 죽은 친구들을 생각해보면 내가 지금 살아 있을지도 자신이 없다.

그 시절 나는 돈 한 푼 없고 속 좁은 무정부주의자였으며, 거칠고 야심만만한 산악인이었다. 그 사고는 나에게 완전히 새로운 세계를 열어줬다. 그렇지 않았다면 나는 글을 쓰고 강연을 하는 내 잠재적 재능을 결코 발견할 수 없었을 것이다.

페루에서는 대단히 긴 시간 동안 극한의 위험을 감수해야 했다. 하지만 모든 고통과 트라우마에도 불구하고, 그 위험은 인상적인 모험에 대한 작은 대가에 불과했다. 기억은 멋진 속임수가 아닐까? 페루에서 거의 모든 것을 잃을 뻔했던 그 엄청난 사건은 승리처럼 삶을 고양시켜줬다. 그 이후 나는 걱정스러울 만큼 오랫동안 잘나갔다. 이런 상태가 언제 끝날까?

햇볕이 뜨거운 셰필드Sheffield에서 나는 일곱 번째 책을 끝내려고 씨름하는 중이다. 이번 책은 소설이다. 아이거 북벽에 네 번째로 도전한 뒤 아일랜드에서 있을 플라이낚시 휴가에 마음을 빼앗기지 않으려 애쓰고 있다. 겨울에는 영화 홍보와 강연 일정으로 바쁠 것 같다. 17년 전 시울라 그란데에서 살아남기 위해 싸운 일이 나를 성공적인 사람으로 바꿔놓은 것 같다. 물론 무척 이상하게 느껴지긴 하지만….

삶은 깜짝 놀랄 패를 쥐여줄 수도 있다. 당신은 그 패를 쥐고 정석적인 플레이를 할 것인가, 허세를 부릴 것인가, 아니면 올인을 할 것인가?

2003년 7월

조 심슨

감사의 말

이 책을 쓰면서, 나는 확률이 불리한 도박을 벌이고 있다는 느낌이 들었습니다. 친구들과 친척들의 지지와 격려가 없었다면 이 책을 끝내기는커녕 시작하지도 못했을 겁니다.

사이먼에게, 평생 갚을 수 없는 빚을 진 것은 차치하고라도, 자신이 겪은 일들을 솔직하게 말해주고, 민감한 감정들을 글로 옮길 수 있도록 허락해준 것에 대해 먼저 감사를 표합니다.

《하이High》지에 기고하도록 충고해준 짐 페린Jim Perrin과 격려해준 제프 버틀Geoff Birtle에게 감사드립니다. 조너선 케이프Jonathan Cape 출판사의 편집자로서 귀중한 충고와 도움을 준 토니 콜웰Tony Colwell에게도 감사를 보냅니다. 이 이야기가 책으로 만들 만한 가치가 있다는 그의 확신이 없었다면 모든 것이 불가능했을 겁니다. 실행에 옮기도록 나를 괴롭힌 존 스티븐슨Jon Stevenson에게도 빚을 졌습니다.

개념도를 그려준 톰 리처드슨Tom Richardson, 사진을 도와준 이안 스미스Ian Smith, 다른 잡지사들과 신문사들에 이용당

할 위기에서 나를 구해준 《마운틴Mountain》지의 버나드 뉴먼Bernard Newman에게도 감사드립니다. 포체스터 그룹 보험 서비스Porchester Group Insurance Services의 너그러운 재정 지원과 특히 게리 디브스Gary Deaves의 도움이 없었다면, 나와 사이먼은 페루에 가보지도 못했을 겁니다.

마지막으로 그리고 가장 중요하게, 이 책을 쓰도록 격려해주고, 몸과 마음이 정상으로 돌아오도록 도와주고, 등반을 계속하기로 한 결정을 인내심 있게 받아주신 부모님께 진심으로 감사드립니다.

옮긴이의 말

전 세계 수많은 나라에서 200만 부 이상 팔리긴 했지만, 한국에서 이미 《친구의 자일을 끊어라》(1991)와 그 후 개정판으로 《난, 꼭 살아 돌아간다》(2004)로 소개된 이 책을 다시 번역하게 될 줄은 몰랐다. 그 도화선은 (주)연극열전이 대학로의 한 극장에 올린 연극 〈터칭 더 보이드〉(연출 김동연)였다. 관객들의 열렬한 성원을 받은 연극 역시 감동적이었다. 그리하여 나는 이 작품을 다시 한번 소개해야겠다고 결심했다.

이 책을 위와 같은 제목의 번역서로 한국에 소개한 고故 정광식은 한국외국어대학교산악회 선배로 나의 절대적 멘토였다. 그 형은 《난, 꼭 살아 돌아간다》의 면지에 이렇게 써서 나에게 건네줬다. "사랑하는 동수야, 미안하다. 미안하다. 미안하다. 정광식 드림. 2006. 7. 11" 청춘과 인생을 송두리째 바친 산에 함께 다니며, 그 형은 무엇이 그렇게 미안했을까? 돌이켜보니 가슴이 먹먹하다. 그리고 내 손에 들어온 건 조 심슨의 사인과 더불어 책입에 'VILLA EVEREST'라고 선명하게 쓰인 원서 《TOUCHING THE VOID》였다. 그러니까 정광식 형이 카트만두에서 '빌라 에베레스트'를 운영하던 1988년, 사고를 당하고 나서 2년간 재활치료를 끝낸 조 심슨이 카트만두를 방문했을 때 그의 책에 사인을 받았고, 그 인연이 첫 번째 번역서로 이어져 한국 독자들에게 소개된 것이다.

1994년, 이 드라마틱한 이야기의 배경이 된 와이와시 산군의 예루파하(6,635미터)에 갔었다. 시울라 그란데와 북쪽 능선으로 연결된 이 산은 와이와시 산군의 최고봉이어서 단연 압도적이었다. 영화를 찍기 위해 17년 만에 이곳을 찾은 조 심슨은 에필로그 '끔찍한 기억'에서 이렇게 말한다. "지난 20년 동안 세계의 여러 산들을 올랐으나 눈앞에 펼쳐진 와이와시 산군이 가장 아름답다는 사실을 불현듯 깨달았다." 리마에서 우아라스Huaraz라는 도시를 거쳐 치쿠이안Chiquián 마을에 도착했을 때 파란 하늘을 배경으로 멀리 우뚝 솟아오른 예루파하는 세상에서 가장 아름다운 봉우리였다. 우리가 예루파하에 간 것은 바로 이 책 때문이었다. "형, 30주년 기념등반으로 이 책의 배경이 된 산에 가요."

정광식 - 친구의 자일을 끊어라(난, 꼭 살아 돌아간다) - 예루파하 - 조 심슨의 사인이 든 원서 - 김동수. 이 정도 인연이라면 다시 번역·소개해야 하는 의무 내지 일종의 사명이 나에게 주어진 셈이라고 생각했다. 따라서 이 번역서는 나의 절대적 멘토 정광식 형에게 바치는 오마주다.

이 책이 흥미로운 것은 주인공인 조 심슨이 아니라 사이먼 예이츠 때문이다. 만약 나라면 로프를 끊을 수 있을까? 눈보라가 몰아치는 외지고 캄캄한 벽에서 한쪽 다리가 부러진 동료를 거의 40미터나 로프로 내려준 상황에서, 어떤 의사소통도 안 되고, 시간은 한없이 흘러가고, 버티고 있는 눈구덩이는 무너지고…. 사이먼은 자신의 죽음이 눈앞에 떠올랐다. 어떻게 해야 할까? 나라면? 나라도 끊었을 것이다.

책을 번역하면서, 제일 먼저 와닿은 표현은 북쪽 능선 5,800미터의 8미터 절벽에서 추락한 조를 보고 난 사이먼의 독백이다.

"내 이야기를 믿어주던 사람들의 눈에서조차 의심의 기미가 보이기 시작하는 것 같았다. 기이하고 잔인한 눈빛. 조의 다리가 부러진 순간부터 나는 패자의 쪽에 선 셈이었다."
—8장 '무언의 목격자' 중에서

우리 모두는 언제라도 "패자 쪽에 선 셈"이 될 수밖에 없고, "내 이야기를 믿어주던 사람들의 눈에서조차 의심의 기미가 보일" 상황에 직면할 수 있다. 이런 상황이라면 세상을 어떻게 헤쳐 나가야 할까? 만약 절친한 친구까지 의심의 기미를 보인다면?

교훈을 얻은 것도 있다. 견디기 힘든 시련에 부딪힌다면 헤쳐 나갈 목표를 짧게 잡는 것이다. 다리 하나가 부러지고 극도의 탈진과 탈수에 빠진 조는 10여 킬로미터의 빙하와 모레인을 기어가서 기어이 살아남고자 했을 때 목표를 짧게 잡아 결국 성공했다. "30분 안에 저기까지만 가자."

> 나도 모르게 웃음이 나온 곳도 있었다. "모험을 한답시고 찾아와서 내가 찾던 것보다 더 힘든 모험에 갇혀버린 것은 웃기는 일이었다."
>
> —9장 '황금빛 구멍' 중에서

대화체의 구성 문제로 조 심슨과 메일을 주고받았다. 그때 조는 25살, 사이먼은 21살, 그리고 리처드는 그 중간이라고 했다. 한국의 산악문화에서는 하늘과 땅 차이지만 서양인임을 고려해 셋 모두가 말을 놓는 것으로 처리했다. 그 메일에서 조는 부상 후유증으로 2009년부터는 산에 전혀 다니지 않는다고 밝혔다.

11장 '잔인한 땅'에 나오는 셰익스피어의 희곡 《자에는 자로Measure for Measure》의 콜로디오 독백(3막 1장)은 《자에는 자로》(김성환 옮김, 동인, 2017)를 거의 그대로 인용했다. 두 달간 《TOUCHING THE VOID》와 《난, 꼭 살아 돌아간다》를 함께 놓고 번역했다. 따라서 이 번역서는 지금은 이 세상에 존재하지 않는 내 멘토와 나의 합작품이다.

아들보다도 10살 정도나 어리지만 무척 친하게 지내는 아주대산악부 15학번 김태관과 인천대산악부 16학번 최선홍에게 고맙다는 말을 하고 전하고 싶다. 이들과는 산행이든 등반이든 술자리이든 단 한 번도 지루하거나 유익하지 않은 적이 없었다. 김태관은 이 번역서의 부제를 찾는 나에게 "형, '난, 꼭 살아 돌아간다'는 이미 살아서 돌아왔다는 것을 암시합니다"라고 일러줬다. 언제나 신선한 후배. 그리고 이 둘과 함께 'SNOW LEOPARD(소련의 7,000미터급 고봉 다섯 개 완등)' 모험에 함께 나서는 나의 직속 후배 이재호 역시 언제나 대견한 후배로 이 책을 번역하는 동안 큰 힘이 되었다. 더불어, 일반대중을 상대로 함께 도전에 나선 리리 퍼블리셔의 심규완 대표에게 감사의 말을 전하고 싶다.

"나흘간 19킬로그램이나 체중이 빠지는 극한의 상황에서 바지에 오줌을 질질질 싸본 적 있습니까?" "똥 냄새를 맡고 '아, 살아났구나!'라고 생명의 희열을 느껴본 적 있습니까?"

아니면,
이 책을 읽으며 삶과 죽음의 경계선에 한번 서보세요.

2023년 6월

김동수

터칭 더 보이드

1판 1쇄 발행 2023년 6월 26일

지은이 조 심슨
옮긴이 김동수
펴낸이 심규완
책임편집 조민영
디자인 문성미

ISBN 979-11-91037-15-9 03840

펴낸곳 리리 퍼블리셔
출판등록 2019년 3월 5일 제2019-000037호
주소 10449 경기도 고양시 일산동구 호수로 336, 102-1205
전화 070-4062-2751 팩스 031-935-0752
이메일 riripublisher@naver.com

블로그 riripublisher.blog.me
페이스북 facebook.com/riripublisher
인스타그램 instagram.com/riri_publisher